DaF im Unternehmen B1

Kurs- und Übungsbuch

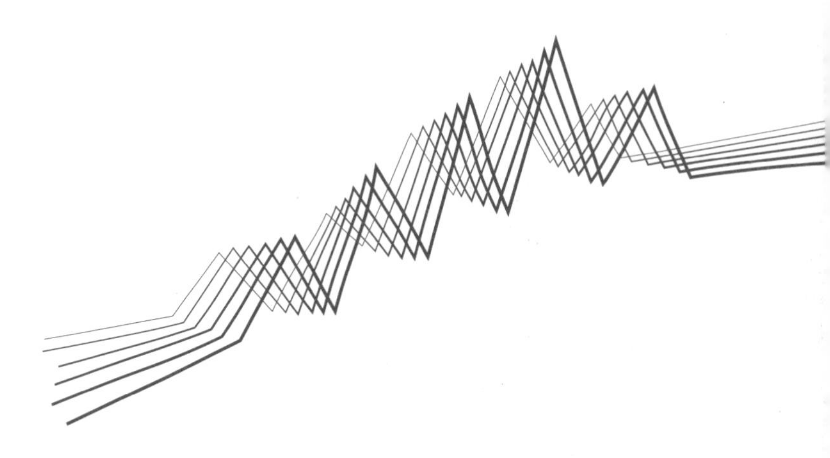

Ilse Sander
Nadja Fügert
Regine Grosser
Claudia Hanke
Viktoria Ilse
Klaus F. Mautsch
Daniela Schmeiser

Ernst Klett Sprachen
Stuttgart

Symbole in DaF im Unternehmen B1:

1 | 3	Verweis auf CD und Tracknummer
› G: 2.1	Verweis auf den entsprechenden Abschnitt in der Grammatik zum Nachschlagen
› ÜB: B3	Verweis auf die passende Übung im Übungsbuch
› KB: B2	Verweis auf die passende Aufgabe im Kursbuch
› Lek. 1	Verweis in den Datenblättern und in der Grammatik zum Nachschlagen auf die passende Lektion
B P	Aufgabentyp aus dem Sprachstandstest BULATS Deutsch-Test für den Beruf
T P	Aufgabentyp aus der Prüfung „telc Deutsch B1+ Beruf"
G	Grammatikregel
A	Ausspracheregel
Z	Zusatzübung
Film | 1	Verweis auf einen Film auf DVD bzw. im Netz

Alle Hörtexte und Filme als Audio-CD bzw. DVD im Medienpaket
und gratis auf: **www.klett-sprachen.de/daf-im-unternehmen-online**

Zu diesem Buch gibt es Audios und Videos, die mit der Klett-Augmented-App geladen und abgespielt werden können.

Klett-Augmented-App kostenlos downloaden und öffnen | Bilderkennung starten und **Seiten mit Audios und Videos** scannen | Audios und Videos laden, direkt nutzen oder speichern

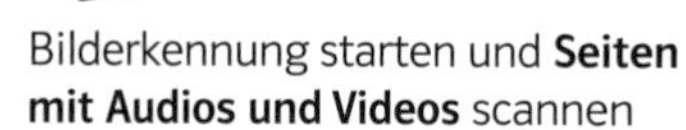

Scannen Sie diese Seite für weitere Komponenten zu diesem Titel.

1. Auflage 1 6 5 4 | 2021 20 19

Internetadresse: www.klett-sprachen.de/daf-im-unternehmen

Autoren: Ilse Sander, Nadja Fügert, Regine Grosser, Claudia Hanke, Viktoria Ilse, Klaus F. Mautsch, Daniela Schmeiser; Sabine Kaldemorgen
Fachliche Beratung: Andreea Farmache, Radka Lemmen, Udo Tellmann
Beratung (Österreich): Edit Hackl (Lienz)
Beratung (Schweiz): Andrea Frater-Vogel (Schaffhausen)

Redaktion: Angela Fitz-Lauterbach, Iris Korte-Klimach
Layoutkonzeption und Herstellung: Alexandra Veigel
Gestaltung und Satz: Franzis print & media GmbH, München
Illustrationen: Juan Carlos Palacio, Bremen
Umschlaggestaltung: Anna Wanner
Reproduktion: Meyle + Müller GmbH + Co. KG, Pforzheim
Druck und Bindung: DRUCKEREI PLENK GmbH & Co. KG, Berchtesgaden
Printed in Germany

978-3-12-676450-6

Arbeiten mit DaF im Unternehmen B1

DaF im Unternehmen führt in vier Bänden von A1 bis B2. Daneben gibt es auch eine zweibändige Ausgabe (A1/A2 und B1/B2), bei der das Kursbuch und das Übungsbuch jeweils in einem eigenen Band sind.

Das Lehrwerk **DaF im Unternehmen** richtet sich an Lernende, die aus beruflichen Gründen Deutsch lernen wollen, weil sie bereits in Deutschland, Österreich oder der Schweiz arbeiten, dort arbeiten wollen oder deutschsprachige Geschäftspartner haben. Es eignet sich auch für junge Erwachsene, die noch nicht im Berufsleben stehen, aber wirtschaftsbezogenes Deutsch lernen wollen.

DaF im Unternehmen vermittelt eine umfassende Handlungsfähigkeit am Arbeitsplatz, indem es von der ersten Lektion an grundlegende berufliche Kompetenzen und Kommunikationssituationen trainiert. Im Fokus steht die handlungsorientierte Vermittlung wichtiger sprachlicher und berufsbezogener Fertigkeiten, wie z. B. geschäftliche E-Mails verstehen und schreiben, Anweisungen geben und verstehen, Aufträge abwickeln, eine Geschäftsidee oder eine Firma vorstellen, sich auf eine Stelle bewerben und über seinen Werdegang berichten. Darüber hinaus werden Sprachkenntnisse vermittelt, die man auch außerhalb des Berufslebens benötigt, z. B. Termine vereinbaren, sich am Telefon verbinden lassen, eine Nachricht hinterlassen oder Konflikte klären.

Film | 1 Zudem informiert **DaF im Unternehmen** über existierende Unternehmen in Deutschland, Österreich und der Schweiz. Jeder Band enthält drei **Firmenporträts** – diese umfassen jeweils einen Film des Unternehmens sowie eine Doppelseite im Kursbuch mit Informationen zur Firma und Aufgaben zum Film. Die Filme finden Sie alle auf der DVD im Medienpaket sowie gratis online unter:
www.klett-sprachen.de/daf-im-unternehmen-online

DaF im Unternehmen B1 besteht aus einem Kursbuch- und einem Übungsbuchteil mit je zehn Lektionen. Jede **Kursbuchlektion** ist in fünf Doppelseiten (A bis E) untergliedert, wovon vier (A bis D) jeweils einen thematischen Teil umfassen. Am Ende der Doppelseite D befindet sich der Abschnitt „Aussprache" mit für die Kommunikation relevanten Ausspracheübungen. Auf der linken Seite der Doppelseite E **„Schlusspunkt"** sowie auf den **Datenblättern** für Partner A und B im Anhang findet man kleine Szenarien. Diese bieten die Möglichkeit, die in der Lektion vermittelten kommunikativen Fertigkeiten in realistischen Rollenspielen selbstständig anzuwenden. Auf der rechten Seite der Doppelseite E ist der Lernwortschatz der jeweiligen Lektion aufgelistet.

Jede **Übungsbuchlektion** umfasst acht Seiten. Hier werden der Lektionswortschatz, die Redemittel und die Grammatik in sinnvollen Zusammenhängen geübt. Im Unterschied zum Kursbuch sind die vier Lerneinheiten (A bis D) unterschiedlich lang, je nachdem wie viel Übungsmaterial der Lernstoff in der Kursbuchlektion erfordert. Das Übungsmaterial ist dabei so aufbereitet, dass es in Heimarbeit erarbeitet werden kann, weshalb die Lösungen zu den Übungsbuchlektionen auch im Anhang zu finden sind. Übungen, die mehr in die Tiefe gehen oder bestimmte Aspekte besonders hervorheben, sind mit Z für Zusatzübung gekennzeichnet. Diese Übungen können Lernende, die nicht so viel Zeit für die Arbeit zu Hause haben, zur Not überspringen. Bei Themen, die nur im Übungsbuch vorkommen, steht im Inhaltsverzeichnis der Hinweis: ÜB. Am Ende der siebten Seite befindet sich der Abschnitt „Rechtschreibung" mit kleinen Übungen zur Orthographie. Je nach Aussprachethema in der Lektion korrelieren diese miteinander. Jede Übungslektion endet mit der Seite „Grammatik im Überblick", auf der der Grammatikstoff der jeweiligen Lektion zusammengefasst ist.

B P T P In **DaF im Unternehmen B1** werden die Lernenden zudem mit Aufgabentypen aus dem Sprachstandstest „BULATS Deutsch" und der Prüfung „telc Deutsch B1+ Beruf" vertraut gemacht.

Der Zusammenhang von Kurs- und Übungsbuch wird durch klare Verweise verdeutlicht.
› ÜB: B3 Hier wird im Kursbuch z. B. auf die Übungssequenz 3 im Teil B der Lektion im Übungsbuch verwiesen.
› KB: B2 Im Übungsbuch wiederum gibt es einen Rückverweis auf das Kursbuch, hier z. B. auf die Aufgabe 2 im Teil B.

› G: 2.1 Bei jeder Grammatikaufgabe im Kurs- oder Übungsbuch findet man einen Abschnittsverweis auf die entsprechende Erklärung in der **Grammatik zum Nachschlagen** im Anhang, hier z. B. auf den Abschnitt 2.1.

1 | 3 Zu **DaF im Unternehmen B1** gibt es zwei Audio-CDs im Medienpaket (CD 1 und CD 2). Bei den **Hörtexten** ist die passende CD samt Tracknummer angegeben, hier z. B. CD 1, Track 3. Darüber hinaus finden Sie alle Hörtexte als MP3 gratis online unter:
www.klett-sprachen.de/daf-im-unternehmen-online

Das Autorenteam und der Verlag wünschen Ihnen viel Spaß und Erfolg bei der Arbeit mit **DaF im Unternehmen**!

Inhaltsverzeichnis

Inhaltsverzeichnis

A Branchen und Produkte

1 Unternehmen, Branchen, Produkte

a **Sehen Sie sich die Logos oben an. Welche Unternehmen kennen Sie? Nutzen Sie Produkte von diesen Unternehmen? Sprechen Sie im Kurs.**

b **Zu welcher Branche gehören die Unternehmen und welche Produkte stellen sie her? Ordnen Sie die Produkte auf der nächsten Seite zu. Es passen jeweils zwei Produkte.** › ÜB: A1a

Baustahl | Brot | Brötchen | ~~Busse~~ | Chemikalien | Datenbankmanagement | Deodorants | Drehmaschinen | Elektrowerkzeuge | Erdgas | Fräsmaschinen | Fruchtsäfte | Haushaltsgeräte | Hautcreme | Kunststoffe | Medikamente | PKWs | Rohre | Software für Geschäftsprozesse | Skihosen | Sportgetränke | Strom | Vitamine | Wanderschuhe

	Branchen	Unternehmen	Produkte
1.	Automobilindustrie	VW	Busse, ...
2.	Bekleidungsindustrie		
3.	Chemieindustrie		
4.	Elektroindustrie		
5.	Energiewirtschaft		
6.	Getränkeindustrie		
7.	IT-Industrie		
8.	Kosmetikindustrie		
9.	Maschinenbauindustrie		
10.	Nahrungsmittelindustrie		
11.	Pharmaindustrie		
12.	Stahlindustrie		

c Sprechen Sie mit einem Partner / einer Partnerin über die Zuordnungen in 1b. Wechseln Sie auch die Rollen.

▶ Zu welcher Branche gehört die Firma „VW"?
▶ Sie gehört zur Automobilindustrie.
▶ Und was produziert VW?
▶ Das Unternehmen stellt z. B. Busse und ... her.

d Arbeiten Sie in vier Gruppen. Jede Gruppe wählt drei Firmen aus 1b (z. B. Firma 1–3, 4–6, ...) und recherchiert auf den Webseiten der Firmen. In welchen Branchen sind die Firmen eventuell noch tätig und welche weiteren Produkte stellen sie her? Präsentieren Sie Ihre Ergebnisse im Kurs. › ÜB: A1b

VW
- Maschinenbauindustrie: Motoren für Maschinen
- Finanzservice: Volkswagen Financial Services AG
- ...

Die Firma ... arbeitet auch für ... | Das Unternehmen ist auch in folgenden Branchen tätig: ... |
Die Firma / Das Unternehmen stellt ... her. | Sie / Es produziert ... | Sie / Es stellt folgende Produkte her: ...

Die Firma VW arbeitet auch für die Maschinenbauindustrie.
Sie stellt Motoren für Maschinen her.

B Wirtschaftsbereiche

1 Dienstleistung, Handwerk, Investitions- und Konsumgüter

a Sehen Sie sich die Fotos oben an und ordnen Sie die Wörter den Fotos zu.

der Bäcker | die Bank | das Fitnessstudio | der Kleintransporter | der Maler | die T-Shirts | ~~der Stahl~~ | die Tabletten

b Lesen Sie die vier Definitionen aus einem Wirtschaftslexikon und die Fragen 1 bis 5 auf der nächsten Seite. Was passt: a oder b? Kreuzen Sie an. › ÜB: B1–2

Dienstleistung 1
Immaterielles Gut: Arbeit oder Leistung in der Wirtschaft, die nicht direkt der Herstellung von Waren dient, sondern den Bedarf eines Kunden deckt, z. B. die Installation einer Anlage oder das Buchen eines Flugs.

Handwerk 2
Eine Arbeit, die der Handwerker meist mit der Hand und ohne große industrielle Maschinen ausübt. Man unterscheidet produzierendes Handwerk (z. B. Schokoladenherstellung in einem kleinen Betrieb) und Dienstleistungshandwerk (z. B. die Arbeit des Elektrikers).

Investitionsgüter 3
(auch *Produktions-* od. *Kapitalgüter*) Sie sind im Besitz eines Betriebs oder man erbringt sie als Dienstleistung für einen Betrieb (z. B. Software-Programmierung). Sie sind die technische Ausrüstung des Betriebs (z. B. die Arbeitsmaschinen), oder der Betrieb verbraucht sie als Werkstoffe bei der Herstellung von Erzeugnissen (z. B. Kunststoff bei der Autoherstellung).

Konsumgüter 4
Sie sind im Besitz der Haushalte oder man braucht sie dort als Dienstleistungen. Man unterscheidet zwei Kategorien:
- *Verbrauchsgüter*, wie z. B. Lebensmittel, Putzmittel oder Medikamente, die die Mitglieder eines Haushalts in kürzerer Zeit verbrauchen.
- *Gebrauchsgüter*, wie z. B. Möbel, Kleidung oder private PKWs, die die Haushalte längerfristig benutzen.

1. Die Rohstoffe, die eine Firma für die Produktion braucht, sind a. [x] ein Investitionsgut. b. [ ] ein Konsumgut.
2. Ein Privatauto ist a. [ ] ein Investitionsgut. b. [ ] ein Konsumgut.
3. Gebrauchsgüter a. [ ] verbraucht man schnell. b. [ ] gebraucht man längere Zeit.
4. Die Installation eines Routers ist a. [ ] eine Dienstleistung. b. [ ] ein produzierendes Handwerk.
5. Die Reparatur eines Autos ist a. [ ] ein Dienstleistungshandwerk. b. [ ] ein produzierendes Handwerk.

c Lesen Sie die Definitionen in 1b noch einmal. Welche Beispiele aus 1a passen zu welcher Definition?

2 Grammatik auf einen Blick: Der Genitiv › G: 2.1

Markieren Sie die Genitivformen in den Texten in 1b. Ergänzen Sie dann die Tabelle und die Regeln. › ÜB: B3

	Maskulinum (M)	Neutrum (N)	Femininum (F)	Plural (M, N, F)
bestimmter Artikel	d___ Betrieb___ des Kunden	des Gut(e)s	der Anlage	d___ Haushalte / Güter / Anlagen
unbestimmter Artikel	ein*es* Betrieb*s* ein*es* Kunde*n*	eines Gut(e)s	ein___ Anlage	Ø Haushalte / Güter / Anlagen / Kunden

G

1. Artikel im Genitiv: Maskulinum und Neutrum Singular → *des* / ___;
   Femininum Singular: ___ / ___; Plural (M / N / F) → ___ / *Ø*
2. Genitivendungen von Nomen:
   a. Maskulinum und Neutrum Singular: „___" oder „___", z. B. des Betriebs, des Gutes (einsilbige Wörter öfter „-es", z. B. das Gut → des Gutes, aber: das Konsumgut → des Konsumguts)
   Ausnahme: die meisten Wörter der n-Deklination, z. B. der Kunde → des Kunden
   b. Femininum und Plural: keine Genitivendung! – z. B. der Anlage, der Reise; der Haushalte, der Güter
3. Den Genitiv Plural ohne Artikel umschreibt man oft mit „von" + Dativ, besonders wenn es kein Adjektiv gibt, z. B. Herstellung guter Waren → Herstellung von Waren.

3 Was gehört wozu?

Industrie, Handwerk oder Dienstleistung? Wozu gehören folgende Bereiche? Sprechen Sie zuerst mit einem Partner / einer Partnerin. Tauschen Sie sich dann im Kurs aus.

Krankenhaus | Restaurant | Möbelproduzent | Busservice | Versicherung | Architekturbüro | Schreinerei | Konditorei | Lebensmittelgeschäft | Baumaschinenhersteller

Industrie
- Investitionsgüterindustrie
- Konsumgüterindustrie

Handwerk
- produzierendes Handwerk
- Dienstleistungshandwerk

Dienstleistungen
- Handel
- Finanzdienstleistung
- Verkehr
- Freizeit
- Gesundheit
- Sonstige

Ein Busservice ist eine Dienstleistung im Bereich Verkehr.

Aber er gehört auch zu Freizeit, wenn ich z. B. eine Busreise mache.

C Wirtschaftsnachrichten

1 Unternehmensnachrichten – Gesundheitsanbieter planen Tauschgeschäft

B P **a Lesen Sie die Meldungen aus einem Wirtschaftsnewsletter. Welche Überschrift (A bis H) passt zu welchem Text (1 bis 4)? Es passt immer nur eine Überschrift. Notieren Sie.**

A. Strategischer Tausch + 4,7 Mrd. Euro
B. Standort Deutschland weniger wichtig
C. Boehringer Ingelheim will Geschäft mit Tiergesundheit ausbauen
D. Mehr Mitarbeiter bei Boehringer Ingelheim
E. Strategischer Tausch: Vertragsverhandlungen sind beendet
F. Sanofi – Weltmarktführer im Geschäft mit Tiergesundheit
G. Sanofi: Hohe Investitionen für Neubauten in Frankfurt
H. Boehringer Ingelheim: Starkes Wachstum mit neuen Medikamenten geplant

1

______

Boehringer Ingelheim ist ein globales Pharmaunternehmen mit Stammsitz in Ingelheim in Deutschland mit weltweit mehr als 47.700 Mitarbeitern. Deutschland ist international der wichtigste Forschungs- und Investitionsstandort für das Unternehmen in Familienbesitz. Seine Schwerpunkte liegen in der Forschung, Entwicklung und Produktion von Medikamenten für die Human- und Tiermedizin. 2015 erzielte das Unternehmen weltweit einen Umsatz von fast 14,8 Milliarden Euro. Um weiter zu wachsen, plant Boehringer Ingelheim viele Markteinführungen und eine Erweiterung der biopharmazeutischen Produktion am Standort Wien mit einer Investition von ca. einer halben Milliarde Euro.

2

______

Die **Sanofi-Gruppe** mit Hauptsitz in Paris gehört zu den weltweit führenden Gesundheitsanbietern. 110.000 Mitarbeiter arbeiten in 100 Ländern im Dienst der Gesundheit. Der Hauptsitz von Sanofi in Deutschland befindet sich im Industriepark Hoechst in Frankfurt am Main. Hier sind rund 7.300 Mitarbeiter in Forschung & Entwicklung, Produktion & Fertigung und Verwaltung beschäftigt. Damit die Produktion von Medizintechnik in Frankfurt mehr Platz hat, will Sanofi 2016 zwei neue Gebäude bauen. Darüber hat man lange beraten und sich am Ende für eine Investitionssumme von 200 Millionen Euro im Jahr 2016 entschieden.

3

______

Paris und Ingelheim – 15. Dezember 2015 – Boehringer Ingelheim und Sanofi beginnen exklusive Verhandlungen für einen strategischen Tausch: Sie wollen das Geschäft für Tiergesundheit von Sanofi („Merial") und das Selbstmedikationsgeschäft von Boehringer Ingelheim tauschen. Boehringer Ingelheim entwickelt Medikamente für Tiere, um Tierkrankheiten vorzubeugen und zu behandeln. Das Unternehmen erwägt den Tausch, damit es das Geschäft mit innovativen Tiermedikamenten ausbauen kann.

4

______

Die Geschäftsführung von Sanofi hat darüber informiert, dass sie eine Vereinbarung für exklusive Verhandlungen mit Boehringer Ingelheim unterschrieben hat. Darin geht es darum, dass man zwei Geschäftsbereiche tauschen will: Sanofis „Merial" (Wert: 11,4 Mrd. Euro) gegen das Geschäft mit rezeptfreien Medikamenten von Boehringer Ingelheim (Wert: 6,7 Mrd. Euro). Zusätzlich würde Boehringer Ingelheim 4,7 Mrd. Euro an Sanofi zahlen.

b Lesen Sie die Nachrichten noch einmal und beantworten Sie die Fragen. › ÜB: C1

1. Welche sind die wichtigsten Bereiche von Boehringer Ingelheim?
2. Wie hoch war 2015 der Gesamtumsatz von Boehringer Ingelheim?
3. Zu welcher Branche gehört die Sanofi-Gruppe?
4. Warum hat Sanofi 2016 die Investitionssumme erhöht?
5. Welche Geschäftsbereiche wollen Sanofi und Boehringer Ingelheim tauschen?
6. Welches Interesse hat Boehringer Ingelheim an dem Tausch?
7. Warum soll Boehringer Ingelheim 4,7 Mrd. Euro an Sanofi zahlen?

2 Grammatik auf einen Blick: Ziel oder Zweck nennen – Nebensätze mit „damit“ und „um … zu“ › G: 4.2, 4.4

Lesen Sie die Aussagen über Sanofi und Boehringer Ingelheim und markieren Sie die Sätze mit „damit“ und „um … zu“. Was fällt auf? Ergänzen Sie die Regeln. › ÜB: C2

1. Damit die Produktion von Medizintechnik mehr Platz hat, will Sanofi zwei neue Gebäude bauen.
2. Um weiter zu wachsen, plant Boehringer Ingelheim unter anderem zahlreiche Markteinführungen neuer Medikamente.
3. Boehringer Ingelheim plant den Tausch, damit es den Bereich Tiermedizin ausbauen kann.
4. Boehringer Ingelheim entwickelt Medikamente für Tiere, um Tierkrankheiten vorzubeugen und zu behandeln.

G

1. Sätze mit „damit“ und „um … zu“ sind Nebensätze. Sie drücken ein Ziel oder einen Zweck aus. Sie können a. ☐ vor b. ☐ nach c. ☐ vor oder nach dem Hauptsatz stehen.
2. Hier nennt man das Subjekt in Haupt- und Nebensatz. Sätze: 1, ______ Konnektor: ______
3. Hier steht im Nebensatz kein Subjekt. Denn der Hauptsatz zeigt, wer welches Ziel hat. Sätze: ______ Konnektor: ______
4. Bei verschiedenen Subjekten im Haupt- und Nebensatz muss man „______“ verwenden.
5. Bei gleichen Subjekten kann man „______“ oder „______“ verwenden. „um … zu“ ist meistens besser.

3 Wozu haben Sie das gemacht?

Fragen und antworten Sie. Partner A: Datenblatt A1, Partner B: Datenblatt B1.

4 Grammatik auf einen Blick: Präpositionaladverbien › G: 3.4

Lesen Sie die Sätze aus den Nachrichten 2 und 4 in 1a. Worauf beziehen sich die markierten Wörter? Ergänzen Sie die Regeln. › ÜB: C3–4

1. Sanofi will zwei neue Gebäude bauen. Darüber hat man lange beraten.
2. Die Geschäftsführung hat darüber informiert, dass sie eine Vereinbarung unterschrieben hat.
3. Darin geht es darum, dass man zwei Geschäftsbereiche tauschen will.

G

1. Ein Präpositionaladverb kann man zusammen mit Verben und Ausdrücken verwenden, die eine präpositionale Ergänzung brauchen, z. B. beraten über, ______________.
2. Es kann sich auf einen Satz beziehen, der vorher steht: Satz 1 ______ und Satz ______ oder auf einen Satz, der danach kommt: Satz ______ und Satz ______.

TIPP

Bildung Präpositionaladverbien
„da“ + Präposition: dazu, dafür.
Vor Vokalen: „dar“ + Präp.: daran, darüber.
Fragen: Woran? Worüber? Wozu? Wofür?

5 Unternehmensziele

Recherchieren Sie in Gruppen im Internet, ob der Tausch der Geschäftsbereiche zwischen Boehringer Ingelheim und Sanofi funktioniert hat, und tauschen Sie sich im Kurs aus.

D Eine Firma präsentieren

1 Franchise-Partner von „BackWerk"

a Lesen Sie die Definition des Begriffs „Franchise" und beantworten Sie die Fragen. › ÜB: D1

> **Franchise** (Aussprache engl. [ˈfrɛntʃaɪs]) ist ein Vertriebssystem, das auf Partnerschaft basiert. Ein Unternehmen (Franchisegeber) vereinbart mit einem Partner (dem Franchisenehmer), dass dieser unter dem Namen und mit den Produkten oder Dienstleistungen des Unternehmens selbstständig ein Geschäft betreibt. Der Franchisegeber unterstützt den Partner durch Beratung und Schulungen. Und der Franchisenehmer zahlt in der Regel Eintritts- und Franchisegebühren.

1. Wer ist der Franchisegeber?
2. Was möchte der Franchisenehmer?
3. Was gibt der Franchisenehmer dafür?

b 1|1 **Hören Sie die Ansage des Moderators auf einem Franchise-Gründertreffen von „BackWerk". Wer präsentiert?**

a. ☐ Der Franchisegeber. b. ☐ Die Franchisenehmerin.

c 1|2 **Hören Sie Teil 1 von Frau Seeles Präsentation. In welcher Reihenfolge spricht sie über die folgenden Themen?**

Geschäftszahlen ___ Geschäftsgründung _1_ Fazit ___ Vor- und Nachteile ___

d Hören Sie Teil 1 der Präsentation noch einmal. Welche Sätze hören Sie? Kreuzen Sie an. › ÜB: D2

1. Ich freue mich, dass ich Ihnen mein Geschäft vorstellen kann. ☒
2. Zunächst möchte ich kurz sagen, wie ich mir die Präsentation vorgestellt habe. ☐
3. Zuerst erzähle ich kurz etwas zur Gründung meines Geschäfts. ☒
4. Dann will ich einige Zahlen nennen. ☐
5. Drittens möchte ich etwas über die Vor- und Nachteile dieses Geschäfts sagen. ☒
6. Und zum Schluss ziehe ich ein Fazit. ☒
7. Dann haben Sie eine halbe Stunde Zeit für Fragen. ☐

e 1|3 **Hören Sie nun Teil 2 der Präsentation und machen Sie Notizen zu den Fragen.**

1. Warum wollte Frau Seele ein Geschäft eröffnen?
2. Wie konnte sie die Übernahme des Geschäfts finanzieren?
3. Wann machte sie das erste Mal Gewinn? profit
4. Welche Vorteile gibt es? Nennen Sie zwei.
5. Welche Nachteile gibt es? Nennen Sie zwei.
6. Warum hat sich der Schritt in die Selbstständigkeit gelohnt?

> *1. wollte sich selbstständig machen*
> *2. ...*

Selbstbedienungs-Bäckerei:
Frische Produkte: ca. ~~200~~ 100
Gründung: 2011 ✓
Verkaufsfläche: ~~90 m²~~ 190 m²
Investitionssumme: 100.000 € 160.000 €
Eigenkapital: 30.000 € 50.000 €
BackWerk-Geschäfte: 350 in Europa ✓
Franchise-Partner: ~~215~~ 250
Mitarbeiter der Partner: über 3.000
Umsatz der Betriebe: ~~200 Mio. €~~ 2011 – 215 Mio. €

f Vergleichen Sie Ihre Notizen.

g 1|3 **Hören Sie Teil 2 der Präsentation noch einmal und korrigieren Sie die falschen Zahlen auf der Folie rechts.** › ÜB: D3

2 Meine (Kurz-)Präsentation

B P **Präsentieren Sie eine Firma. Wählen Sie eine der drei Möglichkeiten. Sprechen Sie zu jeweils drei Punkten. Die Redemittel und Wörter in 1c bis 1e, 1g und unten helfen.**

A. Stellen Sie eine Firma aus Ihrer Heimat vor: Branche, Produkte, Umsatz.
B. Recherchieren Sie eine Firma im Internet und stellen Sie sie vor: Produkte, Mitarbeiter, Umsatz.
C. Stellen Sie die Firma Sanofi oder Boehringer Ingelheim näher vor: Branche, Produkte, Standorte.

... gehört zur ... (Branche). | Das Unternehmen / Die Firma produziert: ... / stellt ... her. | Es / Sie ist in folgenden Ländern tätig: ... | Der Standort ist ... | ... hat ... Mitarbeiter. | 20... betrug der Umsatz ...

Aussprache

1 E-Laute im Überblick

TIPP
Das [ɛː] wird auch oft als [eː] gesprochen.

a 1|4 **Hören Sie die Laute und Wörter und sprechen Sie sie nach.**

[eː]	[ɛ]	[ɛː]	[ə]
Kosmetik Unternehmen Seele	stellt Elektro Bäcker	Gerät tätig erzählen	Anlage Busse Maschinen
lang, geschlossen	kurz, offen	lang, offen	unbetont

b 1|5 **Hören Sie die Familiennamen und sprechen Sie sie nach.**

1. a. ☐ Seele b. ☐ Selle c. ☐ Säle
2. a. ☐ Wehl b. ☐ Well c. ☐ Wähl
3. a. ☐ Mehling b. ☐ Melling c. ☐ Mähling
4. a. ☐ Hegel b. ☐ Heggel c. ☐ Hägel

c 1|6 **Sie hören jetzt immer nur einen von den drei Namen in 1b. Welchen? Kreuzen Sie in 1b an.**

d **Notieren Sie einen Namen auf einem Zettel. Sprechen Sie den Namen laut. Die anderen sagen, welchen Namen sie gehört haben. Zeigen Sie dann den Zettel zur Kontrolle.**

TIPP
Die Regeln 1 bis 3 gelten für alle Vokale und Umlaute: a, e, i, o, u, ä, ö, ü.

e **Schauen Sie sich die Wörter in 1a und die Namen in 1b noch einmal an und vergleichen Sie den Klang mit der Schrift. Was fällt auf? Kreuzen Sie in der Regel an.**

A

1. Zwei oder mehr Konsonanten (außer „h") nach „e" / „ä":
   a. ☐ kurz b. ☐ lang
2. „e" / „ä" + „h":
   a. ☐ kurz b. ☐ lang
3. Doppel-e (= „ee"):
   a. ☐ kurz b. ☐ lang
4. Die Endung „e" oder das „e" in „-en" spricht man:
   a. ☐ stark b. ☐ schwach

2 Unternehmen und ihre Geschäfte

1|7 **Hören Sie die Sätze und lesen Sie sie dann laut. Achten Sie auf die e-Laute.**

1. Frau Seele erzählt von ihren Geschäften.
2. Sie präsentiert ihre Geschäftsidee.
3. Louis Widmer ist ein Kosmetikunternehmen.
4. Es stellt z. B. Hautcreme und Deodorants her.

E Schlusspunkt

Situation 1

▶ Person A

Sie sind Mark Ehlers und möchten bei Sanofi-Aventis in Frankfurt arbeiten.
Sie schauen sich die Daten der Firma an und sprechen mit einer Freundin über die Entwicklung der Beschäftigungszahl in Frankfurt:
- am 31.12.2010: 7.390 Mitarbeiter
- drei Jahre lang gesunken
- bis 31.12.2013 um 490 Personen
- dann wieder gestiegen bis 31.12.2014 um 300 Personen

▶ Person B

Sie sind Erika Meggle und arbeiten im Gesundheitsbereich.
Ihr Freund Mark möchte bei Sanofi-Aventis in Frankfurt arbeiten und zeigt Ihnen eine Tabelle über die Entwicklung der Beschäftigungszahl in Frankfurt.
Sie sprechen mit ihm darüber.
- wie Entwicklung?
- um wie viel insgesamt gesunken?
- um wie viel gestiegen?

Über Entwicklungen sprechen:
- ▶ Ich habe hier eine Tabelle von 2015 über die Entwicklung der Beschäftigungszahlen in …
- ▶ Ja, und wie war die …?
- ▶ Am Standort Frankfurt gab es am 31.12.2010 …
  Danach ist die Mitarbeiterzahl …
- ▶ Um wie viel ist …?
- ▶ Bis zum 31.12.2013 ist die Mitarbeiterzahl um …
  Dann ist sie wieder …
- ▶ Um wie viel …
- ▶ Bis zum …

SANOFI-AVENTIS Deutschland GmbH: Beschäftigte

Standort	31.12.2010	31.12.2011	31.12.2012	31.12.2013	31.12.2014
Frankfurt	7.390	7.270	7.170	6.900	7.200
Berlin	1.370	1.140	1.080	1.100	1.170
Summe	**8.760**	**8.410**	**8.250**	**8.000**	**8.370**

SANOFI-AVENTIS Deutschland GmbH: Umsatz von 2014 nach Absatzregionen (Mio. EUR)

Inland	932
Europäische Union	932
Übriges Europa	176
Nordamerika	3.402
Lateinamerika	137
Afrika, Asien, Ozeanien	502
Ausland gesamt	5.149
Gesamt	**6.081**

Situation 2

Tauschen Sie die Rollen und sprechen Sie über die Situation in Berlin.

Situation 3

▶ Person A

Sie sind bei Sanofi beschäftigt und sprechen mit einem Kollegen über die Umsätze der Sanofi-Aventis Deutschland GmbH:
- Gesamtumsatz
- Anteil Nordamerika

▶ Person B

Sie sind bei Sanofi beschäftigt und sprechen mit einem Kollegen über die Umsätze der Sanofi-Aventis Deutschland GmbH im Jahr 2014:
- Vergleich Inland – Ausland
- Anteil Lateinamerika

Über Umsätze einer Firma sprechen:
- ▶ 2014 betrug der Gesamtumsatz …
- ▶ Ja, aber im Inland waren es nur … und im Ausland ungefähr… 5 mal mehr mal mehr.
- ▶ Ja, den größten Anteil hatte …
  Dort betrug der Umsatz …
- ▶ Am wenigsten setzte Sanofi in … um.
- ▶ Stimmt, dort waren es nur …

Situation 4

Vergleichen Sie die Umsätze in der Europäischen Union mit denen im übrigen Europa und die Umsätze in Lateinamerika mit denen in Afrika, Asien, Ozeanien. Verwenden Sie die Redemittel aus Situation 3.

Lektionswortschatz

Branchen:
die Industrie, -n
Automobilindustrie
Bekleidungsindustrie
Chemieindustrie
Elektroindustrie
Getränkeindustrie
IT-Industrie
Kosmetikindustrie
Maschinenbauindustrie
Nahrungsmittelindustrie
Pharmaindustrie
Stahlindustrie
die Energiewirtschaft *(nur Sg.)*

Produkte:
herstellen = produzieren
der Hersteller, - = der Produzent, -en
das Erzeugnis, -se
die Baumaschine, -n
das Blech, -e
die Chemikalie, -n
das Datenbankmanagement, -s
das Deodorant, -s / -e
die Drehmaschine, -n
das Erdgas, -e
die Fräsmaschine, -n
der Fruchtsaft, ¨-e
das Haushaltsgerät, -e
die Hautcreme, -s
der Kunststoff, -e
das Lebensmittel, -
das Putzmittel, -
das Rohr, -e
die Skihose, -n
der Stahl, ¨-e
Baustahl
der Strom *(hier nur Sg.)*
die Tablette, -n
der Transporter, -
Kleintransporter
das Vitamin, -e
das Werkzeug, -e
Elektrowerkzeug
der Stoff, -e
Rohstoff
Werkstoff

Wirtschaftsbereiche:
das Gut, ¨-er
Investitionsgut
Kapitalgut
Produktionsgut
Konsumgut
Gebrauchsgut
Verbrauchsgut
gebrauchen
verbrauchen
immateriell
die Dienstleistung, -en
Finanzdienstleistung
eine D. erbringen
der Handel *(nur Sg.)*
das Handwerk *(nur Sg.)*
produzierendes H.
Dienstleistungshandwerk
der Handwerker, -
der Bäcker, -
die Bäckerei, -en
die Backware, -n
backen
das Gebäck, -e *(Pl. selten)*
die Konditorei, -en
die Schreinerei, -en
das Architekturbüro, -s
die Ausrüstung, -en
der Bedarf, -e *(Pl. selten)*
den B. decken
der Haushalt, -e
die Kategorie, -n
industriell
lang- / längerfristig ≠ kurzfristig
abhängen von + *D*
ausüben (Arbeit / Beruf)
dienen + *D*
gehören zu + *D*
tätig sein in + *D*
unterscheiden

Wirtschaftsnachrichten:
der Sitz, -e
Hauptsitz
Stammsitz
der Standort, -e
die Forschung, -en
der Besitz *(nur Sg.)*
Familienbesitz
die Medizin *(hier nur Sg.)*
Humanmedizin
Tiermedizin
das Tier, -e
das Medikament, -e
die Selbstmedikation, -en
das Rezept, -e
rezeptfrei
behandeln (Krankheit)
vorbeugen
innovativ
pharmazeutisch
der Umsatz, ¨-e
Gesamtumsatz
einen U. von … erzielen
der U. beträgt
die Einführung, -en
Markteinführung
der Marktführer, -
die Investition, -en
investieren
das Wachstum *(nur Sg.)*
wachsen
der Tausch, -e *(Pl. selten)*
tauschen gegen + *A*
strategisch
die Summe, -n
die Vereinbarung, -en
vereinbaren
unterschreiben
folgen aus + *D*
informieren (sich) über + *A*
der Schwerpunkt, -e
der S. liegt in + *D*
es geht um + *A*

Franchising:
das Franchise *(nur Sg.)*
der Franchisegeber, -
der Franchisenehmer, -
das Geschäftsmodell, -e
das Konzept, -e
die Partnerschaft, -en
unterstützen
unter dem Namen
die Selbstständigkeit *(nur Sg.)*
selbstständig
selbstständig machen, sich
ein Geschäft betreiben
die Übernahme, -n
übernehmen
der / die Angestellte, -n
der / die Beschäftigte, -n
beschäftigen
beschäftigt sein bei + *D*
finanzieren
das Kapital, -e / -ien *(A)*
Eigenkapital
der Kredit, -e
einen K. aufnehmen
leihen
der Gewinn, -e
G. machen
lohnen, sich
schwarze Zahlen schreiben
die Selbstbedienung *(nur Sg.)*
ein Fazit ziehen
in der Regel (i. d. R.)

Verben:
aufstehen
erwägen
erhöhen (sich)
sinken ≠ steigen von … um / auf …

Nomen:
die Ansage, -n
die Definition, -en
das Krankenhaus, ¨-er
der Moderator, -en
der Schritt, -e
der Snack, -s
Sonstiges / Sonstige
die Versicherung, -en

Adjektive:
absolut
exklusiv
frisch
klassisch

Adverbien:
erstens – zweitens – drittens
insgesamt
jeweils
sonst
zunächst

Redemittel:
unter anderem (u. a.)

A Krank zur Arbeit?

1 Ich bin erkältet, ich habe Schmerzen!

a **Was haben die Personen, was tut ihnen weh? Ordnen Sie die Bezeichnungen den Fotos zu.**

1. Halsschmerzen C
2. Herzschmerzen ___
3. Husten ___
4. Kopfschmerzen ___
5. Magenschmerzen ___
6. Rückenschmerzen ___
7. Schulterschmerzen ___
8. Zahnschmerzen ___
9. Erkältung mit Schnupfen ___

b 1|8–9 **Sie hören zwei Gespräche in der Kaffeeküche. Über welche Beschwerden sprechen die Personen? Kreuzen Sie in den Fotos an.** › ÜB: A1a

c 1|8–9 **Hören Sie die Gespräche in der Kaffeeküche noch einmal. Welche Medikamente haben Anton, Vera und Marga genommen / bekommen? Notieren Sie die Namen unter den Fotos.**

die Spritze: ______

die Tablette: ______

die Salbe: ______

der Tropfen: *Vera*

d **Hören Sie nun die Gespräche genau. Welche Sätze hören Sie? Kreuzen Sie an.** › ÜB: A1b

1. Ich habe Magenschmerzen und mir ist übel. ☒
2. Du bist auch ganz blass! ☐
3. Vielleicht wird es bald besser. ☐
4. Bist du noch erkältet? ☐
5. Nehmen Sie dreimal täglich Hustentropfen. ☐
6. Aber heute fühle ich mich wieder schlechter. ☐
7. Geh mal zum Arzt und lass dich krankschreiben. ☐
8. Du steckst die Kollegen an. ☐
9. Die Orthopädin hat mir Krankengymnastik verschrieben. ☐

2 Grammatik auf einen Blick: „wegen" – Adjektive im Genitiv › G: 4.4, 5.1

a **Mit „wegen" Gründe nennen: Markieren Sie in den Sätzen die Ausdrücke mit „wegen" und schreiben Sie sie in die Tabelle.**

1. Ich hab' schon Tabletten genommen – wegen der starken Schmerzen.
2. Wegen einer kleinen Erkältung schreibt er mich doch nicht krank.
3. Ich habe die Rückenbeschwerden wohl wegen des falschen Sitzens im Büro.

Maskulinum (M)	Neutrum (N)	Femininum (F)	Plural (M, N, F)
wegen des starken Schmerzes	wegen ______	wegen der kleinen Erkältung	wegen *der starken Schmerzen*
wegen eines starken Schmerzes	wegen eines kleinen Problems	wegen ______	wegen starker Schmerzen

b **Markieren Sie in der Tabelle die Endungen der Adjektive und ergänzen Sie die Regeln.** › ÜB: A2–4

G

1. Mit „wegen" + Genitiv kann man einen ______ nennen.
2. Adjektive haben im Genitiv Singular nach dem bestimmten und unbestimmten Artikel die Endung „______" und im Genitiv Plural nach dem bestimmten Artikel auch die Endung „______".
3. Nach dem Nullartikel im Genitiv Plural ist die Endung aber „______".

3 Beschwerden

Sprechen Sie mit einem Partner / einer Partnerin über Beschwerden. Wechseln Sie auch die Rollen. Verwenden Sie die Wörter und Redemittel aus Aufgabe 1 und die Redemittel unten.

Wie geht es dir? | Was hast du denn? | Fühlst du dich nicht wohl? | Lass dich krankschreiben. | Du solltest zum … gehen. | Nimm …

Nicht so gut. | Ich habe starke …-schmerzen. | Mir tut / tun … weh. | Ich bin … | Mir ist …

▶ Wie geht es dir?
▶ Nicht so gut.
▶ Was hast du denn?
▶ Ich habe starke Rückenschmerzen.
▶ Du solltest zum …

B Zum Arzt und danach?

A
Gemeinschaftspraxis
Dr. Ulrike Menker
Dr. Joachim Anger
Fachärzte für Allgemeinmedizin
– Naturheilverfahren –
Mo–Fr 8:00–13:00 Uhr
Mo Di Do 15:30–18:00 Uhr
alle Kassen

B
Dr. med. dent.
Rolf Ullmann
Zahnarzt
Dr. med. dent.
Uta Menge
Zahnärztin
Mo - Fr 8:00 - 16:00 Uhr
nur privat

C
H N O
Dr. med. Ernst Klinberg
Facharzt
für Hals-Nasen-Ohrenheilkunde
Sprechzeiten:
Mo u. Mi 7:30–13:30
Di u. Do 8:00–18:00
Fr 7:30–12:00
Nach Vereinbarung: 0261 / 9451

D
Internistische Praxis
Dr. med. Ulrich Mahler
Sprechzeiten: Mo–Fr 8:00–12:00
Mo Di Do 14:00–18:00
Mittwochnachmittag und
Freitagnachmittag geschlossen

E
Physiotherapie
Sabine Nelles
Mo & Mi: 8:00 – 20:00 Uhr
Di & Do: 7:00 – 19:00 Uhr
Fr: 7:00 – 16:00 Uhr
Termine nach Vereinbarung

F
Dr. med. Anke Müller
Orthopädin
Mo–Fr: 9–12 und 15–18
außer Mittwochnachmittag
und nach Vereinbarung

1 Ich hätte gern einen Termin

a **Was vermuten Sie? Bei welcher Praxis ruft Vera wegen ihrer starken Erkältung an?** › ÜB: B1a

b ▶ 1 | 10 **Hören Sie die Ansage auf dem Anrufbeantworter. Bei welcher Praxis hat Vera angerufen? Vergleichen Sie mit Ihrer Vermutung in 1a.**

c **Hören Sie die Ansage noch einmal. Was ist richtig: a oder b? Kreuzen Sie an.** › ÜB: B1b

1. Die Praxis ist geschlossen: a. ☐ wegen Grippe. b. ☐ wegen einer Fortbildung.
2. Die Vertretung macht a. ☐ Dr. Mahler. b. ☐ Dr. Klinberg.

d **Lesen Sie die Sätze aus Veras Anruf bei Dr. Klinberg und bringen Sie sie in die richtige Reihenfolge.**

A. Kann ich nicht schon heute kommen, denn ich habe auch Fieber und fühle mich sehr schlecht. ___
B. Ich bin Patientin von Frau Dr. Menker. Ich bin stark erkältet. Könnte ich kurz vorbeikommen? _1_
C. Ja gut, danke! ___
D. Gut, dann kommen Sie vor 12:00 Uhr vorbei, aber Sie müssen Wartezeit mitbringen. ___
E. Gut, dann vergessen Sie bitte Ihre Versichertenkarte nicht! ___
F. Bei der Techniker Krankenkasse. ___
G. Bei welcher Krankenkasse sind Sie versichert? ___
H. Nein, bestimmt nicht. Vielen Dank! ___
I. Heute geht es leider nicht mehr, aber Sie können direkt morgen früh kommen. ___

e ▶ 1 | 11 **Hören Sie nun Veras Gespräch mit der Praxis. Ist Ihre Lösung in 1d richtig?**

2 Terminvereinbarung beim Arzt

Machen Sie einen Termin beim Arzt. Fragen und antworten Sie. Partner A: Datenblatt A2, Partner B: Datenblatt B2.

3 Arbeitsunfähig, was muss ich tun?

a Schauen Sie sich die Arbeitsunfähigkeitsbescheinigung an. Füllen Sie sie für den Arzt mit den Daten von Vera unten aus.

- Vera Jünger
- Geburtsdatum: 11.07.1986
- zum ersten Mal krankgeschrieben
- krankgeschrieben am 15.03.17, vom 15.03.17 bis 24.03.17

Krankenkasse bzw. Kostenträger: TK
Name, Vorname des Versicherten
geb. am
Kostenträgerkennung: TK129876541 | Versicherten-Nr.: J789012345
Arzt-Nr.: 213564719 | Datum

Arbeitsunfähigkeitsbescheinigung 1

☐ Erstbescheinigung
☐ Folgebescheinigung

☐ Arbeitsunfall, Arbeitsunfallfolgen, Berufskrankheit
☐ dem Durchgangsarzt zugewiesen

arbeitsunfähig seit
voraussichtlich arbeitsunfähig bis einschließlich oder letzter Tag der Arbeitsunfähigkeit
festgestellt am

Dr. med. E. Klinberg
Facharzt für
Hals-Nasen-Ohrenheilkunde
Am Bühl 12
56070 Koblenz

Vertragsarztstempel / Unterschrift des Arztes

Ausfertigung zur Vorlage beim Arbeitgeber

b Lesen Sie den Infotext für Patienten. Was ist richtig: a oder b? Kreuzen Sie an. › ÜB: B2

Information für Patienten – Das müssen Sie tun

Bitte informieren Sie Ihren Arbeitgeber unverzüglich, d. h. vor Dienstbeginn, telefonisch, per E-Mail oder Fax, dass Sie krank sind. Wenn Sie das nicht können, bitten Sie eine Person, dass sie das für Sie übernimmt. Wenn der Arzt Sie krankgeschrieben hat, senden Sie das zweite Blatt der Krankschreibung (offiziell „Arbeitsunfähigkeitsbescheinigung") innerhalb von drei Tagen an den Arbeitgeber. Achtung: Vielleicht steht in Ihrem Arbeitsvertrag etwas anderes, z. B. dass Sie schon am ersten Krankheitstag ein Attest vorlegen müssen. Schauen Sie in Ihrem Vertrag nach. Das erste Blatt mit der Diagnose schicken Sie bitte auch im Zeitraum von drei Tagen an Ihre Krankenkasse. Wenn der Arzt Sie noch weiter krankschreibt, informieren Sie den Arbeitgeber noch am gleichen Tag. Achten Sie auf diese Regeln. Wenn nicht, kann das ein Grund für eine Kündigung sein.

1. Wenn man wegen Krankheit nicht zur Arbeit kommen kann, muss man den Arbeitgeber informieren:
   a. ☒ vor Beginn der Arbeit. b. ☐ im Zeitraum von drei Tagen.
2. Dass man krank ist,
   a. ☐ muss man persönlich melden. b. ☐ kann eine andere Person melden.
3. Man muss die Arbeitsunfähigkeitsbescheinigung an den Arbeitgeber und die Krankenkasse schicken:
   a. ☐ so schnell man kann. b. ☐ spätestens am dritten Tag nach der Krankschreibung.
4. Wann man dem Arbeitgeber eine Bescheinigung schicken muss,
   a. ☐ steht immer im Vertrag. b. ☐ steht manchmal im Vertrag.
5. Wenn auf die erste Krankschreibung eine zweite folgt, muss man den Arbeitgeber informieren:
   a. ☐ am vorletzten Tag der ersten Krankschreibung. b. ☐ am Tag der zweiten Krankschreibung.

c Sie sind krankgeschrieben. Was dürfen Sie? Was sollten Sie nicht tun? Warum / Warum nicht? › ÜB: B3

- vor Ende der Krankschreibung arbeiten
- Spaziergänge machen
- Lebensmittel einkaufen
- Sport treiben
- krank zur Arbeit gehen
- reisen

Ich meine / glaube / weiß, dass man … | Es ist nicht gut, wenn man …, weil … | Man sollte nicht …, denn … | Man kann … | Es ist (nicht) gesund, wenn man … | Man darf …, wenn man gesund ist / wenn es gut für die Gesundheit ist. | Das stimmt (nicht).

▶ Ich glaube, dass man vor Ende der Krankschreibung nicht wieder arbeiten darf.

▶ Das stimmt nicht. Man darf arbeiten gehen, wenn man vorher gesund ist.

C Krankgeschrieben – und nun?

1 Kunden und Kollegen informieren

a Lesen Sie die Abwesenheitsnotiz auf Veras Firmencomputer und beantworten Sie die Fragen.

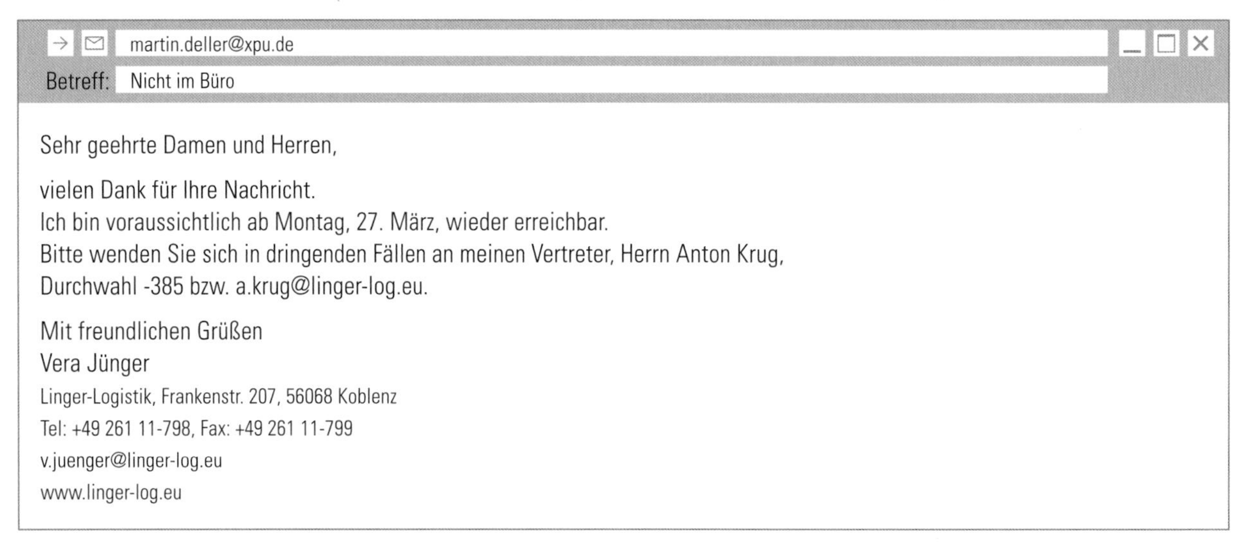
martin.deller@xpu.de

Betreff: Nicht im Büro

Sehr geehrte Damen und Herren,

vielen Dank für Ihre Nachricht.
Ich bin voraussichtlich ab Montag, 27. März, wieder erreichbar.
Bitte wenden Sie sich in dringenden Fällen an meinen Vertreter, Herrn Anton Krug,
Durchwahl -385 bzw. a.krug@linger-log.eu.

Mit freundlichen Grüßen
Vera Jünger
Linger-Logistik, Frankenstr. 207, 56068 Koblenz
Tel: +49 261 11-798, Fax: +49 261 11-799
v.juenger@linger-log.eu
www.linger-log.eu

1. An wen richtet sich eine Abwesenheitsnotiz?
2. Wann kann man Vera wieder erreichen?
3. Wer vertritt Vera?
4. Wie ist die komplette Telefonnummer von Anton Krug?
5. Wie kann man Anton Krug außerdem noch erreichen?
6. In welcher Stadt arbeitet Vera?

b Schreiben Sie eine Abwesenheitsnotiz für sich selbst. Erfinden Sie Daten, Firma etc. › ÜB: C1

c Lesen Sie die E-Mail von Vera an Anton. Warum schreibt sie?

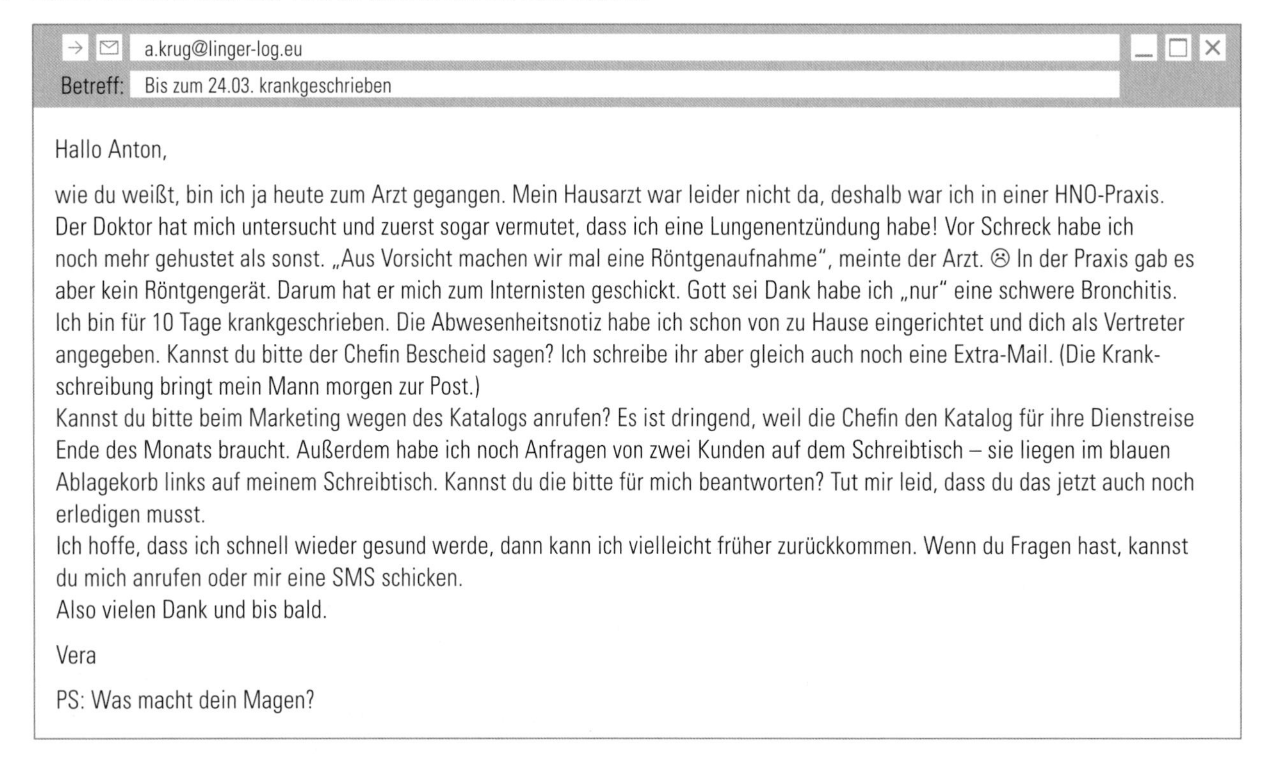
a.krug@linger-log.eu

Betreff: Bis zum 24.03. krankgeschrieben

Hallo Anton,

wie du weißt, bin ich ja heute zum Arzt gegangen. Mein Hausarzt war leider nicht da, deshalb war ich in einer HNO-Praxis. Der Doktor hat mich untersucht und zuerst sogar vermutet, dass ich eine Lungenentzündung habe! Vor Schreck habe ich noch mehr gehustet als sonst. „Aus Vorsicht machen wir mal eine Röntgenaufnahme", meinte der Arzt. ☹ In der Praxis gab es aber kein Röntgengerät. Darum hat er mich zum Internisten geschickt. Gott sei Dank habe ich „nur" eine schwere Bronchitis. Ich bin für 10 Tage krankgeschrieben. Die Abwesenheitsnotiz habe ich schon von zu Hause eingerichtet und dich als Vertreter angegeben. Kannst du bitte der Chefin Bescheid sagen? Ich schreibe ihr aber gleich auch noch eine Extra-Mail. (Die Krankschreibung bringt mein Mann morgen zur Post.)
Kannst du bitte beim Marketing wegen des Katalogs anrufen? Es ist dringend, weil die Chefin den Katalog für ihre Dienstreise Ende des Monats braucht. Außerdem habe ich noch Anfragen von zwei Kunden auf dem Schreibtisch – sie liegen im blauen Ablagekorb links auf meinem Schreibtisch. Kannst du die bitte für mich beantworten? Tut mir leid, dass du das jetzt auch noch erledigen musst.
Ich hoffe, dass ich schnell wieder gesund werde, dann kann ich vielleicht früher zurückkommen. Wenn du Fragen hast, kannst du mich anrufen oder mir eine SMS schicken.
Also vielen Dank und bis bald.

Vera

PS: Was macht dein Magen?

d Lesen Sie die E-Mail von Vera noch einmal und beantworten Sie die Fragen.

1. Warum war Vera in einer HNO-Praxis?
2. Warum hat Vera noch mehr gehustet als sonst?
3. Warum hat man Vera geröntgt?
4. Warum musste Vera zum Internisten gehen?
5. Wen soll der Kollege informieren?
6. Wie kommt die Krankschreibung ins Büro?
7. Was soll der Kollege erledigen?
8. Wo findet er die Unterlagen?

2 Grammatik auf einen Blick: Gründe nennen – Hauptsätze mit „deshalb"/„daher"/„darum"/„deswegen"

› G: 4.1, 4.4

a Vergleichen Sie die Sätze aus der E-Mail mit der Alternative und markieren Sie den Grund.

1. a. Es ist dringend, weil die Chefin den Katalog für ihre Dienstreise Ende des Monats braucht.
   b. Die Chefin braucht den Katalog für ihre Dienstreise Ende des Monats. Darum ist es dringend.
2. a. Mein Hausarzt war leider nicht da, deshalb war ich in einer HNO-Praxis.
   b. Ich war in einer HNO-Praxis, weil mein Hausarzt leider nicht da war.

b Lesen Sie die Sätze in 2a noch einmal. Was fällt auf? Kreuzen Sie in den Regeln an.

› ÜB: C2–3

G

1. Sätze mit „weil" sind Nebensätze.
   a. ☐ Sie beziehen sich auf einen Grund, der schon bekannt ist. b. ☐ Sie nennen den Grund.
2. Sätze mit „deshalb"/„daher"/„darum"/„deswegen" sind Hauptsätze.
   a. ☐ Sie beziehen sich auf einen Grund, der schon bekannt ist. b. ☐ Sie nennen den Grund.

3 Eine E-Mail an Kollegen

Sie sind krankgeschrieben. Schreiben Sie eine E-Mail an Ihren Vertreter / Ihre Vertreterin mit folgenden Inhaltspunkten. Vergessen Sie nicht die Anrede und die Grußformel.

- Krankschreibung bis ...
- Kollegen informieren, Chef schon informiert
- Kundenanfrage bearbeiten
- Unterlagen für Dienstreise vom Chef vorbereiten
- Anruf, wenn Sie Arzt noch mal krankschreibt
- Dank an Vertreter / Vertreterin

Hallo ... ,
leider bin ich krank. Ich bin bis ...

4 Wenn man krank ist, macht man es in meinem Land so ...

Erzählen Sie von sich selbst oder einer Person, die Sie kennen oder erfinden. Machen Sie zuerst Notizen und sprechen Sie dann in Gruppen. Fragen Sie auch nach. Die Inhaltspunkte und die Redemittel helfen.

- Welche Krankheit war das?
- Bei welchem Arzt waren Sie?
- Was hat der Arzt gemacht?
- Was hat er Ihnen verschrieben?
- Was mussten Sie tun?
- Wie ist es in Ihrem Heimatland: Geht man in eine Praxis oder ins Krankenhaus?
- Bekommt man eine Krankschreibung?
- Gibt es Regeln, bis wann man den Arbeitgeber informieren muss?

Einmal hatte ich ... | Deshalb ging ich zum ... / ins Krankenhaus. | Der Arzt hat mich untersucht und mir ... verschrieben. | Ich musste ... | Wenn man krank ist, geht man in (Land) ... in / ins ... | In (Land) ... gibt es keine / folgende Regeln: ... | Die Krankschreibung muss bis ... beim Arbeitgeber sein.

D Job und Gesundheit

1 Krankheiten und Krankenstand in Betrieben

a Lesen Sie die Überschrift, den Vorspann und die Unterüberschriften eines Artikels in den Neustädter Nachrichten über eine Studie zu Job und Gesundheit. Worum geht es in dem Artikel?

Sie sind doch krank! Was tun Sie hier?

Ein Bericht über eine Studie zu Job und Gesundheit

Winterzeit – Erkältungszeit. Der eine hustet, der andere putzt sich die Nase, der Dritte klagt über Kopf- und Halsschmerzen. Das halbe Team ist krank. Und Sie? Bleiben Sie zu Hause und ruhen sich aus? Nein. Warum ist das so?

Motiviert und zufrieden = krank zur Arbeit?

„Ich habe zu viel zu tun", sagen viele und gehen krank zur Arbeit. So dauert die Erkältung länger, die Kollegen stecken sich an, die Gesundheit leidet. Mit den Gründen beschäftigt sich eine Studie der gesetzlichen Krankenkassen. Es gibt persönliche Gründe, aber auch die Arbeitsbedingungen sind sehr wichtig. Z.B. wollen hoch motivierte Arbeitnehmer nicht fehlen, weil sie ihre Aufgaben immer pünktlich erledigen wollen, und vergessen so ihre Gesundheit. Andere, die sehr zufrieden mit dem Betriebsklima sind, wollen die Kollegen nicht belasten. Und es gibt auch einige, die fürchten, dass sie ihre Arbeit verlieren, wenn sie zu oft krank sind.

Schlechtes Betriebsklima – hoher Krankenstand

Man hat festgestellt, dass Arbeitnehmer, die sich im Betrieb nicht wohl fühlen, öfter krank sind. Ein weiterer Grund für einen hohen Krankenstand in einer Firma ist eine zu hohe Arbeitsbelastung. Es gibt kein Geld für mehr Personal, der Einzelne muss mehr Aufgaben übernehmen, das Krankheitsrisiko steigt. Außerdem hat man festgestellt, dass in Zeiten niedriger Arbeitslosigkeit der Krankenstand steigt. Das heißt, die Arbeitnehmer haben keine Angst, dass sie ihren Job verlieren, wenn sie sich krankschreiben lassen.

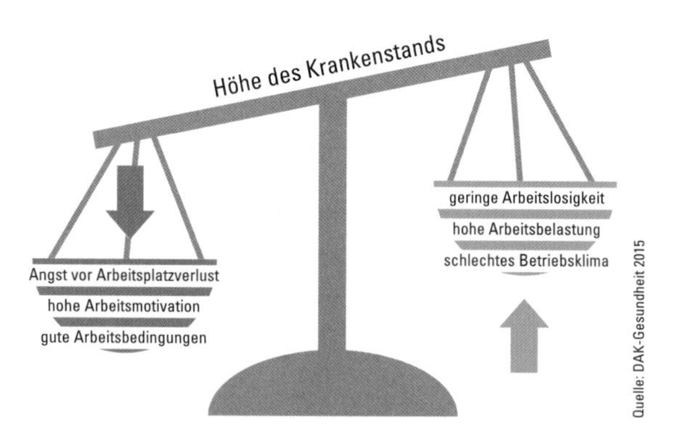

Betriebliche Gesundheitsförderung – Aufgabe des Managements

Ein guter Arbeitgeber achtet auf die Gesundheit seiner Mitarbeiterinnen und Mitarbeiter. Er hört auf ihre Beschwerden über zu hohe Arbeitsbelastung und sucht nach Lösungen für dieses Problem. In gut geführten Firmen gibt es zum Beispiel Angebote, die die Gesundheit der Angestellten fördern, wie z.B. Betriebskantinen mit gesundem Essen, Betriebssport oder Entspannungskurse. Ein gesundes Raumklima und ein ergonomischer Arbeitsplatz sind auch sehr wichtig. Ergonomie bedeutet z.B., dass der Schreibtisch die richtige Höhe und Breite hat, der Computermonitor richtig eingestellt ist und dass die Sitzposition stimmt. So kann man typische „Bürobeschwerden" wie Rücken- oder Kopfschmerzen leichter vermeiden.

Betriebliche Gesundheitsförderung lohnt sich

Fazit: Wichtig ist, dass die Leitung die Probleme erkennt, die Kommunikation mit den Mitarbeitern fördert und für Verbesserungen sorgt. Natürlich kosten solche Verbesserungen auch Geld, aber die Gesundheit und das Interesse der Mitarbeiter sind das Kapital jeder Firma. Betriebliche Gesundheitsförderung lohnt sich!

A. Rheins

b Schauen Sie sich die Grafik rechts oben an. Zu welchem Teil der Grafik gehört Abschnitt 1 des Artikels, zu welchem Teil Abschnitt 2? Notieren Sie.

zum linken Teil der Grafik: ______________________

zum rechten Teil der Grafik: ______________________

c Lesen Sie den Artikel noch einmal und beantworten Sie die Fragen. › ÜB: D1–3

1. Wer hat die Studie gemacht?
2. Warum gehen kranke Arbeitnehmer zur Arbeit?
3. Welche Gründe gibt es für einen hohen Krankenstand?
4. Wie verhält sich ein guter Arbeitgeber?
5. Was denkt der Autor des Artikels über die Kosten für die betriebliche Gesundheitsförderung?

d Beschreiben Sie die Grafik unten schriftlich. Die Redemittel helfen. Berichten Sie dann, wegen welcher Krankheiten Mitarbeiter sich in Ihrem Land besonders häufig krank melden.

An erster / zweiter / dritter / … / letzter Stelle stehen / kommen … / Erkrankungen des … | Am häufigsten fehlen Arbeitnehmer wegen Beschwerden des …, z. B. wegen Rückenschmerzen. | Dann kommen … | Deswegen fehlen … Prozent der Arbeitnehmer. | Das ist mehr als / ca. jeder Fünfte. | Wegen … fehlt jeder Sechste / Siebte / …

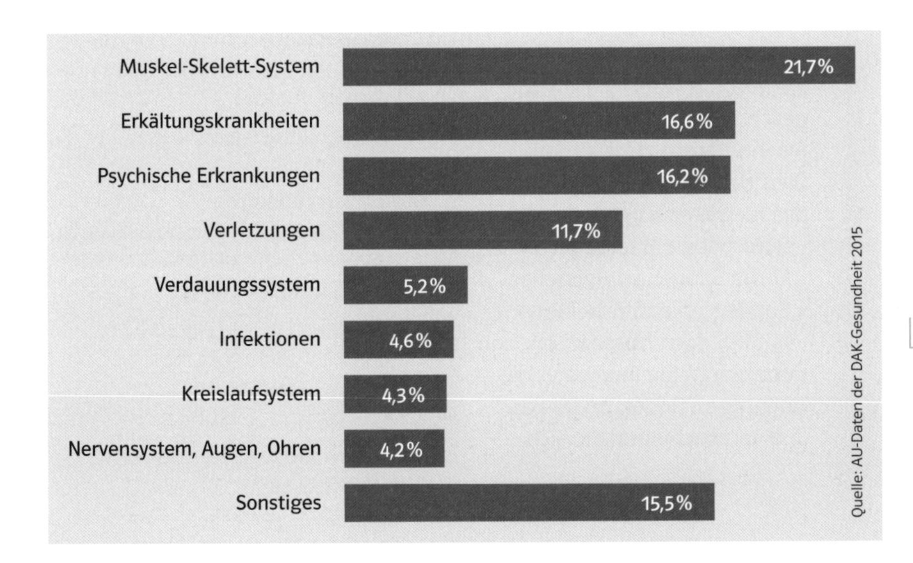

An erster Stelle stehen Erkrankungen des Muskel-Skelett-Systems. Deswegen fehlen 21,7 % der Arbeitnehmer. Das ist mehr als jeder Fünfte. …

Aussprache

1 Wie spricht man „ng" und „nk"?

a ▶ 1|12 **Hören Sie die Wörter. Was hört man deutlich: das „g" oder das „k"? Kreuzen Sie an.**

[ŋ]	– lang	– singen	– dringend	– eng
[ŋk]	– krank	– sinken	– trinken	– Enkel

Man hört deutlich: g ☐ k ☐

TIPP

„ng" und „nk" spricht man nasal, durch die Nase – wie bei Schnupfen.

b Hören Sie die Wörter in 1a noch einmal und sprechen Sie sie dann nach.

c ▶ 1|13 **Hören Sie die Wortpaare und sprechen Sie sie nach.**

1. lang – lange
2. krank – Kranke
3. Dank – Danke!
4. Bring! – bringen
5. Erkrankung – Erkrankungen
6. Anweisung – Anweisungen

d Arbeiten Sie zu zweit. Der eine nennt ein Wort mit „ng" oder „nk". Der andere notiert und buchstabiert es.

E Schlusspunkt

Situation 1

▶ Person A

Sie sind Mark Hunger und arbeiten im Vertrieb von Möbel Mang.
Eine Kollegin, mit der Sie sich duzen, ruft Sie an. Sie ist krankgeschrieben und kann nicht zur Arbeit kommen.
Erkundigen Sie sich nach ihrem Befinden und fragen Sie, wie lange sie krankgeschrieben ist.
Sie möchte, dass Sie dem Chef und im Personalbüro Bescheid sagen.
Sie fragen, was Sie in ihrer Vertretung erledigen müssen und ob es Unterlagen gibt.
Sagen Sie der Kollegin, dass sie nicht zu früh wiederkommen soll und wünschen Sie ihr, dass sie schnell wieder gesund wird.

▶ Person B

Sie sind Frau Ira Langer und arbeiten im Vertrieb von Möbel Mang. Sie hatten in der Nacht Fieber und Halsschmerzen. Sie waren beim Arzt, er hat eine Bronchitis diagnostiziert, Ihnen ein Antibiotikum verschrieben und Sie ab heute krankgeschrieben.
Rufen Sie Ihren Kollegen an, der Sie vertritt. Sie duzen sich mit diesem Kollegen. Beschreiben Sie die Situation, sagen Sie ihm, bis wann Sie krankgeschrieben sind, und bitten Sie ihn darum, dass er dem Chef Bescheid sagt und Folgendes für Sie erledigt:
- Büromöbelbestellung von Firma Sänger an Hersteller
- Sonderverkauf in 14 Tagen – mit Kollegen besprechen

Informieren Sie ihn, wo er die Unterlagen findet, bedanken und verabschieden Sie sich.

- ▶ Möbel Mang, … Guten Tag. Was kann ich für Sie tun?
- ▶ Hallo hier … Ich bin leider krank. Ich kann nicht zur Arbeit kommen.

Situation erklären und bitten:
- ▶ Letzte Nacht hatte ich … Ich war schon beim … Er hat mich … und hat eine … Ich muss … nehmen.
- ▶ Ich bin bis (zum) … Kannst du bitte … Bescheid sagen?
- ▶ Es gibt folgende dringende Aufgaben: Bitte schick … Und bitte besprich mit den Kollegen …
- ▶ Ja, das …
- ▶ Ja. Die Unterlagen liegen …

Auf Bitten reagieren:
- ▶ Oh! Das tut mir leid. Was hast du denn?
- ▶ Und bis wann bist du …?
- ▶ Natürlich, gern. Was soll ich denn für dich …?
- ▶ Ist das alles?
- ▶ Gibt es …?
- ▶ Komm nicht zu … und werd' schnell wieder …

Situation 2

▶ Person A

Sie sind Amelie Linger, Assistentin der Geschäftsführung bei der Runge GmbH – Anlagenplanung. Sie sind krankgeschrieben und rufen Ihren Vertreter an. Sie siezen sich. Sie bitten ihn, Ihrem Chef Bescheid zu sagen, und informieren ihn über dringende Aufgaben:
- Dienstreise vom Chef nach Frankreich vorbereiten
- Kundenbesuch vom Chef in Esslingen verschieben

Bedanken und verabschieden Sie sich.

▶ Person B

Sie sind Hugo Meng und arbeiten bei der Runge GmbH in der Anlagenplanung.
Die Assistentin der Geschäftsführung ruft Sie an. Sie ist krankgeschrieben und bittet, dass Sie dem Geschäftsführer Bescheid sagen. Sie informiert Sie über dringende Aufgaben. Sie siezen sich.
Sagen Sie, dass Sie die Vertretungsaufgaben gern erledigen und fragen Sie nach Unterlagen. Wünschen Sie ihr gute Besserung.

- ▶ Runge GmbH, … Was kann ich für Sie tun?
- ▶ Hier …, guten Morgen, Herr … Ich bin bis zum … krankgeschrieben und kann deshalb leider nicht …

Situation erklären und bitten:
- ▶ Bitte sagen Sie …, dass ich …
- ▶ Könnten Sie bitte außerdem zwei dringende Aufgaben für mich erledigen?
- ▶ Bitte … und ….
- ▶ Ja, sie liegen …

Auf Bitten reagieren:
- ▶ Oh, das tut …
- ▶ Natürlich, das mache ich gern.
- ▶ Ja, gern.
- ▶ Kein Problem. Gibt es Unterlagen?
- ▶ Ich wünsche Ihnen …

Lektionswortschatz

Krankheit:
die Krankheit, -en
krank sein / werden
die Gesundheit *(nur Sg.)*
gesund
der Bauch, ¨-e
die Beschwerde, -n
die Bronchitis *(hier nur Sg.)*
die Erkältung, -en
(stark) erkältet sein
das Fieber *(nur Sg.)*
F. haben
die Grippe, -n *(Pl. selten)*
der Husten *(nur Sg.)*
husten
die Lungenentzündung, -en
der Schnupfen *(nur Sg.)*
sich die Nase putzen
der Schmerz, -en
Hals- / Kopf- / Bauch- / Magen- / Rücken- / Schulter- / Herz- / Zahnschmerzen
leichte / starke Schmerzen haben
schmerzhaft
wehtun (… tut mir weh)
schlecht fühlen, sich ≠ wohlfühlen, sich
leiden
die Übelkeit *(nur Sg.)*
übel (mir ist übel)
blass
anstecken (sich)

Termin beim Arzt:
der Patient, -en
die Praxis, Praxen
Gemeinschaftspraxis
die Sprechzeit, -en
der Termin, -e
einen T. machen
Ich hätte gern einen T.
die Vereinbarung, -en
Termine nach V.
vorbeikommen
die Wartezeit, -en
W. mitbringen
die Krankenkasse, -n
die gesetzliche K.
die Versichertenkarte, -n
versichert sein bei + *D*
das Krankenhaus, ¨-er

Ärzte und Behandlung:
der Arzt, ¨-e
Arzt für Allgemeinmedizin
Hausarzt
Facharzt
Zahnarzt
Hals-Nasen-Ohrenarzt
die Hals-Nasen-Ohrenkunde = HNO
der Doktor, -en
der Internist, -en
internistisch
der Orthopäde, -n
der Physiotherapeut, -en
die Physiotherapie, -n
das Naturheilverfahren, -
medizinisch
die Behandlung, -en
behandeln
untersuchen
die Diagnose, -n
diagnostizieren
verschreiben, jmdm. etw.
das Medikament, -e
ein M. (ein-)nehmen
das Antibiotikum, Antibiotika
der Hustensaft, ¨-e
die Salbe, -n
mit S. einreiben
die Spritze, -n
eine S. geben
spritzen
die Tablette, -n
der Tropfen, -
röntgen
die Röntgenaufnahme, -n
das Röntgengerät, -e
die Krankengymnastik *(nur Sg.)*
ausruhen, sich

Krankschreibung:
die Arbeitsunfähigkeit *(nur Sg.)*
die Bescheinigung, -en
ausfüllen
das Attest, -e
ein A. vorlegen
krankschreiben, jmdn.
Lass dich krankschreiben.
Ich bin krankgeschrieben.
unverzüglich
im Zeitraum von drei Tagen / Wochen / …

Betrieb und Gesundheit:
die Abwesenheit, -en
die Abwesenheitsnotiz, -en
eine A. einrichten
richten, sich an + *A*
wenden, sich an + *A*
Bitte wenden Sie sich in dringenden Fällen an + *A*
der Vertreter, -
als V. angeben
die Vertretung, -en
vertreten, jmdn.
Bescheid sagen, jmdm.
erreichbar
voraussichtlich
die Arbeitsbelastung, -en
die Arbeitslosigkeit *(nur Sg.)*
der Arbeitsplatzverlust *(nur Sg.)*
die Kündigung, -en
der Betriebsrat, ¨-e
die Ergonomie *(nur Sg.)*
ergonomisch
der Krankenstand, ¨-e
das Risiko, Risiken
die Angst, ¨-e
A. haben vor + *D*
fürchten (sich)
belasten
die Belastung, -en
fehlen (bei der Arbeit)
achten auf + *A*
erkennen
die Förderung, -en
fördern
klagen über + *A*
vermeiden
sorgen für + *A*
interessieren, sich für + *A*
(hoch) motiviert

Verben:
einkaufen
feststellen
treiben (Sport treiben)
vorhersehen
weinen

Nomen:
der Einzelne, -n
die Freude *(nur Sg.)*
die Langeweile *(nur Sg.)*
der Schreck, -en
der Spaziergang, ¨-e
die Studie, -n
die Vorsicht *(nur Sg.)*

Adjektive:
dauernd
geöffnet ≠ geschlossen
niedrig ≠ hoch
persönlich
vorletzt-

Adverbien:
außer (außer Mittwoch)
einschließlich = inklusive
manchmal
vorher

Präpositionen:
aus + *D* (aus diesem Grund)
vor + *D* (vor Angst)
wegen + *G*
innerhalb + *G* / innerhalb von + *D*
per

Redemittel:
Was macht dein / deine …?
Gute Besserung!

A Unternehmen stellen sich vor

1

2

3

4

5

Dr. med. Julia Lewandowski
Allgemeinärztin

Montag – Donnerstag:
8–12, 15–18 Uhr
Mittwoch: 9–14 Uhr
Freitag: 8–12 Uhr
Und nach Vereinbarung.

Tel. 24 15 98

6

1 Sechs Unternehmen aus den Wirtschaftsbereichen Industrie, Handwerk und Dienstleistung

a **Was denken Sie: Welches Produkt / Welche Produkte produzieren oder verkaufen die Firmen oben? Welche Firmen bieten einen Service an?**

b **Was vermuten Sie: Zu welchem Wirtschaftsbereich gehört welche Firma in 1a? Eine Firma können Sie zweimal zuordnen.** › ÜB: A1

1. Industrie Firma: ____________
2. Handwerk Firma: ____________
3. Dienstleistung Firma: ____________

2 Mein Unternehmen

1 | 14 **Sie hören eine Radiosendung. Welche zwei Unternehmen aus 1a stellt das Wirtschaftsmagazin vor und zu welchen Wirtschaftsbereichen gehören sie?**

1. ______________________________
2. ______________________________

3 Erfolgreiche Unternehmen

a Lesen Sie die drei Unternehmensbeschreibungen aus dem Wirtschaftsteil einer Regionalzeitung und markieren Sie die Angaben zu folgenden Punkten.

- Branche
- Produkt / Service
- Markt / Kunden
- Vertriebsweg

playmobil

Die geobra Brandstätter Stiftung & Co. KG ist der größte Spielwarenhersteller Deutschlands. Die Hula-Hoop-Reifen in den 1950er-Jahren waren der erste Verkaufshit der Firma. 1974 kam der noch größere Erfolg: Die PLAYMOBIL-Figuren. Vierzig Jahre später erwirtschaftete die Firmengruppe weltweit einen Umsatz von 595 Millionen Euro. International vertreiben Vertriebspartner und Auslandstöchter in fast jedem Land der Welt die Spielwaren von PLAYMOBIL. Denn der Markt der Spielwarenindustrie ist gigantisch: Kinder wollen spielen.

Atakan Olcaysu war im Messe-Service-Geschäft seines Vaters für die Versorgung der Kunden mit Getränken zuständig. 1997 gründete er in Berlin sein eigenes Unternehmen, den A&O Lieferservice. Anfangs belieferte er als ein Ein-Mann-Unternehmen die Gastronomie mit Getränken. Der A&O Getränkeservice war bald erfolgreich und Olcaysu stellte immer mehr Mitarbeiter ein. Als er 2002 seinen Onlineshop eröffnete, bestellten auch mehr und mehr Privatkunden. Heute ist der A&O Getränkeservice ein Heim- und Büro-Lieferservice. A&O liefert in der Region in und um Berlin mit LKWs bis vor die Wohnungstür.

Eines der ältesten Bio-Handelsunternehmen in Deutschland ist der SuperBioMarkt. In mehr als 20 Filialen in Nordrhein-Westfalen und Niedersachsen verkauft das Handelsunternehmen 7.000 Artikel aus ökologischem Anbau. Regionale Landwirte und Erzeuger liefern Brot, Eier, Fleisch, Obst und Gemüse. Der Bio-Markt in Deutschland ist groß und wächst weiter, die Deutschen wollen gesund essen.

b Notieren Sie nun die Informationen aus 3a.

geobra Brandstätter Stiftung & Co. KG	A&O Lieferservice	SuperBioMarkt
Branche: *Spielwarenhersteller*	Branche: ______	Branche: ______
Produkt / Service: ______	Produkt / Service: ______	Produkt / Service: ______
Markt / Kunden: ______	Markt / Kunden: ______	Markt / Kunden: ______
Vertriebsweg: ______	Vertriebsweg: ______	Vertriebsweg: ______

4 Kurzvortrag: Ein interessantes Unternehmen

a Stellen Sie das Unternehmen, für das Sie arbeiten, oder ein anderes interessantes Unternehmen vor. Machen Sie dazu Notizen zu den Punkten in 3b.

b Präsentieren Sie nun das Unternehmen. › ÜB: A2

Der Name des Unternehmens ist … | Es ist in der …-Branche tätig. | … (Name des Unternehmens) bietet eine Dienstleistung an, und zwar … | … produziert … / stellt … her. / verkauft … | Das Unternehmen vertreibt / vermarktet seine Produkte in / über … | Die Kunden des Unternehmens sind …

B Die Geschäftsidee

Das Unternehmen

Handwerksbräu
Craft Beer – Wir brauen in alter Handwerkstradition.

A

- Marktgröße: Deutschland ist wichtigster Biermarkt in Europa
- Pro-Kopf-Verbrauch: 107 Liter pro Jahr
- QUALITÄT: für deutschen Verbraucher wichtiger als PREIS
- Marktanteil von Craft Beer: 1 %
- Vorbild USA: Marktanteil 11 %

B

- Eigenkapital in Sachwerten: 250.000 € (Immobilie: kleine Brauerei, Erbe)
- Eigenkapital in Geld: 80.000 €
- Bankkredit: 50.000 €

C

Elizabeth Parker
Diplom-Braumeisterin und Biersommelière

Thomas Wehrle
Diplom-Lebensmittelchemiker

D

Verkauf:
- Handwerkliche Produktion in der Brauerei
- Direktverkauf im Ladenlokal (ca. 210 hl / Jahr)
- Lieferung an regionale Abnehmer (ca. 900 hl / Jahr an Gastronomiebetriebe, Caterer etc.)
- geringe Vertriebskosten, da enge Kundenbindung

Marketing- / Werbestrategie:
Über Webseite, regionale und lokale Medien

E

Produktion von handwerklich perfektem Qualitätsbier:
- klassische Biere, z. B. Pils, Altbier, Schwarzbier, Weizen, Bockbier
- fruchtige Biere
- Gewürzbier

F

1 Die Geschäftsidee

a 1|15 **Hören Sie das Begrüßungsgespräch und beantworten Sie die Fragen.**

1. Wo präsentieren Elizabeth Parker und Thomas Wehrle ihre Geschäftsidee?
2. Was ist ihre Geschäftsidee?
3. Warum präsentieren sie ihre Geschäftsidee?

b **Überfliegen Sie die Folien oben aus der Unternehmenspräsentation und schreiben Sie die Titel auf die Folien.**

- Die Finanzierung
- Der Markt
- Die Produkte
- Das Team
- ~~Das Unternehmen~~
- Vertrieb und Marketing

c **Lesen Sie die Folien und beantworten Sie die Fragen.**

1. Was ist Craft-Beer?
2. Wie hoch ist der Anteil von Craft Beer am Markt in Deutschland? Und in den USA?
3. Was für Bier wollen Elizabeth Parker und Thomas Wehrle produzieren?
4. Wie wollen sie ihre Produkte vertreiben?
5. Wie wollen sie ihre Produkte vermarkten?
6. Wie viel Kapital haben Elizabeth Parker und Thomas Wehrle?

d 1|16–18 **Hören Sie die Präsentation von Elizabeth Parker und Thomas Wehrle. In welcher Reihenfolge sprechen sie über die Themen auf den Folien links?** › ÜB: B1

1. Folie: A 2. Folie: ___ 3. Folie: ___ 4. Folie: ___ 5. Folie: ___ 6. Folie: ___

e Hören Sie die Präsentation in 1d noch einmal. Welche Antwort passt: a oder b? Kreuzen Sie an. › ÜB: B2

1. Wir haben beschlossen,
   a. ☒ die Brauerei meines Großvaters weiterzuführen.
   b. ☐ in Waldkirchingen ein Ladenlokal zu erben.
2. Wir beabsichtigen,
   a. ☐ mit der Marktlücke zu experimentieren.
   b. ☐ in diese Marktlücke zu stoßen.
3. Wir planen,
   a. ☐ in alter Handwerkertradition Bier zu brauen und zu verkaufen.
   b. ☐ das Bier neu zu erfinden.
4. Wir haben vor,
   a. ☐ fruchtiges Bier und Gewürzbier zu kaufen.
   b. ☐ mit traditionellen Zutaten neue Biere zu brauen.
5. Unsere Idee ist,
   a. ☐ unser Bier in der Region an lokale Kunden zu verkaufen.
   b. ☐ unser Bier überregional zu verkaufen.
6. Wir hoffen,
   a. ☐ bald noch mehr Kunden zu gewinnen.
   b. ☐ 50.000 € zu gewinnen.

2 Grammatik auf einen Blick: Infinitiv mit „zu" › G: 4.4

Markieren Sie in den Sätzen in 1e den Infinitiv mit „zu" und ergänzen Sie die Regeln. › ÜB: B3

G

Infinitivsätze verwendet man häufig nach Verben, die Pläne oder Absichten ausdrücken, z. B. planen, vorhaben, beabsichtigen.

1. Infinitivsätze bildet man mit „____________" + dem Infinitiv des Verbs.
2. Der Infinitiv mit „zu" steht am a. ☐ Anfang des Satzes. b. ☐ Ende des Satzes.
3. Bei trennbaren Verben steht das „zu" a. ☐ vor dem trennbaren Verb. b. ☐ zwischen Vorsilbe und Verbstamm.

3 Und Ihre Geschäftsidee?

a Sie haben eine Geschäftsidee und brauchen einen Kredit. Dafür müssen Sie Ihre Geschäftsidee auf der Bank präsentieren. Bereiten Sie zu zweit eine Präsentation vor und erstellen Sie dazu passende Folien. Die Redemittel und die Fragen unten sowie die Folien links oben helfen Ihnen. › ÜB: B4

Eine Präsentation gliedern: Wir möchten Ihnen zuerst etwas über … erzählen. | Dann …, danach …, anschließend … | Nun komme ich zu … | Zum Schluss … | Wir danken Ihnen, dass … | Haben Sie Fragen?
Absichten äußern und über Pläne sprechen: Wir planen, … zu … | Wir beabsichtigen, … | Wir hoffen, … | Wir haben beschlossen, … | Wir haben vor, … | Wir stellen uns vor, … | Unsere Idee ist, …

1. Unternehmen: Wie heißt das Unternehmen?
2. Produkt oder Dienstleistung: Was produzieren oder verkaufen Sie? Welchen Service bieten Sie an? Was ist das Besondere an Ihrem Produkt / Ihrer Dienstleistung?
3. Das Team: Wer sind Sie? Was haben Sie gelernt? Was für Erfahrungen haben Sie?
4. Markt: Wer sind die Kunden? Sind Ihre Kunden in der Region oder im ganzen Land oder …?
5. Marketing: Wie wollen Sie Ihre Kunden über Werbung / Marketing erreichen?
6. Vertrieb: Wie wollen Sie Ihr Produkt / Ihren Service vertreiben?
7. Finanzierung: Wie viel Kapital habe Sie? Wie viel brauchen Sie noch?

b Präsentieren Sie nun Ihre Geschäftsidee.

C Welche Rechtsform passt?

1 Elizabeth und Thomas diskutieren in einem Gründerforum im Netz

Lesen Sie die Beiträge und beantworten Sie die Fragen.

1. Für welches Problem brauchen die „Bierbrauer" Elizabeth und Thomas einen Rat?
2. Welche Vorschläge und Ratschläge bekommen sie auf ihre Fragen?

Bierbrauer: Wir brauchen dringend einen Rat. Wir möchten ein Unternehmen gründen und sind uns nicht sicher, welche Rechtsform, also welche Gesellschaftsform wir wählen sollen. An wen sollten wir uns für eine Beratung wenden? Könnte uns jemand einen Tipp geben?

Advokat:

Das Wichtigste ist zuerst: Wie viele Personen seid ihr und wie viel Startkapital habt ihr? Außerdem solltet ihr eine professionelle Beratung suchen. Die richtigen Ansprechpartner sind die IHK, das Jobcenter oder die Arbeitsagentur. Wenn ich ihr wäre, würde ich auch im Netz schauen, da gibt es viele Beratungsmöglichkeiten, die nichts kosten – die solltet ihr nutzen!

braut007:

Ich habe einen Versandhandel für Brautkleider. Dazu habe ich eine UG (= Unternehmensgesellschaft) angemeldet, das ist eine Mini-GmbH. Ich bin die einzige Firmeninhaberin. Mein Startkapital waren 1.000 €, es reicht aber ein Euro. UGs nennt man auch „Ein-Euro-GmbH". ☺ „GmbH" bedeutet „Gesellschaft mit beschränkter Haftung" – ich plane keinen Bankrott, aber wenn ich pleitegehe, hafte ich nicht mit meinem Privatvermögen, ich muss den Schaden nicht mit meinem Geld ersetzen. Der Nachteil: Ich muss jährlich 25 % des Gewinns zurücklegen. Aber das geht gut. Wenn ich du wäre, würde ich auch an so was denken.

Bierbrauer:

WAS???? Nur 1.000 € Startkapital? Wir haben 30.000 € gespart und bekommen von der Familie noch mal 50.000 €. Außerdem hoffen wir, dass wir auch noch einen Kredit von der Bank bekommen. Was würdest du empfehlen?

startupper:

Ihr könntet eine GmbH gründen, Startkapital mindestens 25.000 €, ihr habt's ja. Wenn ihr bankrottgeht, haftet ihr nicht mit dem Privatvermögen. An eurer Stelle würde ich das machen, das machen viele Gründer.

schlauer Chef:

Ihr solltet auch auf Gründerportalen nachsehen. Da findet ihr die wichtigsten Rechtsformen.

Bierbrauer:

Danke für eure Tipps, ihr habt uns sehr weitergeholfen.

2 Grammatik auf einen Blick: Empfehlung, Rat und Vorschlag ausdrücken › G: 1.3

Markieren Sie in 1 die Sätze, die einen Vorschlag, einen Ratschlag oder eine Bitte um einen Ratschlag ausdrücken. Ergänzen Sie dann die Regeln. › ÜB: C1

G

Man kann Empfehlungen, Ratschläge, Bitten um Ratschläge und Vorschläge so formulieren:

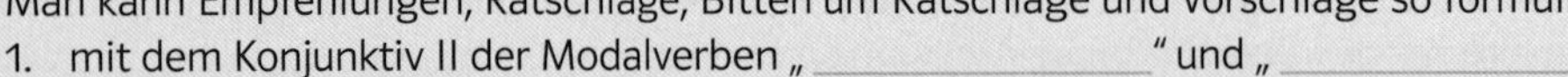

1. mit dem Konjunktiv II der Modalverben „______________" und „______________".
2. mit dem Konjunktiv II von „werden" + ______________, z. B. An eurer Stelle würde ich das machen.
3. mit dem Konjunktiv II im Ausdruck: Wenn ich Sie / du / ihr ______________, würde ich + ______________.

3 Elizabeth und Thomas informieren sich auf einem Gründerportal

Lesen Sie die Infotexte zu den Gesellschaftsformen (= Rechtsform von Unternehmen) in Deutschland und ergänzen Sie die Informationen unten. › ÜB: C2–3

Ein **Eu (= Einzelunternehmen)** entsteht automatisch, wenn man sich allein mit einem Gewerbe oder als Freiberufler selbstständig macht. Der Inhaber entscheidet allein, erhält den Gewinn des Unternehmens alleine, haftet aber auch mit seinem gesamten Geschäfts- und Privatvermögen (auch mit Sachwerten: Auto, Haus usw.) für die Schulden des Unternehmens. Das Eu passt vor allem zu kleinen Unternehmen, weil man zur Gründung kein Startkapital braucht.

Die **UG (= Unternehmergesellschaft)** nennt man auch Mini-GmbH oder Ein-Euro-GmbH, da ein Euro als Startkapital genügt. Die UG ist **haftungsbeschränkt**, das heißt, die Gesellschafter haften nicht mit ihrem Privatvermögen, sondern nur mit dem Startkapital und dem Gesellschaftsvermögen. Schon ein Gesellschafter kann eine UG gründen. Die UG ist geeignet für kleine Unternehmen mit wenig Startkapital. Die UG muss jährlich 25 % des Gewinns zurücklegen, um 25.000 € für die Gründung einer GmbH anzusparen.

Die **KG (= Kommanditgesellschaft)** hat das Ziel, ein Handelsgewerbe zu gründen. Die KG hat zwei Arten von Gesellschaftern: Mindestens einen Komplementär und einen Kommanditisten. In einer KG entscheidet allein der Komplementär. Deshalb haftet der Komplementär mit seinem gesamten Vermögen, aber der Kommanditist nur mit seiner Kapitaleinlage. Oft wählen Familienunternehmen eine KG, weil eine KG unbegrenzt Mitinhaber haben kann. Ein Mindestkapital ist nicht nötig.

Die **GmbH (= Gesellschaft mit beschränkter Haftung)**. Das Mindestkapital beträgt 25.000 € in bar oder als Sacheinlagen, z. B. Computer, Auto, Immobilien. Eine oder mehrere Personen können eine GmbH gründen. Die Gesellschafter haften nicht mit ihrem Privatvermögen, nur mit dem Gesellschaftsvermögen. Kleine und mittlere Unternehmen wählen sehr häufig die GmbH als Rechtsform.

Die **GbR (= Gesellschaft des bürgerlichen Rechts)** muss aus mindestens zwei Personen bestehen. Zur Gründung braucht man kein Mindestkapital. Jeder Gesellschafter haftet mit dem Firmen- und Privatvermögen. Eine GbR eignet sich nur für Kleingewerbe, nicht für ein Handelsgewerbe – in dem Fall wählt man eine OHG. Viele Start-Ups wählen die GbR als Gesellschaftsform.

Für die Gründung einer **OHG (= Offene Handelsgesellschaft)** sind mindestens zwei Gründer nötig. Ziel ist die Gründung eines Handelsgewerbes. Zur Gründung brauchen die Gesellschafter kein Mindestkapital. Die Gesellschafter haften unbeschränkt mit dem Firmen- und Privatvermögen. Sie ist besonders für kleine und mittlere Unternehmen geeignet.

Gesellschaftsform: Eu
Wie viele Gründer: ____________
Mindestkapital: ____________
Haftung: ____________

Gesellschaftsform: KG
Wie viele Gründer: ____________
Mindestkapital: ____________
Haftung: ____________

Gesellschaftsform: GbR
Wie viele Gründer: ____________
Mindestkapital: ____________
Haftung: ____________

Gesellschaftsform: UG
Wie viele Gründer: ____________
Mindestkapital: ____________
Haftung: ____________

Gesellschaftsform: GmbH
Wie viele Gründer: ____________
Mindestkapital: ____________
Haftung: ____________

Gesellschaftsform: OHG
Wie viele Gründer: ____________
Mindestkapital: ____________
Haftung: ____________

4 Was ist die beste Rechtsform für ...?

a **Welche Gesellschaftsform (= Rechtsform) sollten Elizabeth und Thomas für ihre Brauerei mit Ladenlokal wählen? Sprechen Sie im Kurs.**

b **Und Ihre Geschäftsidee? Welche Rechtsform wählen Sie für Ihre Geschäftsidee auf der Doppelseite 3B, Aufgabe 3?**

c **Präsentieren Sie Ihre Firma. Partner A: Datenblatt A3, Partner B: Datenblatt B3.**

D Wo finden Sie Beratung?

1 Wer findet Beratung wo?

T P **a** **Lesen Sie die Anzeigen A bis J und die Situationen 1 bis 8 auf der nächsten Seite. Finden Sie für jede Situation die passende Anzeige. Wenn Sie zu einer Situation keine Anzeige finden, notieren Sie x.** › ÜB: D1

Sie wollen ein Unternehmen in einem anderen **EU**-Land gründen?
Da sind Sie bei uns richtig!
Wir informieren Sie über die verschiedenen Bedingungen und helfen Ihnen bei der Vorbereitung der Unterlagen.

Anwaltskanzlei Schneider in der Bonner Innenstadt
Münsterstraße 121, Tel. 0228 968 45

A ☐

Für die GmbH Startkapital 25.000 Euro,
aber kein Geld mehr für die Werbung?

Sofortkredit zu günstigen Zinsen

- bis 10.000 Euro
- schnell und unbürokratisch
- Laufzeiten von 12–46 Monaten
- 98,5 % zufriedene Kunden
- Kreditrechner: unverbindlich berechnen

www.sofortkredit.kl – Online-Chat starten

B ☐

Gründer GmbH

Sie haben eine Geschäftsidee und brauchen einen Kredit? Ihr Kreditgespräch bei der Bank kommt näher? Kommen Sie zu uns. Wir helfen Ihnen bei der Erstellung Ihrer Firmenpräsentation.

Talstraße 198 – 79102 Freiburg
Tel. 0761 / 22 02 32

C ✓

Internationaler **Gründerstammtisch** trifft sich immer am ersten Mittwoch im Monat. Komm vorbei, diskutier mit uns und stell dein Unternehmen vor.

19 Uhr im
Restaurant Netzwerk – Laschestraße 12

D ☐

Frauen als Existenzgründer!
Sie haben Fragen zu Finanzierungs- und Fördermöglichkeiten und zum Unternehmenskonzept?

Wir prüfen Ihre Geschäftsidee und erstellen den Finanzplan. Wir beraten alle Frauen, die ein Unternehmen gründen wollen oder bereits Jungunternehmerinnen sind, und bieten Kontakt zu anderen Existenzgründerinnen.

FrExi-Frauenexistenz
Römerwall 85 – 55131 Mainz

E ☐

DoDo Download von Dokumenten
Bei uns finden Sie alle wichtigen Dokumente zu Ihrer Geschäftsanmeldung!
- Antrag Finanzanlagevermittler (gem. § 34 f GewO)
- Reisegewerbekartenfreie Tätigkeiten (Antrag nach § 55a GewO)
- Gewerbeanmeldung / Geschäftsanmeldung
- Ummeldung eines Gewerbes
- Steuerformulare

Kontakt: **Prof. Dr. Helene Wagner, DoDo e.V.**
www.dodo-ev.finanz

F ☐

Warum für gute Tipps bezahlen? – Auch in Ihrem Bundesland gibt es kostenfreie Beratungsangebote für Ihre Existenzgründung:
Thüringen für Gründer überprüft Ihr Unternehmenskonzept:
- Gibt es einen Markt für mein Produkt?
- Wie groß ist der Markt?
- Welche Werbung passt zu meinem Produkt?
- Was ist die richtige Marketingstrategie?
- Stimmt die Vertriebsstrategie?

Thüringen für Gründer
www.thueringen-fuer-gruender.de

G ☐

Richtig gründen – aber wie?
Die bekannten Unternehmensberater und Autoren Dr. Gerhard Rott und Ansgar Schiefeldeck helfen in ihrem neuesten Ratgeber Existenzgründern und -gründerinnen bei der Realisierung ihrer beruflichen Selbstständigkeit. Sie analysieren Unternehmenskonzepte und geben Tipps zur Finanzierung.
36,90 €, gebunden, 432 Seiten
BV-Beratungsverlag (2016)

H ☐

Steuerberater Gruber & Partner
Wir beraten und unterstützen kleinere und mittlere Unternehmen in den Bereichen Steuer, Lohnbuchhaltung und Jahresabschluss.
Für Existenzgründer bieten wir einen speziellen Schulungsservice an.

www.gruberundpartner.com

I ☐

PR
GWB Public Relations-Consulting GmbH
Ihr Start-Up oder Unternehmen läuft nicht so, wie Sie dachten? Wir arbeiten für Sie die passende PR-Strategie aus.
- Wahl der für Ihr Unternehmen wichtigen Medien
- kostengünstige Events und Aktionen

www.gwb-pr-consulting.de

J ☐

1. Sie wollen einen Kredit und müssen einer Bank Ihren Finanzplan erklären. Wer hilft bei der Vorbereitung? C
2. Sie möchten eine GmbH gründen und brauchen einen Kredit von 25.000 Euro. ___
3. Sie sind Unternehmensgründerin, suchen nach Beratung und wollen mit anderen Unternehmensgründerinnen über Ihre neue Firma sprechen. ___
4. Sie haben ein Start-Up gegründet und suchen den Kontakt zu anderen Gründerinnen und Gründern. ___
5. Ihr Freund Antonio überlegt sich, eine Firma zu gründen, und möchte mehr über das Thema wissen. ___
6. Sie möchten Ihr Unternehmen bekannter machen. ___
7. Ihr Bruder wohnt in Thüringen und möchte dort eine Firma gründen. Er sucht Hilfe. ___
8. Sie wollen Ihr Geschäft anmelden und suchen im Internet nach Formularen. ___

b Wie geht man in Ihrem Land vor, wenn man eine Firma gründen will? Wie findet man Beratung?

Aussprache

1 Harter Vokaleinsatz – „Knacklaut"

a 1|19 **Hören Sie die Wörter und achten Sie auf die markierten Vokale bzw. Diphthonge.**

1. internationaler Unternehmenserfolg
2. auch eine idiotische Geschäftsidee
3. europäische Großabnehmer
4. eine OHG ist eine Offene Handelsgesellschaft
5. unser altes Firmenauto
6. alle Sacheinlagen und Kapitaleinlagen

b Sprechen Sie die Wortgruppen in 1a nach.

c Was fällt auf? Kreuzen Sie in der Regel an.

1. Wörter oder Silben mit einem Vokal oder Diphthong am Anfang spricht man
   a. ☐ mit einem weichen Vokaleinsatz. b. ☐ mit einem harten Vokaleinsatz.
   Vor dem Vokal hört man ein leichtes Knacken: den sogenannten „Knacklaut".
2. Wenn eine Nachsilbe mit einem Vokal (z. B. Betreuung, Situation) beginnt, gilt diese Regel nicht.

2 Eine alte Unternehmensidee

a 1|20 **Hören Sie die Sätze. Markieren Sie die Vokaleinsätze. Vokaleinsätze können auch im Wort enthalten sein.**

1. Ein Rechtsanwalt empfing uns alte Unternehmer auch ohne Anmeldung und beantwortete alles.
2. Eine Unternehmensgesellschaft ist eine UG oder eine Ein-Euro-GmbH.
3. Ein elektronischer Online-Gründungsassistent unterstützt Start-Up-Unternehmerinnen.
4. Europäische und internationale Investoren investieren in altes Bio-Obst als Geschäftsidee.

b Hören Sie die Sätze in 2a noch einmal und sprechen Sie sie mit. Sprechen Sie dann die Sätze nach.

E Schlusspunkt

Situation 1

▶ Person A

Sie sind Maria Vargas. Sie wollen mit zwei Freunden ein Unternehmen gründen. Daher gehen Sie zu einer Unternehmensberatung und informieren sich:

- Passende Gesellschaftsform?
- Was muss man beachten, wenn man mit zwei Freunden eine Firma gründet?
- Reagieren Sie auf die Ratschläge des Unternehmensberaters.

▶ Person B

Sie sind Pjotr Kudroff. Sie sind Unternehmensberater. Zu Ihnen kommt Frau Vargas. Sie ist Existenzgründerin und hat Fragen.
Sie beraten Frau Vargas. Formulieren Sie Ratschläge und Empfehlungen:

- Bei drei Personen passen GbR, OHG, KG, UG und GmbH. Informieren Sie Frau Vargas über die Vor- und Nachteile dieser Gesellschaftsformen.
- Mögliche Probleme vorher besprechen und Lösungen in einem Vertrag festhalten.
- Vorher regeln, wer für was zuständig ist, wer welche Entscheidungen treffen darf.
- Vorher bestimmen, wie viel Gehalt jeder bekommt und was passiert, wenn die Einnahmen nicht reichen.

Um Rat bitten und reagieren:

- ▶ Ich hätte gerne einen Rat. / Ich brauche Ihre Hilfe. Es geht um Folgendes: ...
- ▶ Das ist eine gute Idee. / Danke, das ist ein guter Ratschlag.
- ▶ Darüber denke ich noch nach. / Das finde ich nicht so gut, weil ...
- ▶ Da / An der Stelle / Zu dem Punkt habe ich noch eine Frage. / Wie meinen Sie das? / Könnten Sie das noch einmal erklären?

Ratschläge geben:

- ▶ An Ihrer Stelle würde ich ... / Wenn ich Sie wäre, würde ich ... / Ich schlage vor, dass ... / Ich rate / empfehle Ihnen, ... zu ... / Sie könnten / sollten ...

Situation 2

▶ Person A

Sie sind Barbara Stein. Sie sind eine gute Freundin von Martin Gänsel. Martin hat Probleme mit seiner Firma.
Sie haben schon eine Firma gegründet und können daher Martin beraten. Formulieren Sie Ratschläge:

- zu professioneller Unternehmensberatung, z. B. zur IHK, gehen
- Trennung von Geschäftspartner
- mehr Werbung und Webseite modernisieren
- Geschäft in zentraler Lage suchen
- Team weiterbilden
- Lieferanten wechseln

▶ Person B

Sie sind Martin Gänsel. Sie haben Probleme mit Ihrer Firma. Sie gehen zu Ihrer Freundin Barbara Stein, weil die schon eine Firma gegründet hat und daher viel Erfahrung hat. Erklären Sie Barbara Ihre Probleme:

- wie Geschäftsidee weiterentwickeln?
- schlechter Geschäftspartner
- zu wenige Kunden
- schlechte Geschäftsadresse
- Team weniger qualifiziert als gedacht
- unzuverlässige Lieferanten

Reagieren Sie auf die Vorschläge und Tipps von Barbara.

Um Rat bitten und reagieren:

- ▶ Ich hätte gerne ein paar Tipps. / Ich brauche deine Hilfe. / Es geht um Folgendes: ...
- ▶ Das ist eine gute Idee. / Danke, das ist ein guter Tipp.
- ▶ Darüber denke ich noch nach. / Das finde ich nicht so gut, weil ...
- ▶ Da / An der Stelle / Zu dem Punkt habe ich noch eine Frage. / Wie meinst du das? / Könntest du das noch einmal erklären?

Ratschläge geben:

- ▶ An deiner Stelle würde ich ... / Wenn ich du wäre, würde ich ... / Ich schlage vor, dass ... / Ich rate / empfehle dir, ... zu ... / Du könntest / solltest ...

Lektionswortschatz

Branchen / Produkte:
die Dienstleistung, -en
das Handwerk *(nur Sg.)*
die Industrie, -n
der Artikel, -
die Konditorei, -en
die Torte, -n
der Bio-Markt, ¨-e
die Naturkost *(nur Sg.)*
der Anbau *(nur Sg.)*
ökologisch
die Spielwaren *(nur Pl.)*
der Spielwarenhersteller, -
die Figur, -en
der Reifen, -
der Service, -s
  einen Service anbieten
die Gastronomie *(nur Sg.)*
der Caterer, -
die Versorgung *(nur Sg.)*
beliefern

Vertrieb:
der Vertriebsweg, -e
der Direktverkauf, ¨-e
die Filiale, -n
das Lokal, -e
  Ladenlokal
der Shop, -s
  Onlineshop
der Versand *(nur Sg.)*
der Versandhandel *(nur Sg.)*
die Kundenbindung, -en
der Abnehmer, -
der Konsument, -en
lokal
die Region, -en
regional ≠ überregional
die Medien *(nur Pl.)*
die Strategie, -n
die Marktlücke, -n
  in eine M. stoßen
das Angebot, -e
die Nachfrage, -n
der Umsatz, ¨-e
erwirtschaften
modernisieren
vermarkten

Bierproduktion:
brauen
die Brauerei, -en
der Meister, -
  Braumeister
der Chemiker, -
  Lebensmittelchemiker
der Sommelier, -s /
  die Sommelière, -n
das Diplom, -e
die Tradition, -en
handwerklich
der Anteil, -e
  Marktanteil
der Verbrauch, ¨-e *(Pl. selten)*
  Pro-Kopf-Verbrauch
der Liter, -
  Hektoliter (= hl)
die Qualität, -en
die Zutat, -en
der Hopfen *(nur Sg.)*
das Malz *(nur Sg.)*
ausschenken
fruchtig
traditionell

Finanzierung:
das Kapital, -e / -ien *(A)*
  (Pl. selten)
  Eigenkapital
  Mindestkapital
  Startkapital
das Vermögen, -
  Firmenvermögen
  Gesellschaftsvermögen
  Privatvermögen
das Erbe *(nur Sg.)*
erben
die Einlage, -n
  Kapitaleinlage
  Sacheinlage
der Sachwert, -e
im Wert von + *D*
in Höhe von + *D*
die Immobilie, -n
die Einnahme, -n
der Gewinn, -e
der Lohn, ¨-e
der Kredit, -e
  Bankkredit
  einen K. aufnehmen
der Zins, -en
die Laufzeit, -en

Unternehmens- und Rechtsformen:
die Gesellschaftsform, -en
die Gesellschaft, -en
  Gesellschaft des bürgerlichen Rechts (= GbR)
  Gesellschaft mit beschränkter Haftung (= GmbH)
  Mini-GmbH
  Ein-Euro-GmbH
  Offene Handelsgesellschaft (= OHG)
  Kommanditgesellschaft (= KG)
  Unternehmensgesellschaft (= UG)
der Gesellschafter, -
der Kommanditist, -en
der Komplementär, -e
das Unternehmen, -
  Einzelunternehmen (= Eu)
der Inhaber, -
  Mitinhaber
der Freiberufler, -
selbstständig
die Selbstständigkeit
  (nur Sg.)
das Gewerbe, -
  Handelsgewerbe
  Kleingewerbe
das Start-Up, -s
die Stiftung, -en
haften
die Haftung *(nur Sg.)*
haftungsbeschränkt
beschränkt ≠ unbeschränkt
der Bankrott *(nur Sg.)*
bankrottgehen =
  pleitegehen
zahlungsunfähig
der Schaden, ¨
die Schulden *(nur Pl.)*

Ansprechpartner:
die Arbeitsagentur, -en
das Forum, Foren
  Gründerforum
die IHK, -s (= Industrie- und Handelskammer, -n)
das Jobcenter, -

Verben:
aufnehmen
beabsichtigen
bestehen aus + *D*
diskutieren
erfinden
ersetzen
experimentieren
ummelden
vorhaben
weiterführen
zurücklegen

Nomen:
der Antrag, ¨-e
die Art, -en
das Brautkleid, -er
die Erfahrung, -en
das Event, -s
die Existenz, -en
das Heim *(hier nur Sg.)*
die Kanzlei, -en
das Magazin, -e
der Ratschlag, ¨-e
der Vermittler, -
das Vorbild, -er
der Vortrag, ¨-e

Adjektive:
eigen
geeignet (sein für + *A*)
gering
gesamt
gigantisch
kostenfrei
mittlere
professionell
unbegrenzt
unbürokratisch
unverbindlich

Adverbien:
allein
anschließend
mindestens
sofort

Redemittel:
An Ihrer / deiner / eurer
  Stelle würde ich …
Wenn ich Sie / du / ihr wäre,
  würde ich …

Daimler AG

1 Gottlieb Daimler und Carl Benz

Lesen Sie den Text zur Geschichte der Daimler AG und ergänzen Sie die fehlenden Wörter.

Tätigkeiten | Automobile | ~~Erfindungen~~ | Vorläuferunternehmen | Leben | Pioniere

Nur wenige [1] *Erfindungen* haben die Entwicklung der Welt so sehr beeinflusst wie die des Automobils. Die [2] ____________ des Automobilbaus am Ende des 19. Jahrhunderts waren Gottlieb Daimler (1834–1900) und Carl Benz (1844–1929). Nach [3] ____________ in anderen Unternehmen entwickelten Gottlieb Daimler und Carl Benz, die sich in ihrem [4] ____________ nie persönlich trafen, in Mannheim (Benz) und in Cannstatt bei Stuttgart (Daimler) im Jahr 1886 zur selben Zeit die ersten [5] ____________ der Welt. Die Firmen Daimler Motorengesellschaft (DMG) und Benz & Co., Rheinische Gasmotoren-Fabrik, Mannheim, sind die [6] ____________ der 1926 gegründeten Daimler-Benz AG.

Gottlieb Daimler | Daimler Motorwagen (1886) | Carl Benz | Benz Motorwagen (1886)

2 Die Daimler AG

a Was produziert Daimler? Ordnen Sie die Fotos den Produktnamen zu.

1. Mercedes-Benz Pkw *A*
2. Mercedes-Maybach ___
3. Mercedes-Benz AMG ___
4. Smart ___
5. Mercedes-Benz Reisemobile ___
6. Mercedes-Benz Transporter ___
7. Mercedes-Benz Lkw ___
8. Mercedes-Benz Omnibusse ___

b Lesen Sie die Namen weiterer Produkte der Daimler AG. Was könnte das sein? Überlegen Sie. Recherchieren Sie auf der Webseite der Daimler AG (www.daimler.com/produkte/), ob Ihre Überlegungen richtig sind.

1. Freightliner Trucks
2. FUSO
3. Western Star
4. BharatBenz Lkw und Busse
5. Setra
6. Thomas Built Buses
7. Financial Services
8. Mobility Services

c Film | 1 **Sehen Sie den Film von Daimler an und markieren Sie in 2a und b die Produkte, die im Film vorkommen.**

d **Sehen Sie sich die Bilder aus dem Film an. Sprechen Sie im Kurs über die Innovationen, die sie zeigen.**

Wir haben Alternativen.

Wir erfinden Mobilität neu.

Wir entwickeln die Autonomie des Fahrens.

Wir sehen, was andere nicht sehen.

Wir halten Abstand.

Wir sind immer auf der richtigen Spur.

Daimler baut auch Elektroautos.

e **Sehen Sie sich den Film noch einmal an. Welche Aussagen macht der Film noch? Sammeln Sie im Kurs Beispiele.**

3 Zahlen und Fakten

Schauen Sie sich die Tabellen unten an und ergänzen Sie die Unternehmenszahlen.

DAIMLER

Zentrale: Stuttgart (Deutschland)
Unternehmensgründung: 1926
Umsatz nach Märkten (2015): ____________
Mitarbeiterzahl (2015): ____________
Vorstandsvorsitzender: Dr. Dieter Zetsche

Geschäftsfelder: ____________
____
____
Gesamtabsatz (2015): ____________
Tätigkeit: weltweit

Umsatz nach Märkten (in Millionen EUR)	
Umsatz insgesamt (2015)	149.467
Westeuropa	49.570
davon Deutschland	22.001
NAFTA	47.653
davon USA	41.920
Asien	33.744
davon China	14.684
Übrige Märkte	18.500

Umsatz nach Geschäftsfeldern (in Millionen EUR)	
Umsatz insgesamt (2015)	155.935*
Mercedes-Benz Cars	83.809
Daimler Trucks	37.578
Mercedes-Benz Vans	11.473
Daimler Buses	4.113
Daimler Financial Services	18.962

* Es kann auch Umsätze geben, die man nicht einzelnen Märkten zuordnen kann, daher die Differenz zum Umsatz nach Märkten.

Absatz nach Geschäftsfeldern	
Absatz insgesamt (2015)	2.853.014
Mercedes-Benz Cars	2.001.438
Daimler Trucks	502.478
Mercedes-Benz Vans	321.017
Daimler Buses	28.081

Beschäftigte nach Geschäftsfeldern	
Beschäftigte insgesamt (2015)	284.562
Mercedes-Benz Cars	137.431
Daimler Trucks	87.707
Mercedes-Benz Vans	22.430
Daimler Buses	17.755
Daimler Financial Services	9.665
Sonstige	9.574

A Eine neue Nachricht

1 Montagmorgen im Büro

a 1|21 **Lesen Sie den Tipp unten und hören Sie Teil 1 einer Nachricht auf dem Anrufbeantworter von Livia Falk, Assistentin der Geschäftsführerin Ingrid Schulz von der Firma Office-Lösungen 2000. Beantworten Sie die Fragen.**

1. Wer hat angerufen?
2. Was ist los?
3. Was soll Livia Falk tun?

b **Hören Sie Teil 1 der Nachricht noch einmal und notieren Sie die Telefonnummern.**

1. Festnetz: ______________________
2. Mobil: ______________________

TIPP

Meist nennt man die Ziffern der Vorwahl einzeln, z. B. 0-4-0 für Hamburg.
Bei Telefonnummern macht man es oft genauso, dabei spricht man die Zahlen nacheinander oder in Gruppen, z. B. 6-2 9-8 4-8.
Zahlen sind feminin, deshalb sagt man oft: „Meine Nummer ist **die** 2456810".
Um die Zahl „2" am Telefon nicht mit der „3" zu verwechseln, sagt man oft „zwo".
Auch für die Monate Juni und Juli gibt es einen „Trick": Man sagt „Juno" für Juni und „Julei" für Juli.

2 Wie buchstabiert man am Telefon?

TIPP

Um Namen, E-Mail-Adressen etc. zu buchstabieren, benutzt man das „Telefonalphabet" so: „A wie Anton", „D wie Dora" etc.

a Lesen Sie den Tipp und schauen Sie sich das Telefonalphabet an. Buchstabieren Sie dann Ihrem Partner / Ihrer Partnerin den eigenen Namen und Ihre Mailadresse. Ihr Partner / Ihre Partnerin notiert. › ÜB: A1

- ▶ Wie ist dein Name, bitte?
- ▶ Mein Name ist … Ich buchstabiere …
- ▶ Und wie ist deine Mailadresse?
- ▶ Meine Mailadresse ist … Ich buchstabiere …

A	Anton	G	Gustav	O	Otto	T	Theodor
Ä	Ärger	H	Heinrich	Ö	Ökonom	U	Ulrich
B	Berta	I	Ida	P	Paula	Ü	Übermut
C	Cäsar	J	Julius	Q	Quelle	V	Viktor
Ch	Charlotte	K	Kaufmann	R	Richard	W	Wilhelm
D	Dora	L	Ludwig	S	Samuel / Siegfried	X	Xanthippe
E	Emil	M	Martha	Sch	Schule	Y	Ypsilon
F	Friedrich	N	Nordpol	ß	Eszett	Z	Zacharias / Zeppelin

Sonderzeichen für E-Mails, Webadressen, Kundennummern etc.

@	-	_	.	/
at	Bindestrich / minus	Unterstrich / underscore	Punkt / dot	Schrägstrich / slash

b 1|22 **Hören Sie Teil 2 der Nachricht auf dem Anrufbeantworter und notieren Sie die E-Mail-Adresse.**

E-Mail-Adresse: ______________________________

3 Telefonnummern und E-Mail-Adressen erfragen und nennen

Diktieren Sie sich gegenseitig die Telefonnummern und E-Mail-Adressen. Partner A diktiert Partner B und umgekehrt. Die Redemittel und das Telefonalphabet helfen. › ÜB: A2

Könnten Sie mir bitte die Nummer von … geben? | Wie lautet die Vorwahl von …? | Wie ist die Durchwahl von Frau / Herrn …? | Wie ist die Rufnummer von Frau / Herrn …? | Könnten Sie mir bitte ihre / seine E-Mail-Adresse geben? | Wie lautet die E-Mail-Adresse von Frau / Herrn …?

Die Ländervorwahl lautet … | Die Vorwahl ist die … | Die Rufnummer von Frau / Herrn … ist die … | Frau / Herrn (Familienname im Genitiv) Durchwahl ist die … | Die Durchwahl von Frau / Herrn … ist die … | Ihre / Seine E-Mail-Adresse lautet: …

Partner A

1. Frau Hutter: Tel.: 0043 2622 595476
   E-Mail: v.hutter@xpu.at
2. Herr Marin: Tel.: 0211 6518796
   E-Mail: p.a.marin@donner-gmbh.de
3. Frau Grabowski: Tel.: 030 48965-12
   E-Mail: claudia-grabowski@bw_ag.com

1. Herr Cormane: ______________________________
2. Frau Meyer: ______________________________
3. Herr Boßmann: ______________________________

Partner B

1. Herr Cormane: Tel.: 0033 493 635258971
   E-Mail: m_cormane@bsf.fr
2. Frau Meyer: Tel.: 0521 18915-40
   E-Mail: w.meyer@schulz-ag.de
3. Herr Boßmann: Tel.: 06858 205469
   E-Mail: d.j.bossmann@ami.com

1. Frau Hutter: ______________________________
2. Herr Marin: ______________________________
3. Frau Grabowski: ______________________________

B Eine Nachricht hinterlassen

1 Frau Haik ist nicht zu erreichen

a Abwesenheit von Kollegen mitteilen: Ordnen Sie die Ausdrücke für das Telefonieren den Bildern zu. › ÜB: B1

~~außer Haus~~ | zu Tisch | nicht am Platz | in einer Besprechung | spricht gerade

1 außer Haus
2 ____________
3 ____________
4 ____________
5 ____________

b 1|23 Livia Falk möchte Frau Haik sprechen. Hören Sie das Telefongespräch. Was hören Sie: a oder b? Kreuzen Sie an.

1. Die Zentrale verbindet	a. ☐ Frau Falk mit Frau Haik.	b. ☐ Frau Falk mit der IT-Abteilung.
2. Der Kollege sagt:	a. ☐ Frau Haik spricht gerade.	b. ☐ Frau Haik ist gerade in einer Besprechung.
3. Frau Falk hinterlässt	a. ☐ eine Nachricht.	b. ☐ keine Nachricht.
4. Frau Haiks Kollege notiert	a. ☐ die Nummer von Frau Falk.	b. ☐ nur den Namen von Frau Falk.

c Hören Sie das Telefongespräch in 1b noch einmal. Welche Sätze hören Sie? Kreuzen Sie an.

1. Können Sie mich bitte mit der IT-Abteilung verbinden? ☐
2. Könnten Sie mich bitte mit der IT-Abteilung verbinden? ☐
3. Ist Frau Haik zu sprechen? ☐
4. Ich würde gern mit Frau Haik sprechen. ☐
5. Ich müsste dringend Frau Haik erreichen. ☐
6. Ich muss dringend Frau Haik erreichen. ☐
7. Dürfte ich Sie bitten, ihr etwas auszurichten? ☐
8. Richten Sie ihr bitte aus, dass … ☐

2 Grammatik auf einen Blick: Höfliche Bitten und Fragen im Konjunktiv II › G: 1.3

a Schauen Sie sich die angekreuzten Sätze in 1c an und markieren Sie dort die Verben.

b Was fällt auf? Ergänzen Sie die Regeln. › ÜB: B2

G

1. Höfliche Bitten / Fragen formuliert man mit dem ____________.
2. Die Modalverben „können", „müssen" und „dürfen" haben die Konjunktivformen „könnt-____________", „____________" und „____________".
3. Bei Verben, wie z. B. „sprechen", verwendet man „werden" im Konjunktiv II + ____________, z. B. Ich würde gern mit Frau Haik sprechen.

c Formulieren Sie zu zweit höfliche Fragen und Antworten im Konjunktiv II.

- ▶ Was kann ich für Sie tun?
- ▶ Kann ich Ihnen weiterhelfen?
- ▶ Wie kann ich Ihnen helfen?

- ▶ durchstellen zu Frau Lang
- ▶ verbinden mit der Personalabteilung
- ▶ mit dem Empfang sprechen müssen
- ▶ die Durchwahl von Frau Peters geben

Was kann ich für Sie tun?

Würden Sie mich bitte …?

3 Eine Gesprächsnotiz

B P

1|23 Lesen Sie die Gesprächsnotiz für Frau Haik. Hören Sie dann das Telefongespräch in 1b noch einmal und ergänzen Sie die fehlenden Informationen. › ÜB: B3

Datum: *12.9.2016*	**Uhrzeit:** *9:10 Uhr*
Anruf von:	**Firma:** *Office-Lösungen 2000*
Anruf für:	**Anruf angenommen von:** *Rolf Müller*
Telefonnummer:	**Faxnummer:** *—*

☐ ruft wieder an ☐ ruft zurück ☐ erbittet Rückruf ☐ bittet um: ____________

Betreff: ____________________________

4 Kann ich eine Nachricht hinterlassen?

a Wer sagt was? Ordnen Sie die Redemittel den Personen zu. › ÜB: B4

~~Was kann ich für Sie tun?~~ | ~~Ich möchte gern Frau / Herrn … / jemanden von … sprechen.~~ | Einen Moment bitte, ich verbinde Sie. | Hören Sie? Da ist im Moment niemand zu erreichen. Frau / Herr ist … | Hören Sie? Da ist im Moment besetzt. | Worum geht es denn? | Es geht um … | Kann ich Ihnen weiterhelfen? | Können Sie bitte etwas ausrichten? | Kann ich eine Nachricht hinterlassen? | Nein, vielen Dank. Ich rufe später wieder an. | Richten Sie bitte aus, dass … | Möchten Sie, dass ich ihr / ihm etwas ausrichte? | Soll ich etwas notieren? | Sagen Sie ihr / ihm, sie / er möchte mich bitte zurückrufen unter … | Gut, ich richte Frau / Herrn … aus, dass … | Das richte ich gern aus. | Vielen Dank. Ich melde mich später noch einmal.

Anrufer / Anruferin: *Ich möchte gern Frau / Herrn … / jemanden von … sprechen.*

Angerufener / Angerufene: *Was kann ich für Sie tun?*

b Führen Sie zu zweit Telefongespräche mit den Redemitteln in 4a. Tauschen Sie auch die Rollen.

Situation 1
Sie möchten Frau Soares von der Buchhaltung sprechen. Sie ist außer Haus. Ihre Rechnung ist nicht korrekt. Bitten Sie höflich um Rückruf unter 01757 85967411.

- ▶ Guten Tag, BMF, Zentrale, … am Apparat. Was kann ich für Sie tun?
- ▶ Guten Tag, hier … Ich möchte gern … sprechen.
- ▶ …

Situation 2
Sie möchten jemanden vom Kundenservice sprechen. Es ist niemand zu erreichen. Sie haben eine falsche Lieferung erhalten und möchten, dass man Sie unter 0341 879568 zurückruft.

- ▶ Guten Tag, hier Zentrale von Sulz & Co. Sie sprechen mit Frau … Was kann ich für Sie tun?
- ▶ Guten Tag, hier … Ich würde gern mit jemandem von / vom … sprechen.
- ▶ …

C Wie war das, bitte?

1 Ein neuer Termin

1|24 Hören Sie das Telefongespräch von Livia Falk mit Frau Haik. Was ist richtig: a oder b? Kreuzen Sie an. › ÜB: C1

1. Frau Haik
   a. ☐ weiß schon, dass das Meeting am Nachmittag ausfällt.
   b. ☐ bekam die Nachricht nicht, dass das Meeting ausfällt.
2. Frau Haik
   a. ☐ schlägt nur einen Termin vor.
   b. ☐ schlägt mehrere Termine vor.
3. Livia Falk
   a. ☐ bittet Frau Haik, sich bei Problemen zu melden.
   b. ☐ hält den Termin im Kalender fest.

2 Grammatik auf einen Blick: Indirekte Fragesätze › G: 4.2, 4.4

a **1|24 Ergänzen Sie die Fragewörter. Hören Sie dann das Telefongespräch in 1 zur Kontrolle noch einmal.**

um wie viel | ~~ob~~ | an welchem | wie lange | wie

1. Wissen Sie schon, *ob* Frau Schulz nächste Woche wieder da ist?
2. Sagen Sie mir doch bitte, ________ Tag es Ihnen passen würde.
3. Ich kann Ihnen leider nicht sagen, ________ das Treffen dauert.
4. Also, Sie fragten, ________ es am Dienstagnachmittag aussieht.
5. Sagen Sie mir bitte, ________ Uhr es Ihnen am besten passen würde.

b **Formulieren Sie die indirekten Fragesätze aus 2a in direkte Fragen um und ergänzen Sie die Regeln.** › ÜB: C2

1. *Ist Frau Schulz nächste Woche wieder da?*

G

1. Indirekte Fragesätze sind Nebensätze. Das Verb steht im Nebensatz am ________.
2. Wenn die direkte Frage eine Ja-/Nein-Frage ist, beginnt der indirekte Fragesatz mit „________".
3. Wenn die direkte Frage mit einem Fragewort oder -ausdruck beginnt, beginnt der indirekte Fragesatz mit dem gleichen ________ oder ________.

c **Fragen über Fragen. Sprechen Sie zu zweit. Fragen und antworten Sie.**

Können Sie mir schon sagen, …? | Wissen Sie bereits, …? | Sagen Sie mir bitte, … | Haben Sie schon Informationen darüber, …? | Ich möchte Sie fragen, …

Nein, das weiß ich leider noch nicht. | Leider nicht. Ich gebe Ihnen später Bescheid. | Ich habe noch keine Informationen über … / darüber, … | Wenn ich es weiß, informiere ich Sie sofort.

Situation 1
Besprechung mit der IMA GmbH:
- an welchem Tag stattfinden?
- wie lange dauern?
- wer genau an Besprechung teilnehmen?

Situation 2
Die neue Praktikantin:
- welche Ausbildung haben?
- Erfahrungen im Vertrieb haben?
- von wann bis wann in unserer Abteilung sein?

Können Sie mir schon sagen, an welchem Tag die Besprechung mit der IMA GmbH stattfindet?

Nein, das weiß ich leider noch nicht.

3 Das Verständnis sichern und nachfragen

a 1|25 **Hören Sie das Gespräch von Frau Falk mit Herrn Vega und beantworten Sie die Fragen.**

1. Warum ruft Frau Falk Herrn Vega an?
2. Auf welchen Termin einigen sie sich?
3. Welches Verständnisproblem hat Herr Vega?
4. Wie löst er das Problem?

b **Bei Nichtverstehen nachfragen: Welche Sätze passen zu welcher Strategie? Notieren Sie die Sätze.** › ÜB: C3

~~Könnten Sie mir bitte noch einmal sagen, ...?~~ | 17:00 Uhr, habe ich das richtig verstanden? | Entschuldigung, das habe ich nicht verstanden. | Können Sie das bitte noch einmal wiederholen? | Der Termin ist also am 22.9., um 17:00 Uhr, richtig? | Entschuldigung, wie war das noch mal? | Entschuldigung, mir ist nicht ganz klar, wie / wann / ob ...

Strategien des Nachfragens	Beispielsätze
1. um Wiederholung bitten	*Könnten Sie mir bitte noch einmal sagen, ...?*
2. das Nichtverstehen thematisieren	
3. selbst die Informationen wiederholen und um Bestätigung ihrer Richtigkeit bitten	

c **Das Ergebnis eines Gesprächs festhalten: Hören Sie das Gespräch in 3a noch einmal. Welche Sätze hören Sie?**

1. Gut, dann halte ich den 22.9. um 17:00 Uhr fest. ☐
2. Ich melde mich im Raum 3 in der dritten Etage, ist das richtig? ☐
3. Können Sie die Raumnummer bitte noch einmal wiederholen? ☐
4. Ich fasse zusammen: Das Gespräch findet am 22.9. um 17:00 Uhr statt. ☐
5. Dann sehen wir uns also am 22.9. um 17:00 Uhr im Raum 3.5. ☐

d **Einen Termin besprechen, Nachfragen stellen, Ergebnis sichern. Machen Sie sich Notizen zu Ihrer Rolle und verwenden Sie die Redemittel aus 3b und 3c. Tauschen Sie bei Situation 1 und 2 die Rollen.**

Situation 1
Sie sind Frau Irmer von Irmer-Cosmetics. Sie bekommen einen Anruf von Herrn Messmer von Ihrer Versicherung. Herr Messmer möchte mit Ihnen einen Termin vereinbaren. Er schlägt zwei Termine vor. Sie haben das Datum des ersten Termins nicht gut verstanden. Bitten Sie darum, das Datum zu wiederholen. Erklären Sie, warum der erste Termin für Sie ungünstig ist, und halten Sie dann den zweiten Termin fest.

Situation 2
Sie sind Herr Aziz von der Deuble AG. Sie planen ein Meeting mit 20 Personen und rufen bei Frau Cramer vom Raummanagement an. Frau Cramer schlägt Ihnen zwei Räume vor, aber jeder Raum hat einen Nachteil. Sie verstehen nicht alle Informationen von Frau Cramer. Fragen Sie nach und entscheiden Sie sich für einen Raum. Halten Sie dann das Ergebnis fest.

e **Wie verhält man sich und was sagt man in Ihrem Heimatland, wenn es am Telefon Verständnisprobleme gibt? Berichten Sie oder spielen Sie die Situation mit einem Partner / einer Partnerin vor.**

4 Eine Nachricht hinterlassen

Rufen Sie bei einer Firma an und formulieren Sie Ihr Anliegen. Partner A: Datenblatt A4, Partner B: Datenblatt B4.

D Rufen Sie bitte zurück!

1 Schon wieder neue Nachrichten!

T P

1|26–30 Fünf neue Nachrichten nach der Mittagspause! Hören Sie die Nachrichten. Was ist richtig (r), was ist falsch (f)? Kreuzen Sie an.

	r	f
1. Frau Haik möchte das Meeting absagen.	☐	☐
2. Frau Schulz bittet Frau Falk darum, einen Vertrag abzusenden.	☐	☐
3. José Vega möchte den Termin wegen seiner Operation verschieben.	☐	☐
4. Frau Falk kann ihr Portemonnaie am Empfang abholen.	☐	☐
5. Die Anruferin heißt Carolina Dircke.	☐	☐

5 neue Nachrichten

2 Nachrichten für einen Anrufbeantworter formulieren

a Lesen Sie die Redemittel und ordnen Sie zu. › ÜB: D1

~~Guten Tag. Hier spricht … von der Firma …~~ | Ich danke Ihnen. | Ich melde mich wegen … | Meine Nummer ist … | Es geht um … | Hallo. Hier ist … | Meine E-Mail-Adresse lautet: … | Mein Name ist … Ich buchstabiere: … | Auf Wiederhören. | Ich rufe an, weil … | Bitte rufen Sie mich zurück unter … | Sie erreichen mich unter der Nummer … | Bitte senden Sie die Unterlagen an die E-Mail-Adresse … | Könnten Sie mich zurückrufen unter …? | Könnten Sie mir bitte die Dokumente für … an … schicken? | Vielen Dank.

sich vorstellen / sich melden: *Guten Tag. Hier spricht … von der Firma …, …*

das Thema nennen: ______

den Namen nennen / buchstabieren: ______

die E-Mail-Adresse nennen: ______

die Telefonnummer nennen: ______

um Rückruf bitten: ______

um Übersendung von … bitten: ______

Dank: ______

Verabschiedung: ______

b Formulieren Sie eine Nachricht für den Anrufbeantworter Ihres Kollegen Friedrich Erler mit den Redemitteln in 2a. Vergleichen Sie im Kurs.

- Ihr Name: Martin Sellers
- Sie sind auf Dienstreise, kein Internetzugang
- Kollege soll Vertragsunterlagen für Firma Ganske & Co. an Petra Schurz senden
- E-Mail-Adresse: p_schurz@ganske.com
- Dank und Gruß

Hallo. Hier ist …

______

3 Test: Ihre Telefonkompetenz in formellen Situationen

Was sagen oder tun Sie: a oder b? Vergleichen Sie dann mit einem Partner / einer Partnerin. › ÜB: D2

A. Sprachkompetenz: Was sagt man, ...

1. wenn man einen Anrufer, der in der Leitung wartet, wieder anspricht?
   a. ⊡ Hören Sie? b. ☐ Sind Sie noch hier?
2. wenn jemand in der Mittagspause ist?
   a. ⊡ ... ist am Tisch. b. ☐ ... ist zu Tisch.
3. wenn man jemanden um einen Rückruf bittet?
   a. ⊡ Rufen Sie mich bitte wieder an. b. ☐ Rufen Sie mich bitte zurück.
4. wenn man eine Nachricht hinterlassen möchte?
   a. ⊡ Kann ich bitte etwas ausrichten? b. ☐ Könnten Sie bitte etwas ausrichten?
5. wenn man sich am Firmentelefon meldet?
   a. ⊡ den Familiennamen + Hallo, hier ... b. ☐ den Firmennamen, den Vor- und Familiennamen, Gruß

B. Telefonkompetenz: Was tun Sie, ...

1. wenn Sie den Namen nicht verstanden haben?
   a. ☐ Sie fragen nicht nach. b. ☐ Sie lassen sich den Namen buchstabieren.
2. um höflich am Telefon zu sein?
   a. ☐ Sie sprechen Ihren Gesprächspartner immer mal wieder mit Frau / Herr (Familienname) an. b. ☐ Sie verwenden nur Sätze im Konjunktiv II.
3. wenn es ein sehr wichtiges Telefonat ist, in dem es z. B. um Vereinbarungen geht?
   a. ☐ Sie machen Notizen, schicken später per E-Mail eine Gesprächsnotiz und bitten um Bestätigung. b. ☐ Sie notieren das Wichtigste für sich selbst.

Aussprache

1 Harte und weiche Plosive: p – b, t – d, k – g

▶ 1|31 **Hören Sie die Wörter und sprechen Sie sie nach.**

harte Plosive	weiche Plosive
[p]: Papier, einpacken	[b]: Büromöbel, haben
[t]: Tastatur, ausrichten	[d]: Durchwahl, finden
[k]: Kaffee, schicken	[g]: Gespräch, nachfragen

TIPP

„p", „t" und „k" spricht man behaucht = mit viel Luft.

2 Weiche Plosive werden hart – Auslautverhärtung

a ▶ 1|32 **Hören Sie die Wörter. Hören Sie einen harten oder einen weichen Plosiv? Kreuzen Sie an.**

1. Guten Tag! [g] [k]
2. Das waren schöne Tage. [g] [k]
3. Guten Abend! [d] [t]
4. Der Workshop lief an drei Abenden. [d] [t]
5. Die Unterlagen liegen auf dem Schreibtisch. [b] [p]
6. Bitte schreiben Sie an Herrn Vega. [b] [p]

b **Markieren Sie in den Wörtern die Silbengrenze und ergänzen Sie dann die Regel.**

Tag – Ta | ge   Abend – Abende   Schreibtisch – schreiben

1. Die weichen Plosive „b", „d", „g" am Wort- und Silbenende: Man spricht sie als __________ Plosive.
2. Die weichen Plosive „b", „d", „g" am Wort- und Silbenanfang: Man spricht sie als __________ Plosive.

E Schlusspunkt

Situation 1

▶ Person A

Sie sind Frau Yang und arbeiten bei der Firma Event-Tours. Sie bekommen einen Anruf für Ihre Kollegin Frau Rubens. Sie ist zu Tisch.
Notieren Sie folgende Informationen:
- Name des Anrufers?
- Grund des Anrufs?
- Rufnummer?

Sagen Sie, dass Sie Frau Rubens alles ausrichten.

▶ Person B

Sie sind Herr Leppert und arbeiten beim Reisebüro „Traveling". Sie rufen Ihren Geschäftspartner, die Firma Event-Tours, an und möchten Frau Rubens sprechen. Sie ist nicht da.
Hinterlassen Sie eine Nachricht:
- Besprechung am 5.10. fällt aus.
- Bitten Sie um Rückruf morgen, ab 11:00 Uhr.
- Sie brauchen dringend die Unterlagen für das neue Reiseangebot der Firma Xenos.
- Bitte per Mail schicken.

Begrüßung:
- ▶ Guten Tag, hier … Sie sprechen mit Frau …
- ▶ Hier spricht … Ich würde gern mit Frau …
- ▶ Sie ist gerade …

Nachricht hinterlassen wollen:
- ▶ Kann ich eine Nachricht hinterlassen?
- ▶ … ich buchstabiere: …
- ▶ Ich rufe an, weil … Sagen Sie Frau … bitte, Sie … Außerdem brauche ich dringend … Frau … soll … per Mail schicken.
- ▶ Aber gern. Meine Nummer ist … Vielen Dank!
- ▶ Auf Wiederhören.

Auf Wunsch reagieren:
- ▶ Gern. Wie war bitte Ihr Name?
- ▶ Worum geht es denn?
- ▶ Ich richte das gern … aus. Könnten Sie mir bitte noch Ihre Telefonnummer geben?
- ▶ Nichts zu danken. Auf Wiederhören.

Situation 2

▶ Person A

Sie sind Herr Lund, Geschäftspartner der Xenos GmbH. Sie möchten ein Treffen mit Frau Pastor, der Geschäftsführerin der Xenos GmbH, vereinbaren. Frau Diez, die Assistentin von Frau Pastor, schlägt Ihnen zwei Termine vor:
- Der erste Termin passt nicht wegen Urlaub.
- Der zweite Termin passt, aber eine Stunde später.

Machen Sie mit Frau Diez einen Termin aus.

▶ Person B

Sie sind Frau Diez, Assistentin der Geschäftsführerin der Xenos GmbH, Frau Pastor. Herr Lund, Geschäftspartner der Xenos GmbH, möchte ein Treffen mit Frau Pastor vereinbaren.
Sie schlagen Herrn Lund zwei Termine vor:
- 12.10., um 16:30 Uhr
- 18.10., um 14:00 Uhr

Sprechen Sie mit Herrn Lund und fassen Sie am Ende des Gesprächs die Vereinbarung zusammen.

Begrüßung:
- ▶ Xenos GmbH, …, Assistenz der Geschäftsführung. Was kann ich für Sie tun?
- ▶ Guten Tag, hier … Ich habe eine Bitte.
- ▶ Ja, worum geht es denn?

Um Termine bitten:
- ▶ Ich möchte gern …
- ▶ Am … kann ich leider nicht, weil …
- ▶ Ja, das passt, aber lieber wäre mir um …
- ▶ Vielen Dank. Auf Wiederhören.

Auf Terminwunsch reagieren:
- ▶ Ja gern. Ich kann Ihnen … vorschlagen.
- ▶ Gut, wie wäre es am …
- ▶ Ja, gut. … ist auch möglich. Dann halten wir den … um … fest.
- ▶ Auf Wiederhören, Herr …

Lektionswortschatz

Telefon:
das Display, -s
der Apparat, -e
am Apparat sein
die Leitung, -en
der Anrufbeantworter,
(= der AB, -s)
die Buchstabiertafel, -n

Telefonieren:
der Anruf, -e
das Anliegen, -
melden (sich) bei + *D*
wegen + *G / D*
erreichen
verbinden jmdn. mit + *D*
durchstellen jmdn. zu + *D*
dran sein *(ugs.)*
besetzt sein
die Abwesenheit, -en
außer Haus sein ≠
im Haus sein
auf Dienstreise sein
in einer Besprechung sein
nicht am Platz sein
in der Mittagspause sein
zu Tisch sein
weiterhelfen jmdm. bei + *D*
ausrichten, jmdm. etw.
die Nachricht, -en
eine N. hinterlassen
mitteilen
bitten um + *A*
der Rückruf, -e
um R. bitten
zurückrufen
die Gesprächsnotiz, -en
nachfragen
die Nachfrage, -n
wiederholen
zusammenfassen
weitergeben

Telefonnummern:
die Nummer, -n
Rufnummer
Festnetznummer
Mobilfunknummer, -n
das Festnetz *(hier nur Sg.)*
mobil
die Vorwahl, -en
Ländervorwahl
Ortsvorwahl
die Durchwahl, -en

Zeichen in E-Mails etc.:
das At-Zeichen, - (= @)
der Bindestrich, -e (= minus)
der Punkt, -e (= dot)
der Schrägstrich, -e (= slash)
der Unterstrich, -e (= underscore)

Termine:
vorschlagen
anbieten
aussehen
Wie sieht es am Dienstag aus?
einigen, sich auf + *A*
ausmachen
vereinbaren
festhalten
verlegen
verschieben um + *A* (um zwei Tage)
verschieben von + *D* auf + *A* (von Vormittag auf Nachmitttag)
stattfinden ≠ ausfallen
absagen

Verben:
abgeben
absenden
übersenden
erfragen
lassen
übersehen

Nomen:
die Operation, -en
der Empfang *(hier nur Sg.)*
das Portemonnaie, -s
die Unterlage, -n
Bewerbungsunterlagen
das Verständnis, -se *(Pl. selten)*
das Verständnisproblem, -e
das Vorstellungsgespräch, -e
der Zugang, ⸚e

Adjektive:
verschieden

Adverbien:
bereits
gerade (Frau / Herr … spricht gerade.)

Redemittel:
… (Name) am Apparat.
Was kann ich für Sie tun?
Ich möchte gern Frau / Herrn … / jemanden von … sprechen.
Einen Moment bitte, ich verbinde Sie.
Hören Sie?
Da ist im Moment besetzt.
Kann ich Ihnen weiterhelfen?
Möchten Sie, dass ich ihr / ihm etwas ausrichte?
Worum geht es denn?
Es geht um …
Könnten Sie bitte etwas ausrichten?
Kann ich eine Nachricht hinterlassen?
Richten Sie bitte aus, dass …
Die Rufnummer / Durchwahl / Adresse / (E-)Mail-Adresse / … lautet …
Melden Sie sich bitte, wenn Ihnen etwas dazwischen kommt.
Was ist los?
Dann wollen wir mal. *(ugs.)*
Könnten Sie mir bitte noch einmal sagen, …?
…, habe ich das richtig verstanden?
Entschuldigung, das habe ich nicht verstanden.
Entschuldigung, wie war das noch mal?
Entschuldigung, mir ist nicht ganz klar, wie / wann / ob …
Können Sie das bitte noch einmal wiederholen?

A Eine Messe planen

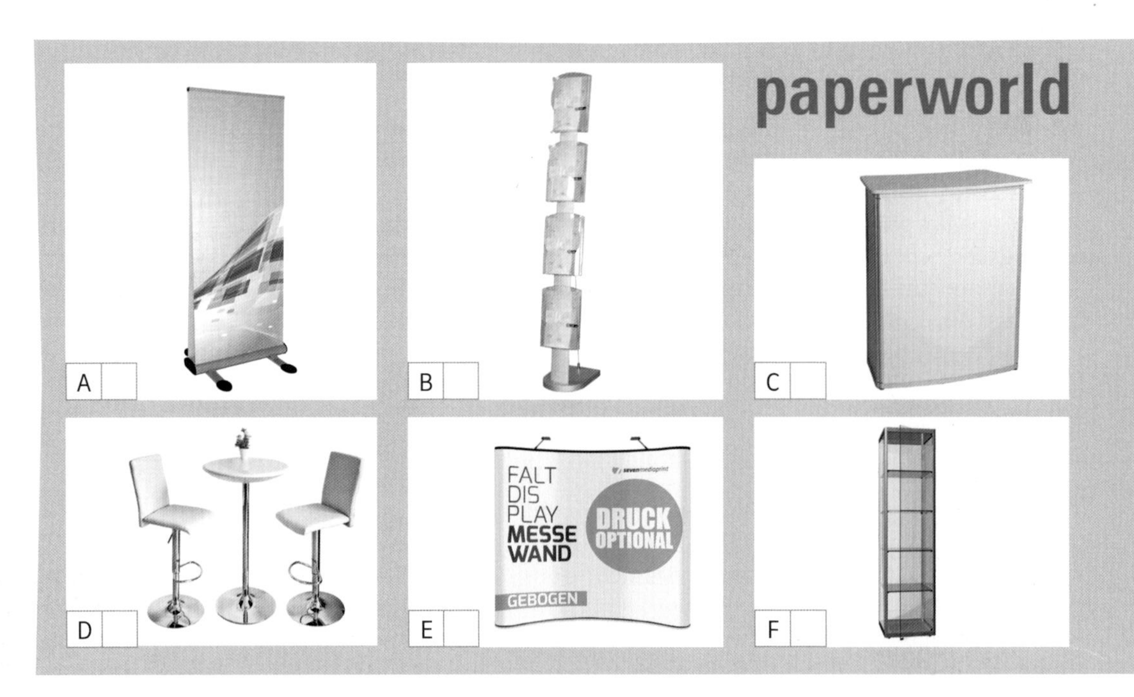

1 Ein Messeauftritt auf der „Paperworld“

a **Was denken Sie, was für Unternehmen stellen auf der „Paperworld“ aus? Sammeln Sie Ideen.**

b **Was gehört zu einem Messestand? Sehen Sie sich die Fotos oben an und ordnen Sie die Fotos den Bezeichnungen zu.**

1. mobile Messetheke C
2. Messewand ___
3. Vitrine ___
4. Prospektständer ___
5. Rollup ___
6. Stehtisch mit Stühlen ___

2 Die Firma Rischge plant einen Messeauftritt

a 1|33 **Hören Sie Teil 1 der Besprechung zwischen der Geschäftsführerin Frau Bender und dem Marketingleiter Herrn Brühler. Was produziert die Firma Rischge?**

b 1|34 **Hören Sie Teil 2 der Besprechung. Was braucht die Firma Rischge für den Messestand? Kreuzen Sie in den Fotos oben an.** › ÜB: A1

3 Der Flyer zum „Rischge Digital Pen“

Lesen Sie den Flyer auf der nächsten Seite oben und beantworten Sie die Fragen.

1. Was muss man nicht mehr tun, wenn man den „Rischge Digital Pen“ hat?
2. Wie funktioniert der „Rischge Digital Pen“?
3. Wofür ist im „Rischge Digital Pen“ ein Trainingsprogramm integriert?
4. Wie kann man seine Notizen weiterverarbeiten?

Der Rischge Digital Pen – mit einem Strich vom Papier in die digitale Welt!

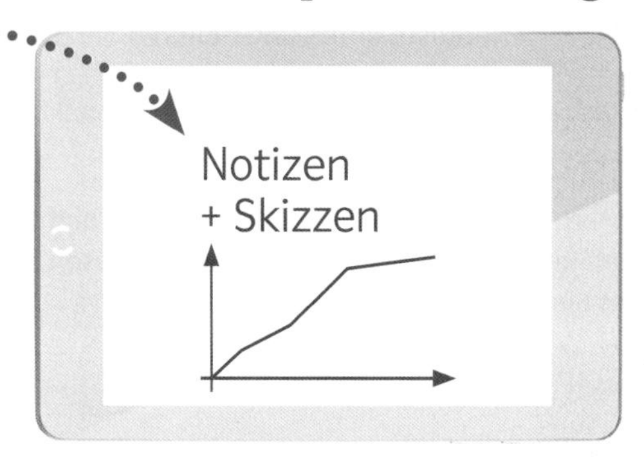

Verlieren Sie nie mehr Zeit damit, handschriftliche Notizen von Vorträgen, Meetings oder Telefongesprächen abzutippen. Denn mit dem „Rischge Digital Pen" werden Ihre handschriftlichen Notizen oder Skizzen automatisch in einen digitalen Text umgewandelt.

Der „Rischge Digital Pen" funktioniert wie ein normaler Kugelschreiber. Sie können mit ihm auf jedem normalen DIN-A4-Papier – egal ob weiß, farbig, liniert oder kariert – schreiben oder Skizzen machen. Das Besondere ist: Sie brauchen nur den Empfänger mit dem Clip am oberen Blattrand zu befestigen und schon werden Ihre Notizen digital aufgezeichnet.

Der „Rischge Digital Pen" erkennt jede Handschrift und wenn es doch mal Probleme gibt, hilft das integrierte Trainingsprogramm.

Zur Übertragung an den Computer wird der „Rischge Digital Pen" einfach mit einem USB-Kabel angeschlossen. Eine Software überträgt Ihre Notizen und schon können Sie Ihre Aufzeichnungen lesen, bearbeiten, abspeichern und versenden. Der „Rischge Digital Pen" ist kompatibel mit iOS ab Version 9, Android und Windows ab Version 8.

Rischge GmbH

4 Grammatik auf einen Blick: Passiv Präsens › G: 1.5

a Markieren Sie in den Passivsätzen aus dem Flyer in 3 die Formen von „werden" und schreiben Sie sie in die Tabelle.

1. Ihre handschriftlichen Notizen werden in einen digitalen Text umgewandelt.
2. Ihre Notizen werden digital aufgezeichnet.
3. Zur Übertragung wird der „Digital Pen" mit einem USB-Kabel angeschlossen.

ich	werde
du	wirst
er / sie / es	
wir	werden
ihr	werdet
sie / Sie	

b Schreiben Sie die Sätze aus 4a in die Tabelle und ergänzen Sie die Regeln. › ÜB: A2

	Position 2: werden		Satzende: Partizip Perfekt
	← Satzklammer		→
1. *Ihre handschriftlichen Notizen*	*werden*	*in einen digitalen Text*	*umgewandelt.*
2.			
3.			

G

1. Man bildet das Passiv Präsens mit dem Hilfsverb „_______________" und dem _______________ vom Vollverb.
2. „werden" steht auf _______________, das Partizip Perfekt am _______________.
3. In einem Passivsatz steht a. ☐ die Person, die handelt, b. ☐ die Handlung im Vordergrund.

5 Digitale Stifte

Kennen Sie digitale Stifte? Wie finden Sie sie? Möchten Sie einen haben? Sprechen Sie im Kurs.

B Was wurde schon gemacht?

1 Checkliste für die Messeplanung

a Lesen Sie die Checkliste unten und notieren Sie die Überschriften.

Besucherwerbung | ~~Messestand~~ | Standaktivitäten | Standausstattung | Standmaterial | Standpersonal

b 1|35–37 **Der Marketingleiter Herr Brühler und die Leiterin vom Messeteam Frau Scholz besprechen die Messeplanung. Hören Sie das Gespräch und lesen Sie die Checkliste. Welche Aufgaben wurden schon erledigt? Machen Sie dort ein ✔.** › ÜB: B1

1. *Messestand*

- ☑ Standgröße und -lage mit Messegesellschaft festlegen
- ☑ Stand anmelden
- ☐ Katalogeintrag beantragen
- ☐ Einschreibegebühr überweisen
- ☐ Standkonzeption planen
- ☐ Strom, WLAN bestellen
- ☐ Messebaufirma für Standaufbau beauftragen

2. ______________________

- ☐ Vitrinentheken für Messestand bestellen
- ☐ Möbel, Prospektständer, Touchscreen verpacken
- ☐ Rollups und Messewand mit Werbung bedrucken
- ☐ Ausstellungsstücke auswählen und verpacken
- ☐ Transportfirma beauftragen
- ☐ Laptops – wie viele mitnehmen?

3. ______________________

- ☐ Film zum „Rischge Digital Pen"
- ☐ Prospekte
- ☐ Flyer
- ☐ Werbegeschenke
- ☐ Bestellscheine
- ☐ Messekontaktbögen

4. ______________________

- ☐ Personal für Standdienst einteilen
- ☐ Namensschilder
- ☐ Visitenkarten
- ☐ Ausstellerausweise bestellen
- ☐ Parkausweise bestellen
- ☐ Messekleidung
- ☐ Hotelzimmer reservieren
- ☐ Restaurant für Standpersonalabend am Sonntag

5. ______________________

- ☐ Mailing mit Messeeinladung
- ☐ Eintrittskartengutscheine
- ☐ Messetermine mit Großkunden planen
- ☐ Einladungen für VIP-Abend am Stand

6. ______________________

- ☐ Standbewirtung (Getränke, Kekse)
- ☐ Catering für VIP-Abend am Stand
- ☐ Präsentation/Event zum „Rischge Digital Pen"

T P **c Hören Sie das Gespräch über die Messeplanung noch einmal. Was ist richtig (r), was ist falsch (f)? Kreuzen Sie an.**

		r	f
1.	Die Einschreibegebühr wurde noch nicht überwiesen.	☒	☐
2.	Die Messebaufirma ist noch nicht beauftragt worden, weil man noch Angebote prüft.	☐	☐
3.	Die Transportfirma wurde mit der Verpackung der Laptops beauftragt.	☐	☐
4.	Im Flyer zum „Rischge Digital Pen" gibt es noch Korrekturen.	☐	☐
5.	Der „Rischge Digital Pen" wird auf der Messe an alle Kunden verschenkt.	☐	☐
6.	Drei Parkausweise wurden angemeldet.	☐	☐
7.	Die neuen Krawatten und Schals für das Standpersonal sind schon geliefert worden.	☐	☐
8.	Auf der letzten Messe sind die Einladungen zum VIP-Abend zu spät verschickt worden.	☐	☐
9.	Frau Bender und der Vertrieb wurden zu einer Besprechung eingeladen, bei der das Messeteam Vorschläge zur Präsentation vom „Rischge Digital Pen" vorstellt.	☐	☐

2 Grammatik auf einen Blick: Passiv Präteritum und Passiv Perfekt › G: 1.5

a Markieren Sie in den Sätzen in 1c das Passiv Präteritum und das Passiv Perfekt und ergänzen Sie die Tabellen.

	Passiv Präteritum
ich	wurde beauftragt
du	wurdest beauftragt
er / sie / es	
wir	wurden beauftragt
ihr	wurdet beauftragt
sie / Sie	

	Passiv Perfekt
ich	bin beauftragt worden
du	bist beauftragt worden
er / sie / es	
wir	sind beauftragt worden
ihr	seid beauftragt worden
sie / Sie	

b Schauen Sie sich die Sätze im Passiv Präteritum und Passiv Perfekt an und ergänzen Sie die Regel. › ÜB: B2–3

Passiv Präteritum	Position 2		Satzende
Die Einschreibegebühr	*wurde*	*noch nicht*	*überwiesen.*

Passiv Perfekt	Position 2		Satzende
Die Messebaufirma	*ist*	*noch nicht*	*beauftragt worden.*

1. Beim Passiv Präteritum steht auf Position 2 das Präteritum von „__________" und am Satzende das Partizip Perfekt des Vollverbs.
2. Beim Passiv Perfekt steht auf Position 2 das Hilfsverb „__________" und am Satzende das Partizip Perfekt des Vollverbs + „__________", **nicht:** „geworden".

3 Alles erledigt?

a Was wurde schon gemacht, was nicht? Partner A: Datenblatt A5, Partner B: Datenblatt B5.

T P **b Änderungen bei der Zimmerreservierung: Lesen Sie die Antwort des Hotels auf die Reservierungsanfrage der Firma Rischge und schreiben Sie für Frau Scholz eine Antwort-E-Mail. Gehen Sie dabei auf die Punkte unten ein, überlegen Sie sich eine passende Reihenfolge der Punkte, eine Einleitung und einen Schluss.**

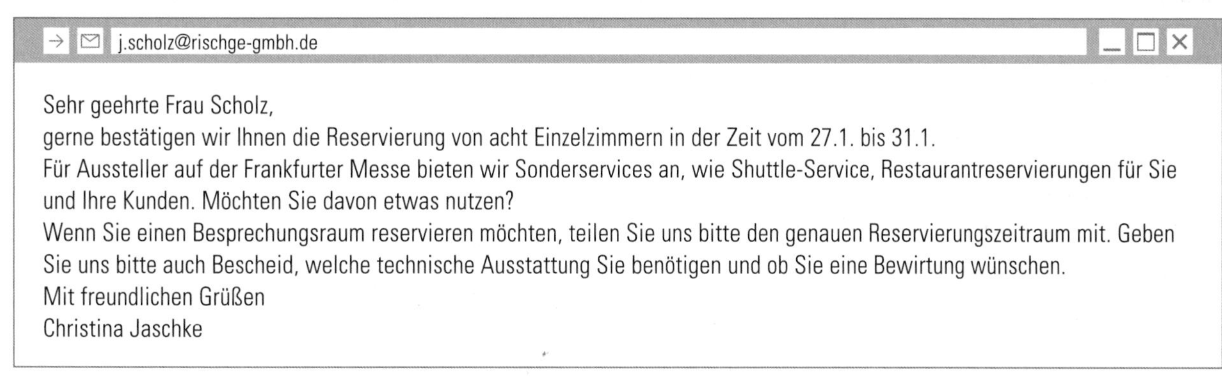

j.scholz@rischge-gmbh.de

Sehr geehrte Frau Scholz,
gerne bestätigen wir Ihnen die Reservierung von acht Einzelzimmern in der Zeit vom 27.1. bis 31.1.
Für Aussteller auf der Frankfurter Messe bieten wir Sonderservices an, wie Shuttle-Service, Restaurantreservierungen für Sie und Ihre Kunden. Möchten Sie davon etwas nutzen?
Wenn Sie einen Besprechungsraum reservieren möchten, teilen Sie uns bitte den genauen Reservierungszeitraum mit. Geben Sie uns bitte auch Bescheid, welche technische Ausstattung Sie benötigen und ob Sie eine Bewirtung wünschen.
Mit freundlichen Grüßen
Christina Jaschke

- vom 28.–31.1. täglich um 8:00 Uhr Shuttle-Service zur Frankfurter Messe für alle Mitarbeiter
- am Montag, 30.1., um 19:30 Uhr Tisch im Restaurant für 8 Personen
- vom 27.–28.1. 3 Einzelzimmer, vom 28.–29.1. 10 Einzelzimmer, vom 29.–31.1. 8 Einzelzimmer
- Bitte um schriftliche Bestätigung

C Das Messe-Event

1 Was muss noch erledigt werden?

1|38–39 **Julia Scholz bespricht mit dem Messeteam, was noch erledigt werden muss. Hören Sie das Gespräch und machen Sie zu zweit Notizen. Partner A macht Notizen für Sophie Beyer und Partner B macht Notizen für Stefan Vogt.**

Sophie Beyer: *Kontakt mit Hotel bei Fragen, Problemen; ...* ____________________

Stefan Vogt: ____________________

2 Grammatik auf einen Blick: Passiv Präsens mit Modalverben › G: 1.5

Markieren Sie in den Sätzen aus der Besprechung in 1 die Modalverben und die Passivform. Ergänzen Sie dann die Regel. › ÜB: C1–2

1. Die Einschreibegebühr für die Messe muss noch bezahlt werden.
2. Die Angebote von den Messebaufirmen müssen verglichen werden.
3. Wie viele Flyer sollen denn gedruckt werden?
4. Die Einladungen für den Standabend können endlich verschickt werden.

G

Beim Passiv Präsens mit Modalverben steht auf Position 2 das konjugierte ____________ und am Satzende das Partizip Perfekt des Vollverbs + „____________".

3 Was muss noch gemacht werden?

Geben Sie Aufträge und reagieren Sie. Tauschen Sie bei Situation 1 und 2 auch die Rollen. Die Redemittel helfen.

Situation 1
- Messegeschenke auswählen
- Reinigungsdienst beauftragen
- Presseinformationen schreiben und verschicken

Situation 2
- Catering für VIP-Abend bestellen
- Bahnfahrkarten kaufen
- Rücktransport der Standmöbel organisieren

Könnten Sie das übernehmen / machen? | Wären Sie so freundlich, das zu machen? | Machen Sie das bitte. | Ja, klar. | Selbstverständlich. | Natürlich.

Die Messegeschenke müssen noch ausgewählt werden. Machen Sie das bitte.

4 Event-Vorschläge

a Lesen Sie unten und auf der nächsten Seite die vier Angebote, die Sophie und Stefan gefunden haben. Welches würden Sie wählen, um einen digitalen Kugelschreiber zu präsentieren? Warum? › ÜB: C3

Sie planen ein Firmenevent oder eine Messe und suchen dafür Künstler? Dann sind Sie bei uns genau richtig!

TATwort konzipiert, textet und inszeniert eine oder mehrere Geschichten, in denen Ihr Produkt und Ihr Unternehmen im Mittelpunkt stehen.
Egal, welchen Stil Sie mögen, TATwort orientiert sich ganz an Ihren Wünschen. Vom Unternehmenstheater bis zur Comedy ist alles möglich.

www.tatwort.de

Volle Messehallen, Lärm und viele Menschen: Hier die Aufmerksamkeit für einen bestimmten Stand zu erregen, ist nicht einfach.

Der Pantomime Alexander Simon ist da ganz in seinem Element: Mit weißem Gesicht und einem Kostüm, das perfekt zum Thema oder Produkt passt, weckt er das Interesse des Messepublikums und bringt so mögliche Kunden an Ihren Messestand.

www.pantomimekuenstler.de

Freuen Sie sich auf ein besonderes Messe-Event: Ihr Produkt wird von Christoph Rummel auf originelle Weise vorgestellt: **Er jongliert!**

Christoph Rummel gelingt es, auch abstrakte Themen humorvoll zu präsentieren. – Er trägt die wichtigen Stichpunkte vor und visualisiert sie dabei mit passenden Jongliertricks – Business-Comedy, wie die Zuschauer sie lieben!

www.business-jongleur.de

Sie wollen Ihre Messebesucher beeindrucken? **Unsere kompetenten Moderatorinnen und Moderatoren machen Ihre Präsentation zu einem besonderen Ereignis!**

Events und Messen sind für jedes Unternehmen eine große Herausforderung. Unsere Event- und Messemoderatoren unterstützen Sie und lassen Ihre Veranstaltung zu einem Erfolg werden.

www.moderatoren.events

B P **b** 1|40–43 **Frau Scholz und das Messeteam haben Frau Bender, Herrn Brühler und Herrn Czaja vom Vertrieb die Event-Angebote aus 4a vorgestellt. Hören Sie, was die einzelnen Teilnehmer der Besprechung sagen, und ordnen Sie jeder Person eine Aussage zu. Drei Aussagen bleiben übrig.**

1. Herr Brühler ___ 2. Herr Czaja ___ 3. Frau Scholz ___ 4. Frau Bender ___

A. Beim Standevent sollte zusätzlich zum Film präsentiert werden, wie der „Rischge Digital Pen" funktioniert.
B. Der Film zum „Rischge Digital Pen" ist nicht gut.
C. Wir brauchen ein Standevent, das die Aufmerksamkeit möglicher Kunden erregt und gleichzeitig informiert.
D. Das Standevent soll die Besucher zum Zuschauen anregen, es braucht nicht zusätzlich zu informieren.
E. Beim Standevent sollte der Film erklärt werden.
F. Beim Standevent ist es besonders wichtig, dass es das Publikum begeistert.
G. Das Publikum möchte viele Fragen stellen.

c **Welches Standevent finden Sie am besten, um den „Rischge Digital Pen" zu präsentieren? Diskutieren Sie zu viert. Jeder übernimmt eine Rolle. Entscheiden Sie sich am Ende für einen Vorschlag. Die Redemittel helfen.** › ÜB: C4

Geschäftsführer: bayerisches Musikprogramm
- in der Messehalle ist es laut, daher macht man mit Musik besonders gut auf sich aufmerksam
- Musik gefällt vielen Leuten
- Unternehmen sitzt in Bayern → Musik passt zu Firma
- …

Vertriebsleiterin: Zauberer
- Zaubertricks machen neugierig
- zeigt unsere Produkte, aber stellt sie nicht mit Worten vor
- Abwechslung zu anderem Messeprogramm
- …

Marketingleiterin: Maschinenmensch
- passt thematisch zum „Rischge Digital Pen"
- geht auch außerhalb vom Stand herum, bringt so Publikum zum Stand
- reagiert auf das Publikum
- …

Leiter vom Messeteam: klassische Präsentation
- weckt mehr Aufmerksamkeit als ein Film
- erklärt genau die Funktion vom „Rischge Digital Pen"
- kann auf Fragen vom Publikum antworten
- …

Standpunkt darlegen: Ich meine / denke / finde, dass … | Ich bin der Meinung / Ansicht, dass … | Ich schlage vor, dass … | Ich halte es für gut / schlecht / wichtig / unwichtig, dass / wenn …

zustimmen: Das finde ich sehr gut / interessant / … | Das ist eine gute Idee / ein guter Vorschlag, weil … | Da stimme ich Ihnen zu. | Da bin ich ganz Ihrer Meinung. | Das sehe ich auch so, weil … | Einverstanden!

Einwände äußern / widersprechen: Das finde ich nicht gut / schlecht / … | Da bin ich anderer Meinung. | Das sehe ich nicht so, weil … | Ich verstehe Ihre Argumente, aber … | Damit bin ich nicht einverstanden, denn …

Entscheidung treffen: Ich finde … am besten, weil … | Ich denke, wir sollten uns für … entscheiden, weil … | Wenn man die Vorschläge vergleicht, dann … | Ich bin auch für …, weil … | Gut, dann nehmen wir …

D Messen in Deutschland

1 Messeland Deutschland

a Lesen Sie den Informationstext auf einer Messe-Webseite und ordnen Sie die Messe-Namen von den Logos zu.

Deutschland ist weltweit die Nr. 1 bei der Durchführung internationaler Messen. Von den führenden Messen der einzelnen Branchen finden rund zwei Drittel in Deutschland statt. Jährlich werden rund 170 internationale Messen und Ausstellungen mit bis zu 180.000 Ausstellern und rund 10 Mio. Besuchern durchgeführt. Ob Frankfurt am Main, München, Hannover oder Berlin – hier finden das ganze Jahr über international führende Messen statt.

Wichtigster Pluspunkt der deutschen Messen ist ihre Internationalität: Über die Hälfte der Aussteller kommt aus dem Ausland, davon ein Drittel aus Ländern außerhalb Europas. Von den Besuchern reist rund ein Viertel aus dem Ausland an. Dazu kommen 150 regionale Fach- und Verbraucherausstellungen, auf denen sich jährlich ca. 50.000 Aussteller und ca. 6 Mio. Besucher treffen.

Im Folgenden finden Sie Kurzinformationen zu wichtigen Messen, die jährlich stattfinden:

1. Cebit ____________________:
Bits und Bytes sind das Thema auf der weltweit größten Messe für Informations- und Telekommunikationstechnik. Jedes Jahr im Frühling sind die digitalen Lösungen für die Arbeits- und Lebenswelt das zentrale Thema in Hannover. Entscheider aus Industrie, Handel, Verwaltung, aber auch interessierte Nutzer informieren sich über Entwicklungen der Zukunft.

2. ____________________:
Jeden Oktober kommen Autoren, Verleger und Agenten aus der ganzen Welt nach Frankfurt am Main. Doch nicht nur sie. Am Samstag und Sonntag der Messewoche öffnet der weltweit bedeutendste Bücher- und Medienhandelsplatz auch für Privatbesucher seine Tore. Dabei präsentiert sich jedes Jahr ein anderes Land mit seiner Literatur als Ehrengast am Main.

3. ____________________:
Mit den Erfindungen von Carl Benz, Gottlieb Daimler und Robert Bosch begann Ende des 19. Jahrhunderts die Geschichte des Autos. Über 100 Jahre später findet in Deutschland die international wichtigste Auto-Messe statt, und zwar im jährlichen Wechsel in Frankfurt und Hannover. In der Mainmetropole freuen sich die Besucher auf die neuesten Automodelle, in Hannover stehen Nutzfahrzeuge im Mittelpunkt.

4. ____________________:
Ob Multifunktionsmobiltelefon oder Rasenmäher-Roboter – auf der weltweit größten Messe für Unterhaltungselektronik und Elektrohausgeräte stellen jährlich über 1.600 Aussteller in Berlin ihre neuesten Produkte und Entwicklungen vor. Es gibt sie seit 1924, sie ist damit eine der ältesten Industriemessen Deutschlands.

5. ____________________:
Wie die Technik von morgen aussieht, zeigt jedes Jahr im Frühling die weltgrößte Industrie-Leistungsschau. Auf dem Messegelände Hannover präsentieren Unternehmen aus aller Welt Innovationen, Trends und Knowhow rund um industrielle Technologien.

6. ____________________:
Alle drei Jahre findet in München die weltweit größte Messe der Baumaschinenbranche statt. Sie ist die Weltleitmesse für Bau-, Baustoff- und Bergbaumaschinen und vereint als einzige Fachmesse weltweit die gesamte Breite und Tiefe der Baumaschinenbranche. Die Messe ist zudem ein internationaler Erfolgsmotor und Marktplatz mit Besuchern aus über 200 Ländern.

b Lesen Sie den Informationstext in 1a noch einmal. Was ist richtig (r), was ist falsch (f)? Kreuzen Sie an.

	r	f
1. Zwei Drittel der großen internationalen Messen finden in Deutschland statt.	☒	☐
2. Ein Drittel der Messeaussteller in Deutschland kommt aus dem nichteuropäischen Ausland.	☐	☐
3. Zur Cebit kommen nur Fachbesucher.	☐	☐
4. Die Frankfurter Buchmesse ist die wichtigste Messe in der Verlagsbranche.	☐	☐
5. Die IAA wurde von Carl Benz und Gottlieb Daimler das erste Mal veranstaltet.	☐	☐
6. Die IFA ist die älteste Messe Deutschlands.	☐	☐
7. Auf der Hannover Messe kann man sehen, wie sich die Technik in der Zukunft entwickelt.	☐	☐
8. Auf der BAUMA werden nur Baumaschinen präsentiert.	☐	☐

c Welche Messen kennen Sie? Was für Messen gibt es in Ihrem Land?

2 Messeziele

Schauen Sie sich die Grafik rechts an. Welche Ziele sind den Ausstellern besonders wichtig? Sind Ihnen die gleichen Ziele wichtig? › ÜB: D1

… % der Aussteller möchten … | … % ist es wichtig, … zu … |
Vier Fünftel haben das Ziel, … zu … | Zwei Drittel … | Ca. … % …

Ich finde das Messeziel … am wichtigsten / sehr wichtig, weil … |
Im Vergleich zu … ist mir das Messeziel … wichtiger. |
Das Messeziel … ist mir weniger wichtig, weil …

AUMA_MesseTrend 2016 AUMA

Ziele der Messebeteiligung*

Ziel	%
Bekanntheit steigern	86%
Stammkundenpflege	85%
Neukundengewinnung	84%
Präsentation neuer Produkte / Leistungen	82%
Imageverbesserung Unternehmen / Marken	80%
Erschließung neuer Märkte	66%
Verkaufs- und Vertragsabschlüsse	60%
Neue Kooperationspartner	59%
Marktforschung	44%

* repräsentative Umfrage von TNS Emnid im Auftrag des AUMA unter 500 Unternehmen, die auf fachbesucherorientierten Messen ausstellen; November 2015

Aussprache

1 [s] und [ts]

a 1|44 **Hören Sie die Wörter, achten Sie auf die Laute [s] und [ts] und sprechen Sie nach.**

[s]	– Preis	– Fotos	– Transport	– befestigen	– Messe	– Größe
[ts]	– Ziel	– Konzept	– Notiz	– Netz	– Geschäftsführer	– Funktion

b Wann spricht man [s] und wann [ts]? Ergänzen Sie die Tabelle.

	[s]	[ts]
Schreibweise	-s, -s- (am Silbenende), …	z-, -z-, …
Beispiele	Preis, Transport, …	

c 1|45 **In welchen Wörtern spricht man [s], in welchen [ts]? Kreuzen Sie an. Hören Sie dann die Wörter.**

	[s]	[ts]		[s]	[ts]		[s]	[ts]		[s]	[ts]
1. Prospekt	☐	☐	3. Presse	☐	☐	5. Platz	☐	☐	7. Attraktion	☐	☐
2. Zuschauer	☐	☐	4. weiß	☐	☐	6. nichts	☐	☐	8. ganz	☐	☐

d 1|46 **Hören Sie die Sätze. Sprechen Sie sie dann zuerst ganz langsam, dann so schnell wie möglich.**

1. Zehn zuverlässige Azubis gehen zufrieden zu Fuß zur Kommunikationsmesse.
2. Auf der Messe müssen alle interessierten Aussteller große Formulare ausfüllen.

E Schlusspunkt

Situation 1

▶ Person A

Sie sind Frau Beyer von der Rischge GmbH.
Die Druckerei Klopf hat Ihnen einen Korrekturausdruck des Flyers für den „Rischge Digital Pen" geschickt. Leider wurde nicht alles richtig ausgeführt.
Sie rufen bei der Druckerei an, um Ihre Korrekturen mitzuteilen:

- Logo in Grün, muss in Firmenrot sein
- Textabschnitte in falscher Reihenfolge, wurden vertauscht
- in den Überschriften falsche Schrift

Informieren Sie die Druckerei über die Korrekturen.
Vergessen Sie nicht, am Anfang Person B zu begrüßen und sich am Ende zu bedanken und zu verabschieden.

▶ Person B

Sie sind Herr Maas und arbeiten bei der Druckerei Klopf.
Sie haben Frau Beyer von der Rischge GmbH den Korrekturausdruck vom Werbeflyer für den „Rischge Digital Pen" geschickt.
Frau Beyer ruft Sie an, weil sie Korrekturen hat.
Bitten Sie sie um Informationen:

- Farbzusammenstellung für Firmenrot im Logo?
- richtige Reihenfolge der Textabschnitte?
- welche Schrift in Überschriften?

Bedanken und verabschieden Sie sich.
Vergessen Sie nicht, am Anfang Person A zu begrüßen und sich am Ende zu bedanken und zu verabschieden.

Korrekturen mitteilen:

- ▶ Ja, deshalb rufe ich an. Denn …
- ▶ Die Farbe im Logo ist falsch. Das Logo ist nicht …, sondern …
- ▶ Ja, das mache ich. Ein zweites Problem ist: …
- ▶ Ja, natürlich. Und außerdem wurde … verwendet.
- ▶ Ja, das mache ich.
- ▶ Nein, das sind alle Korrekturen. Ich schicke sie Ihnen zu.

Sich entschuldigen und um Informationen bitten:

- ▶ Schön, dass Sie anrufen, Frau … Ich habe Ihnen … Haben Sie ihn schon bekommen?
- ▶ Oh je, was ist denn falsch?
- ▶ Entschuldigung. Könnten Sie uns bitte …
- ▶ Könnten Sie uns bitte die … schriftlich mitteilen.
- ▶ Bitte schreiben Sie uns, welche … verwendet werden soll.
- ▶ Gibt es sonst noch Korrekturen?

Situation 2

▶ Person A

Sie sind Frau Heid von Catering Bernhard. Sie haben der Rischge GmbH ein Angebot für das Catering am VIP-Abend auf der Messe geschickt.
Herr Vogt von der Rischge GmbH meldet sich, weil er ein paar Änderungswünsche hat.
Antworten Sie und fragen Sie nach:

- italienisches Fingerfood möglich; 5 Platten?
- Servicekräfte möglich; 4 Personen?
- 16:30 Uhr möglich

Schlagen Sie vor, ein korrigiertes Angebot zu schicken.
Vergessen Sie nicht, am Anfang Person B zu begrüßen und sich am Ende zu bedanken und zu verabschieden.

▶ Person B

Sie sind Herr Vogt von der Rischge GmbH. Sie haben von Catering Bernhard ein Angebot für das Catering am VIP-Abend auf der Messe erhalten.
Sie rufen bei Catering Bernhard an, weil Sie Änderungswünsche haben:

- nicht nur Sandwiches, auch italienisches Fingerfood
- Servicekräfte, die bei VIP-Abend bedienen
- Beginn von VIP-Abend früher, schon um 16:30 Uhr

Vergessen Sie nicht, am Anfang Person A zu begrüßen und sich am Ende zu bedanken und zu verabschieden.

Änderungen mitteilen:

- ▶ Sie haben uns … Ich hätte dazu ein paar Fragen.
- ▶ Sie bieten nur … an. Könnten Sie auch … liefern?
- ▶ Ja, … sind gut. Außerdem hätten wir gern …
- ▶ … Servicekräfte wären besser.
- ▶ Der VIP-Abend beginnt schon … Macht das Probleme?
- ▶ Gut, das ist dann alles.

Auf Änderungswünsche reagieren:

- ▶ Ja gern, worum geht es denn?
- ▶ Ja, natürlich. Wie viele Platten …? 5 Stück?
- ▶ Ja, selbstverständlich. Bei 100 Gästen würde ich … empfehlen.
- ▶ Gut.
- ▶ Nein, das ist kein …
- ▶ O. k., ich schicke Ihnen dann …

Lektionswortschatz

Die Messe:
die Messegesellschaft, -en
der Aussteller, -
die Ausstellung, -en
ausstellen
der Entscheider, -
der Fachbesucher, -
der Verbraucher, -
der Pluspunkt, -e
der Trend, -s
die Breite, -n
die Tiefe, -n
der Ausweis, -e
der Messekontaktbogen, ¨
die Einschreibegebühr, -en

Am Messestand:
die Ausstattung, -en
die Konzeption, -en
konzipieren
die Messewand, ¨-e
der Ständer, -
Prospektständer
das Rollup, -s
der Stehtisch, -e
die Theke, -n
die Vitrine, -n
Glasvitrine
Standvitrine
die Vitrinentheke, -n
das Zubehör, -e
(Pl. selten)
mobil

Die Produktpalette:
der Bleistift, -e
Druckbleistift
der Füller, -
der Kugelschreiber, -
der Tintenroller, -
die Serie, -n
das Set, -s
das Sortiment, -e
digital

Der Messeauftritt:
die Attraktion, -en
die Innovation, -en
die Neuheit, -en ≠
der Klassiker, -
in den Mittelpunkt stellen
im Mittelpunkt stehen
der Film läuft
das Catering *(nur Sg.)*
das Ereignis, -se
das Event, -s
der Moderator, -en
der Künstler, -
die Akrobatik *(nur Sg.)*
der Jongleur, -e
jonglieren
die Pantomime, -n
der Pantomime, -n
(= Person)
das Gesicht, -er
das Theater *(hier nur Sg.)*
der Stil, -e
die Comedy, -s
das Kostüm, -e
der Trick, -s
der Zauberer, -
der Zuschauer, -
zuschauen
beeindrucken
inszenieren
texten
ausprobieren
aufmerksam machen
auf + *A*
Aufmerksamkeit erregen
für + *A*
Aufmerksamkeit wecken
in seinem Element sein
Interesse wecken an + *D*
Eindruck machen
visualisieren
vorführen
auf originelle Weise

Die Werbung:
das Ausstellungsstück, -e
der Flyer, -
der Katalog, -e
der Katalogeintrag, ¨-e
das Mailing, -s
der / das Prospekt, -e
der / die VIP, -s (= very important person)
das Werbemittel, -
der Werbespruch, ¨-e
die Gestaltung
(hier nur Sg.)
bedrucken
verschenken
zum Geschenk machen

Messeziele:
die Bekanntheit *(nur Sg.)*
steigern
das Image, -s
verbessern
der Markt, ¨-e
erschließen
der Stammkunde, -n
pflegen
der (Neu-)Kunde, -n
gewinnen
die Kooperation, -en

Verben:
abbilden
abhaken
abtippen
anregen zu + *D*
aufzeichnen
beantragen
befestigen
benötigen
bestätigen
digitalisieren
durchsprechen
einteilen
festlegen
nutzen
orientieren (sich) an + *D*
stören
übertragen
umbuchen
umwandeln
unterscheiden,
sich von + *D*
vereinen
versenden
verteilen
vortragen
zusammenstellen

Nomen:
die Abwechslung *(nur Sg.)*
der Autor, -en
die Literatur, -en
die Checkliste, -n
der Clip, -s / Klipp, -s
die Druckerei, -en
der Ehrengast, ¨-e
der Empfänger, -
die Erfindung, -en
das Fahrzeug, -e
die Handschrift, -en
die Hälfte, -n
das Drittel, -
das Viertel, -
das Fünftel, -
die Herausforderung, -en
der Keks, -e
das Know-how *(nur Sg.)*
die Korrektur, -en
der Lärm *(nur Sg.)*
der Marktplatz, ¨-e
der Mitanbieter, -
der Rand, ¨-er
die Skizze, -n
der Stichpunkt, -e
der Strich, -e
der Verleger, -

Adjektive:
abstrakt
begeistert
einzig
farbig
gezielt
gleichzeitig
humorvoll
neugierig
kariert
klassisch
kompatibel mit + *D*
liniert
zusätzlich

Ortsangaben:
im Hintergrund
in der Mitte
im Gang
vorne ≠ hinten
daneben
gegenüber (von) + *D*
einander gegenüber stehen
seitlich
außerhalb + *G* ≠
innerhalb + *G*

A Auftragsabwicklung perfekt!

1 Badsanierung – Der Sanitärfachmann berät

a **Welche Handwerker arbeiten bei der Badsanierung zusammen? Ordnen Sie die Fotos den Bezeichnungen zu.**

A. Elektriker 4
B. Fliesenleger ___
C. Maler ___
D. Sanitärinstallateur ___
E. Trockenbauer ___

b **Was vermuten Sie: In welcher Reihenfolge kommen die Handwerker bei einer Badsanierung? Ein Handwerker kommt zweimal.**

1. D 2. ___ 3. ___ 4. ___ 5. ___ 6. ___

c 1|47 **Hören Sie Teil 1 vom Ende des Beratungsgesprächs zwischen dem Sanitärfachmann und der Kundin, Frau Herz, und vergleichen Sie den Ablauf mit Ihrer Vermutung in 1b. Gibt es Unterschiede?** › ÜB: A1a

d 1|48 **Hören Sie Teil 2 vom Ende des Beratungsgesprächs. Was ist richtig: a oder b? Kreuzen Sie an.** › ÜB: A1b

1. Die Sanierung dauert
   a. ☐ maximal 10 Tage. b. ☐ maximal 2,5 Wochen.
2. Frau Herz bezahlt
   a. ☐ nach Teilleistungen. b. ☐ nach Abschluss der Arbeiten.
3. Frau Herz bekommt folgendes Angebot:
   a. ☐ eins über Handwerksleistungen. b. ☐ eins über Handwerksleistungen und eins für die Badeinrichtung.

2 Kundenwünsche

Lesen Sie die E-Mail von Frau Herz an den Sanitärfachmann, Herrn Unger. Warum schreibt sie?

info@unger.xpu

Sehr geehrter Herr Unger,
vielen Dank noch einmal für die ausführliche Beratung bei mir zu Hause. Nachdem Sie gestern gegangen waren, habe ich noch einmal über die Badeinrichtung nachgedacht. Sie hatten mir ja einige Alternativen vorgeschlagen, aber ich konnte mich nicht so richtig entscheiden. Nachdem ich mir dann noch einmal den Katalog angesehen hatte, habe ich noch im Internet recherchiert. Ich habe nun einige Änderungswünsche. Bitte warten Sie noch mit Ihrem Angebot! Ich rufe Sie heute Abend von zu Hause kurz an und gebe Ihnen die Änderungen durch.
Vielen Dank im Voraus und freundliche Grüße
Hannah Herz

3 Grammatik auf einen Blick: Plusquamperfekt und Nebensätze mit „nachdem" › G: 1.2, 4.4

Lesen Sie die Sätze aus der E-Mail in 2 und ergänzen Sie die Verbformen und dann die Regeln. › ÜB: A2–3

1. Nachdem Sie gestern *gegangen* *waren*, habe ich noch einmal nachgedacht.
2. Sie ________ mir ja einige Alternativen ________, aber ich konnte mich nicht entscheiden.
3. Nachdem ich mir den Katalog ________ ________, habe ich noch im Internet recherchiert.

G

1. Das Plusquamperfekt bildet man mit der Präteritumform von „*haben*" oder „________" + Partizip Perfekt.
2. Das Plusquamperfekt verwendet man, wenn man über ein Ereignis in der Vergangenheit berichtet, das
   a. ☐ vor b. ☐ nach einem anderen Ereignis stattgefunden hat.
3. Im Nebensatz mit „nachdem" steht das Ereignis, das
   a. ☐ vor b. ☐ nach einem anderen Ereignis stattgefunden hat.
4. Im Hauptsatz kann Präteritum oder Perfekt stehen.

4 Eine Sache nach der anderen …

Herr Unger hat an dem Tag noch sehr viel erledigt. Sprechen Sie im Kurs wie im Beispiel.

mit der Kundin sprechen | ins Büro fahren | mit dem Installateur sprechen | auf der Baustelle sein | einen Kunden anrufen | eine Pizza bestellen | im Büro essen | ein Angebot schreiben | …

- ▶ Nachdem Herr Unger mit der Kundin gesprochen hatte, fuhr er noch ins Büro.
- ▶ Nachdem er ins Büro gefahren war, hat er mit dem Installateur gesprochen.
- ▶ Nachdem er mit dem Installateur …

B Unser Angebot

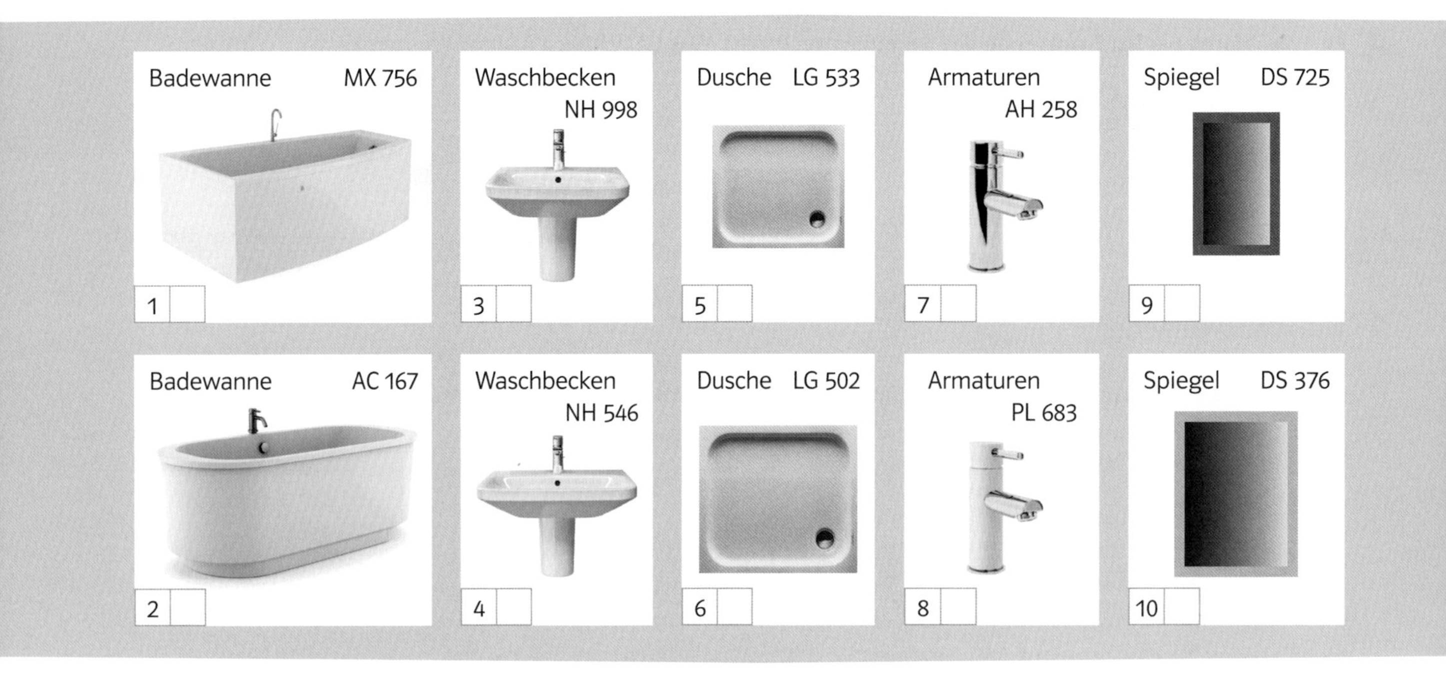

1 Kundenwünsche

a 1|49–50 **Hören Sie das Telefongespräch von Frau Herz mit Herrn Unger. Welche Gegenstände der Badeinrichtung nimmt Frau Herz? Kreuzen Sie in den Fotos oben an.**

b **Hören Sie das Telefongespräch noch einmal. Was ist richtig (r), was ist falsch (f)? Kreuzen Sie an.** › ÜB: B1

	r	f
1. Herr Unger holt den besten Katalog.	☐	☒
2. Frau Herz nimmt eine größere Badewanne.	☐	☐
3. Frau Herz möchte ein kleineres Waschbecken, aber eine größere Dusche.	☐	☐
4. Frau Herz möchte einen breiteren und höheren Spiegel.	☐	☐
5. Ihr wichtigstes Anliegen ist, dass die Badsanierung pünktlich fertig wird.	☐	☐
6. Der späteste Termin ist der 23. August.	☐	☐
7. In Herrn Ungers Firma ist die größte Jahrestagung seit 10 Jahren.	☐	☐
8. Herr Unger schickt die Angebote am nächsten Tag.	☐	☐

2 Grammatik auf einen Blick: Vergleiche – Komparativ und Superlativ vor Nomen › G: 5.2

a **Markieren Sie in den Sätzen in 1b die Komparativ- und Superlativformen der Adjektive sowie die Nomen und die Artikel, zu denen die Adjektive gehören, und ergänzen Sie die Regel.** › ÜB: B2–3

G

1. Wenn die Adjektive im Komparativ / Superlativ vor dem Nomen stehen, erhalten sie
   a. ☐ die gleichen Endungen wie in der Grundform. b. ☐ andere Endungen als in der Grundform.
   z. B. eine größere Badewanne, ein kleineres Waschbecken, einen höheren Spiegel / den besten Katalog, ihr wichtigstes Anliegen, die größte Tagung, am nächsten Tag
2. Den Superlativ vor Nomen verwendet man nicht mit
   a. ☐ dem bestimmten Artikel. b. ☐ dem unbestimmten Artikel.

b **Was finden Sie von der Auswahl in 1a besser / schöner / praktischer? Sprechen Sie zu zweit.**

3 Das Angebot über handwerkliche Leistungen ist gekommen

a Lesen Sie den Anfang des Angebots und das Ende (die Seite 4) und beantworten Sie die Fragen. › ÜB: B4

Thomas Unger · Industriestr. 253a · 37079 Göttingen

Unger
Heizung und Sanitär · Fliesen und Innenausbau

Frau
Hannah Herz
Keplerstr. 163
37085 Göttingen

Objekt: Keplerstr. 163, 37085 Göttingen, 1. Stock li.

Angebot
Nummer: 212
Datum: 04.07.2017
Kundennummer: 14572
Bearbeiter: Thomas Unger

Sehr geehrte Frau Herz,
wir bedanken uns herzlich für Ihre Anfrage und machen Ihnen das folgende Angebot:

Position	Menge	Bezeichnung	Einzelpreis	Gesamtpreis
1	1,00 pauschal	Demontage: Waschbecken, WC, Badewanne Abtransport und Entsorgung	511,67 €	511,67 €
2	1,00 Stck.	Duschanlage fachgerecht vorbereiten	171,73 €	171,73 €
			Übertrag	683,40 €

Seite 4

Position	Menge	Bezeichnung	Einzelpreis	Gesamtpreis
			Übertrag	4.773,40 €
12	1,00 pauschal	Wandfläche über Fliesen weiß streichen	239,85 €	239,85 €
			Summe	5.013,25 €
			19% MwSt	952,52 €
			Gesamt	5.965,77 €

Wir sichern handwerklich termin- und fachgerechtes Arbeiten zu. Dieses Angebot ist 4 Wochen gültig.
Zahlungsbedingungen:
50 % der Auftragssumme nach Auftragserteilung zur Materialbestellung und Personalbereitstellung.
30 % der Auftragssumme nach Abschluss der Rohmontage.
20 % der Auftragssumme nach Fertigstellung.
Zahlbar jeweils innerhalb 14 Tage ab Rechnungsdatum ohne Abzug.

Wir hoffen, dass Ihnen unser Angebot zusagt, und würden uns freuen, Ihren Auftrag zu erhalten.

Mit freundlichen Grüßen

Thomas Unger

1. Wie viel kosten Entfernen und Entsorgung der alten Badeinrichtung mit Mehrwertsteuer?
2. Berechnet die Firma die Malerarbeiten nach Stunden?
3. Wie viel sollen die Arbeiten insgesamt kosten?
4. Was ist ein „Übertrag"?
5. Wie lange gilt das Angebot?
6. Wann zahlt Frau Herz die Hälfte der Auftragssumme?
7. Wie viel Prozent zahlt Frau Herz nach dem Ende der Arbeiten?
8. Wie lange hat Frau Herz Zeit zum Bezahlen?

b Schreiben Sie eine kurze Auftragsbestätigung für Frau Herz, in der sie auch um eine Terminbestätigung bittet.

Vielen Dank für … vom … | Ich nehme … an. | Ich bitte Sie, den telefonisch vereinbarten Termin …

C Rechnungen bezahlen

1 Die Rechnung für den Auftrag „Badeinrichtung"

Lesen Sie die Rechnung. Was ist richtig: a oder b? Kreuzen Sie an. › ÜB: C1

Thomas Unger · Industriestr. 253a · 37079 Göttingen

Unger
Heizung und Sanitär · Fliesen und Innenausbau

Frau
Hannah Herz
Keplerstr. 163
37085 Göttingen

Objekt: Keplerstr. 163, 37085 Göttingen, 1. Stock li.

Schlussrechnung

Rechnungsnummer:	22840
Rechnungsdatum:	25.08.2017
Kundennummer:	14572
Bearbeiter:	Anna Heinen

Sehr geehrte Frau Herz,
wir bedanken uns für Ihren Auftrag für die Badeinrichtung und berechnen Ihnen wie folgt:

Position	Menge	Bezeichnung	Einzelpreis	Gesamtpreis
1	1,00 Stck.	Dusche, Modell LG 502, weiß, inkl. Armaturen	575,35 €	575,35 €
2	1,00 Stck.	Waschbecken, Modell NH 998, weiß, inkl. Armaturen	326,25 €	326,25 €
3	1,00 Stck.	WC-Anlage, Modell FB 778, weiß	380,05 €	380,05 €
4	1,00 Stck.	Spiegel, Modell DS 376, 60 x 80 cm	85,70 €	85,70 €
			Summe	1.367,35 €
			19% MwSt	259,80 €
			Gesamt	1.627,15 €

Steuernummer: 253/0647/1008
Handwerkerrechnung nach Vergabe- und Vertragsordnung für Bauleistungen (VOB) neuester Stand.
Die Rechnung ist zahlbar sofort nach Rechnungserhalt auf eines der Konten unten.

Unger · Industriestr. 253a · 37079 Göttingen
Telefon: 0551 / 387659
Telefax: 0551 / 387660
E-Mail: info@unger.xpu
Web: www.t_unger.com

Überall-Bank Göttingen
IBAN: DE51 2345 6789 0001 2532 14
BIC: UEBKDEGOXXX
Numerus-Bank Göttingen
IBAN: DE67 8919 9000 0005 9876 54
BIC: NBGTDEGO111

Handelsregister Göttingen
HRB 408912
Geschäftsführer: Thomas Unger

1. Die Rechnung bezieht sich auf:
   a. ☐ die Handwerksleistungen.
   b. ☐ die Badeinrichtung.
2. Die Rechnung hat erstellt:
   a. ☐ Herr Unger.
   b. ☐ Frau Heinen.
3. Sie richtet sich nach:
   a. ☐ der neuesten VOB.
   b. ☐ nach einer modernen VOB.
4. Frau Herz muss bezahlen:
   a. ☐ 1.367,35 Euro.
   b. ☐ 1.627,15 Euro.
5. Sie muss die Rechnung bezahlen:
   a. ☐ am 25.08.2017.
   b. ☐ gleich, nachdem sie angekommen ist.

TIPP

Die **Vergabe- und Vertragsordnung für Bauleistungen (VOB)** enthält Regelungen für die Vergabe von Bauleistungen durch staatliche und private Auftraggeber, z. B. Kündigung eines Vertrag

2 Einen Betrag auf ein Konto überweisen – wie geht das?

a Sehen Sie sich das Online-Formular an und ordnen Sie die Bezeichnungen den Erklärungen zu.

Inlands- / SEPA-Überweisung

Begünstigter (Name oder Firma)*	
IBAN*	
BIC (SWIFT-Code)	
Kreditinstitut	(wird automatisch angezeigt)
Betrag*	EUR
Verwendungszweck	140 Zeichen stehen Ihnen noch zur Verfügung.
Ausführungstermin	TT.MM.JJ
Kontoinhaber	Hannah Herz
Auftraggeberkonto*	▼
*Pflichtfeld	Eingaben prüfen

~~Begünstigter~~ | Betrag | BIC | Kreditinstitut | IBAN | Kontoinhaber | Verwendungszweck

1. Empfänger des Geldes: *Begünstigter*
2. die Bank oder Sparkasse: ______
3. Person, der das Konto gehört: ______
4. wofür man bezahlt: ______
5. Summe, die man bezahlt: ______
6. weltweit gültige Kontonummer: ______
7. Identifizierung der Empfängerbank: ______

b Lesen Sie nun die Rechnung in 1 noch einmal und füllen Sie die Überweisung für Frau Herz aus. Die Kontoverbindung von Frau Herz finden Sie auf ihrer EC-Karte unten. › ÜB: C2

B P **c Ein Überweisungsformular ausfüllen: Partner A: Datenblatt A6, Partner B: Datenblatt B6.**

3 Ende gut, alles gut?

1|51 **Hören Sie das Telefongespräch zwischen Frau Herz und Frau Heinen. Warum ruft Frau Herz an?**

a. ☐ Sie möchte die Firma weiterempfehlen.

b. ☐ Sie möchte sich für die gute Arbeit bedanken.

D Gewährleistung und Garantie

1 Unser Tipp heute: Was ist der Unterschied zwischen Gewährleistung und Garantie?

a Lesen Sie den Informationstext in der Wochenendausgabe einer Tageszeitung und ergänzen Sie die Tabelle.

1. Gewährleistung

Jeder Händler muss 24 Monate Gewährleistung (andere Bezeichnung: Mängelhaftung) auf neue Waren und 12 Monate auf gebrauchte Waren geben. Das ist gesetzlich geregelt. Die Ge- 5 währleistung bezieht sich auf Mängel, die ein Produkt schon zum Zeitpunkt des Kaufs hatte. Wenn ein Kunde einen Mangel feststellt, kann er vom Händler verlangen, dass der das Produkt repariert oder ersetzt, d.h., der Händler haftet 10 für den Mangel.
Wenn der Händler meint, dass der Schaden erst nach dem Kauf entstanden ist, muss er das in den ersten 6 Monaten beweisen. Nach 6 Monaten ist es umgekehrt: Dann muss der Käufer be- 15 weisen, dass der Mangel schon zum Zeitpunkt des Kaufs da war.

2. Garantie

Die Garantie ist nicht gesetzlich geregelt. Sie ist eine freiwillige Leistung des Herstellers – nicht des Händlers. Daher kann der Hersteller 20 festlegen, wofür die Garantie gilt und wie lange sie gültig ist. Zum Beispiel steht in der schriftlichen Garantie oft, dass der Hersteller zwei Jahre Garantie gibt, wenn der Kunde das Produkt normal benutzt. Es können aber auch nur 12 Monate sein. Es ist dabei nicht wichtig, ob 25 der Schaden schon beim Kauf da war oder erst danach entstanden ist. Für Verschleißteile, d.h., für Teile, die durch normale Nutzung kaputtgehen können, wie z.B. Lampen, gilt die Garantie meist nicht. 30

3. Garantieverlängerung

Der Hersteller kann auch eine Garantieverlängerung anbieten und dafür einen Betrag verlangen. Manchmal sind noch andere Dienstleistungen dabei. Dann entscheidet der Kunde, ob er das möchte oder nicht. 35
Ein Beispiel: Der Kunde kauft ein Smartphone. Der Hersteller bietet für das Produkt 12 Monate Garantie. Sie gilt auch für Mängel, die nach dem Kauf entstanden sind, und enthält Zusatzleistungen wie Hilfe per Telefon. Der Hersteller bietet 40 zusätzlich zum Preis von 70 Euro eine Garantieverlängerung für weitere 12 Monate an.

	Gewährleistung	Garantie
Dauer – Neuwaren?	*24 Monate*	*verschieden*
Dauer – gebrauchte Waren?		
Gesetzlich zugesichert?		
Schaden – wann?		
Wer? Händler oder Hersteller?		

b Lesen Sie den Informationstext noch einmal und ordnen Sie die Aussagen den drei Textabschnitten in 1a zu. › ÜB: D1

	Abschnitt 1	2	3
1. Diese Leistung ist eine gesetzliche Pflicht.	☒	☐	☐
2. Der Produzent kann die Dauer der Leistung selbst bestimmen.	☐	☐	☐
3. Für diese Leistung muss der Kunde bezahlen.	☐	☐	☐
4. Die Dauer dieser Leistung kann der Händler nicht bestimmen.	☐	☐	☐
5. Bei dieser Leistung ist es wichtig, wann der Schaden entstanden ist.	☐	☐	☐
6. Zusammen mit dieser Leistung erhält man manchmal weitere Serviceleistungen.	☐	☐	☐
7. Für Teile, die durch normale Nutzung kaputtgehen, gilt diese Leistung selten.	☐	☐	☐

c Ist es sinnvoll, eine Garantieverlängerung zu kaufen? Für welche Geräte? Diskutieren Sie.

Ich finde es sinnvoll / praktisch …, weil … | Für einen / ein / eine … sollte man … |
Geräte gehen manchmal nach … kaputt. Deshalb lohnt es sich (nicht), … |
Ich schließe immer / nie … ab, weil … | Meiner Meinung nach ist es (nicht) nötig, … zu …, denn …

Aussprache

1 Ich heiße Hannah

a 1|52 **Hören Sie die Wortpaare.**

1. Hannah – Anna
2. Halt! – alt
3. Hunger – Unger
4. heiß – Eis
5. Hände – Ende
6. Haus – aus

b Nehmen Sie ein Stück Papier, hören Sie die Wortpaare in 1a noch einmal und sprechen Sie sie mit. Sprechen Sie dabei so:

TIPP

Wörter und Silben mit „h" am Anfang = gehauchter Vokaleinsatz.

Wörter oder Silben mit einem Vokal oder Diphthong am Anfang = fester Vokaleinsatz. Es klingt hart und knackt leise. Deshalb nennt man den festen Vokaleinsatz auch „Knacklaut".

c 1|53 **Hören Sie die Namen und sprechen Sie sie nach.**

1. a. ☐ Hauer b. ☐ Auer
2. a. ☐ Herz b. ☐ Erz
3. a. ☐ Hammer b. ☐ Ammer
4. a. ☐ Hucker b. ☐ Ucker
5. a. ☐ Hahne b. ☐ Ahne

d 1|54 **Sie hören jetzt immer nur einen von den zwei Namen aus 1c. Welchen? Kreuzen Sie in 1c an.**

e 1|55 **Hören Sie die Sätze und ergänzen Sie die Namen. Sprechen Sie dann die Sätze nach.**

1. Herr *Herz* ist heute zu Hause.
2. Frau ______ holt den Handwerker ab.
3. Der Händler, Herr ______, haftet.
4. Frau ______ hat eine Garantie vom Hersteller.
5. Herr ______ hilft Herrn Auer.
6. Frau ______ hat ein Konto bei der Hansebank.

2 Wörter mit „h" am Wort- und Silbenanfang

a 1|56 **Hören Sie die Wörter und sprechen Sie sie nach.**

1. holen – geholt
2. haben – gehabt
3. heizen – geheizt
4. handeln – gehandelt
5. haften – gehaftet
6. helfen – geholfen
7. hören – gehört
8. hoffen – gehofft

b Notieren Sie drei Sätze mit den Namen aus 1c und den Verben aus 2a. Lesen Sie sie Ihrem Partner vor. Er / Sie notiert. Tauschen Sie dann die Rollen und vergleichen Sie Ihre Notizen.

Herr Hauer hat heute Material geholt.

E Schlusspunkt

Situation 1

▶ Person A

Sie sind Herr Unger, Inhaber eines Sanitärgeschäfts. Eine Kundin möchte ihr Bad renovieren. Das Bad der Kundin ist sehr klein.
Sie beraten die Kundin bei der Auswahl der Badeinrichtung und schauen beide auf die Katalogfotos unten.
Manchmal haben Sie nicht die gleiche Meinung zu Farbe oder Größe.

▶ Person B

Sie sind Frau Hellmann. Sie wollen Ihr Bad renovieren und brauchen ein Waschbecken, einen Spiegel, eine Dusche und neue Fliesen. Ihr Bad ist sehr klein.
Sie fragen den Sanitärfachmann, Herrn Unger. Er hat einen Katalog. Dort sehen Sie verschiedene Modelle, Farben und Größen.
Sie sagen Ihre Wünsche.
Manchmal haben Sie nicht die gleiche Meinung zu Farbe oder Größe.

Vorschläge machen:

- Hier ist der Katalog für die Badeinrichtung. Was brauchen Sie denn genau?
- Einen / Ein / Eine … – schauen Sie hier, der / das / die in … (Farbe). In kleinen Bädern ist … sehr schön.
- Gut, und welche Größe? In Ihr Bad würde gut ein / eine kleiner- / größer- / schmaler- / breiter- / niedriger- / höher- … passen.
- Gut, hier haben wir …
- Gut, das haben wir jetzt. Sprechen wir nun über den / das / die … Ich meine, in Ihr Bad passt / passen besser …

Person A

Person B

Wünsche äußern und reagieren:

- Ich brauche …
- Nein, ich hätte gern alles in …
- Ich möchte aber einen / ein / eine kleiner- / größer- / schmaler- / breiter- / niedriger- / höher- …
- Gut, dann nehme ich …
- …

Situation 2

▶ Person A

Sie sind Frau Hellmann und wollen Ihr Bad sanieren. Sie haben schon ein Beratungsgespräch mit dem Sanitärfachmann, Herrn Unger, geführt.
Sie bitten um ein Angebot und möchten auch wissen:
- Wie lange dauert die Badsanierung?
- Ist der Termin sicher?
- Wie und wann müssen Sie bezahlen?

▶ Person B

Sie sind der Sanitärfachmann, Herr Unger. Eine Kundin plant, ihr Bad zu sanieren.
Sie haben sie schon beraten.
Sie sollen ihr nun ein Angebot machen und sie über Termin und Zahlungsbedingungen informieren:
- 10 Tage, maximal 2,5 Wochen
- nach Teilleistungen:
  50 % nach Auftragserteilung
  30 % nach Rohmontage
  20 % nach Fertigstellung

Um Informationen bitten:

- Bis wann können Sie mir das Angebot schicken?
- Und wie lange dauert …?
- Dauert sie wirklich nur …?
- Wie und wann … bezahlen?
- Vielen Dank für …

Informationen geben:

- Ich denke, wir können Ihnen das Angebot bis … schicken.
- Die Badsanierung dauert ca. …
- Ja, maximal …
- Sie zahlen nach …
- Nichts zu …

Lektionswortschatz

Handwerksberufe:
der Elektriker, -
der Fliesenleger, -
der Maler, -
sanitär
der Installateur, -e
Sanitärinstallateur
der Sanitärfachmann, -leute
der Trockenbauer, -

Die Badsanierung:
der Ablauf, ¨-e
die Badeinrichtung, -en
die Armatur, -en
die Badewanne, -n
die Dusche, -n
der Spiegel, -
die Steckdose, -n
das Waschbecken, -
das WC, -s (= water closet)
das Chrom *(nur Sg.)*
entfernen
die Entsorgung *(hier nur Sg.)*
entsorgen
der Abtransport, -e
abtransportieren
die Fliese, -n
fliesen
mauern
einmauern
die Montage ≠ die Demontage *(hier nur Sg.)*
montieren ≠ demontieren
die Rohmontage, -n ≠ die Endmontage, -n
das Modell, -e
der Standard, -s
streichen
trocknen
die Verkleidung, -en
Wandverkleidung
verkleiden
die Komplikation, -en
kompliziert
das Maß, -e
flach ≠ tief
schmal ≠ breit
niedrig ≠ hoch
provisorisch
voraussichtlich

Die Auftragsabwicklung:
das Angebot, -e
ein A. machen
Das A. gilt / ist gültig bis …
gelten
die Auftragserteilung, -en
einen Auftrag erteilen
die Auftragsbestätigung, -en
der Auftraggeber, -
der Abschluss, ¨-e
abschließen
die Fertigstellung *(nur Sg.)*
die Leistung, -en
die Teilleistung
die Abrechnung, -en
die Personalbereitstellung *(nur Sg.)*
zusichern
fachgerecht
termingerecht

Die Rechnung:
der Bearbeiter, -
der Preis, -e
der Einzelpreis
der Gesamtpreis
zum Preis von + *D*
die Summe, -n
beziehen, sich auf + *A*
der Abzug, ¨-e
abziehen
pauschal
der Rechnungserhalt *(nur Sg.)*
der Übertrag, ¨-e
übertragen
die Überweisung, -en
überweisen (auf ein Konto)
SEPA (= Single Euro Payments Area)
der / die Begünstigte, -n
der Empfänger, -
der Betrag, ¨-e
der Kontoinhaber, -
die Kontonummer, -n
die IBAN, -s
der BIC, -s
die Identifizierung, -en
die Bankleitzahl, -en (= BLZ)
das Kreditinstitut, -e
der Verwendungszweck, -e
das Pflichtfeld, -er
zur Verfügung stehen
ausführen
der Ausführungstermin, -e
die Vergabe- und Vertragsordnung (VOB)
die Regelung, -en
die Zahlungsbedingung, -en
der Zahlungsverkehr *(nur Sg.)*
die Kennzahl, -en
die Lastschrift, -en
das Mandat, -e
einlösen
einziehen
bargeldlos
einheitlich
staatlich
zahlbar innerhalb + *G*

Die Gewährleistung / Die Garantie:
Garantie geben
ersetzen
die Garantieverlängerung, -en
freiwillig
der Händler, -
die Haftung *(nur Sg.)*
haften für + *A*
der Mangel, ¨
die Mängelhaftung, -en
die Pflicht, -en
der Schaden, ¨
das Verschleißteil, -e
die Zusatzleistung, -en
zusätzlich
der Zeitpunkt, -e
beweisen
bieten für + *A*
enthalten
entstehen
gesetzlich
umgekehrt

Verben:
bedanken, sich für + *A*
durchgeben
folgen
nachdenken
richten (sich) nach + *D*

Nomen:
die Alternative, -n
die Bezeichnung, -en
der Unterschied, -e

Adjektive:
ausführlich
maximal

Konektor:
sowie
nachdem

Redemittel
Wir würden uns freuen, Ihren Auftrag zu erhalten.

OLYMP

1 Das Bekleidungsunternehmen OLYMP

a Lesen Sie die Informationen zur Firma OLYMP. Was ist richtig (r), was ist falsch (f)? Kreuzen Sie an.

SHOP STYLE **COMPANY**

OLYMP

Hauptsitz:	Bietigheim-Bissingen bei Stuttgart
Geschäftsfeld:	Bekleidung
Mitarbeiter:	759 in Deutschland (2015)
Unternehmensform:	inhabergeführtes Familienunternehmen
Firmengründung:	1951
Export:	34,4 % (2015)
Produktionsstätten:	Kroatien, Mazedonien, China, Indonesien, Vietnam, Bangladesch

MÄNNER IM OLYMP

Der Name ist Programm. OLYMP ist nicht nur das höchste griechische Gebirge, in dem nach der Mythologie die Götter wohnen. Der Name steht auch für ein Unternehmen in Süddeutschland mit hohen Ansprüchen. Die Geschichte der Firma ist ein typisches Beispiel für das deutsche Wirtschaftswunder nach dem 2. Weltkrieg. Firmengründer Eugen Bezner begann mit sechs Mitarbeitern in der Waschküche seines Hauses. Am Anfang stellten sie Herrenhemden aus Militärstoffen und Fallschirmseide her. Nach und nach wuchs der Familienbetrieb zu einem internationalen Unternehmen mit einem Umsatz von 237 Millionen Euro (2015). Heute verwendet die Marke OLYMP für ihre Bekleidungsstücke Rohstoffe wie Baumwolle, Seide oder Wolle. Zum Sortiment gehören neben dem Schwerpunkt Herrenoberhemden auch Polos, T-Shirts, Pullover, Strickjacken oder Krawatten. Die Produkte sind atmungsaktiv, hautfreundlich, strapazierbar und bügelfrei oder bügelleicht. Außerdem sollen sie modisch aussehen, denn wer Kleidung der traditionsreichen Firma trägt, soll sich wie einer der Götter in seinem „persönlichen OLYMP" fühlen. Die Herstellung erfolgt nach fairen Produktionsbedingungen.

	r	f
1. Der Hauptsitz von OLYMP ist in Stuttgart.	☐	☐
2. OLYMP macht ca. ein Drittel seiner Geschäfte im Ausland.	☐	☐
3. OLYMP lässt in Europa und in Asien produzieren.	☐	☐
4. Eugen Bezner gründete OLYMP im 2. Weltkrieg.	☐	☐
5. Er produzierte zuerst Hemden aus Stoffen, die man im Krieg verwendet hatte.	☐	☐
6. OLYMP hat heute nur Produkte aus Baumwolle im Sortiment.	☐	☐
7. Die Produkte von OLYMP sind praktisch, aber auch modisch.	☐	☐

b Lesen Sie den Informationstext über das moderne Lager- und Logistik-Zentrum der Firma OLYMP und ergänzen Sie die fehlenden Wörter.

Abläufe | Bearbeitungszeit | Betrieb | Kartons | Lagergassen | ~~Nachfrage~~ | Transport

Die starke [1] *Nachfrage* _____ nach Herrenoberbekleidung machte eine sehr leistungsfähige und schnelle Lager- und Logistikorganisation nötig. Daher baute die Firma OLYMP ein modernes, vollautomatisches Logistik-Zentrum. Seit Oktober 2013 ist es in [2] __________. Die Mitarbeiter haben eine Schulung bekommen, um die neue Technik und die logistischen [3] __________ kennenzulernen.
Der [4] __________ der Waren im Logistik-Zentrum ist schnell und zuverlässig.
Die [5] __________ hat sich mit der neuen Technik stark verkürzt. Die Kartons laufen über elf sogenannte [6] __________. Das Logistik-Zentrum hat eine Stellplatzstrecke von 81 km Länge und kann 265.000 [7] __________ mit ca. vier Millionen Bekleidungsstücken lagern.

2 Der Weg der Hemden – die neun Stationen des OLYMP Logistik-Zentrums (OLZ)

a **Lesen Sie die Beschreibungen 1 bis 9 und schauen Sie die passenden Fotos 1 bis 9 an. Ordnen Sie dann die Stationsbezeichnungen zu.**

Automatische Kartonbereitstellung | Automatisches Kartonlager | Auftragseingabe | Kontrollstation | Tray-Station | Packplatz | Vereinzelungsplatz | Versandstraße | ~~Wareneingang~~

1. *Wareneingang*
Die fertigen Produkte (z. B. Hemden, Krawatten) werden in Warenkartons verpackt beim Logistik-Zentrum angeliefert. Entladeteleskope nehmen die Warenkartons auf. Dann wird jeder Karton gescannt.

2. ______________________
Anschließend wird jeder Karton automatisch gemessen und gewogen.

3. ______________________
Kartons mit Sondergrößen werden auf spezielle Tabletts gesetzt, außerdem werden einzelne Kartons per Zufallsprinzip kontrolliert.

4. ______________________
22 Lifte und 407 Shuttles transportieren die Kartons an ihre Lagerplätze.

5. ______________________
Die Bestellungen, die eingehen, werden erfasst und der Warenausgangsprozess wird in Gang gesetzt.

6. ______________________
Die bestellten Produkte werden einzeln in die Taschen der Hängeförderung sortiert. Dabei werden die Taschen zu jedem Auftrag sortiert.

7. ______________________
Zeitgleich werden Leerkartons automatisch aufgerichtet, verklebt und erhalten ein Etikett.

8. ______________________
Die bestellte Ware und die Bestelldokumente werden in Handarbeit in die Leerkartons gepackt.

9. ______________________
Hier erhalten die Kartons ein Versandlabel und werden verklebt und verschnürt und zuletzt zur Auslieferung gebracht.

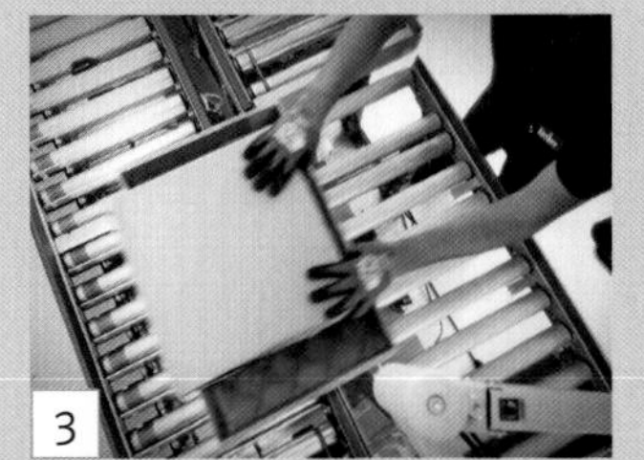

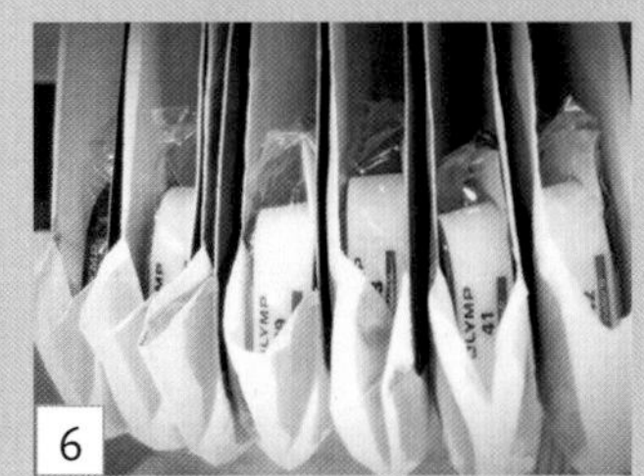

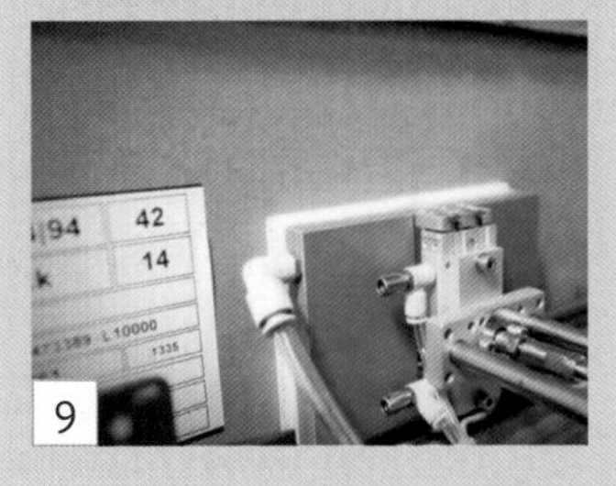

b Film | 2 **Sehen Sie sich den Film über das OLYMP Logistik-Zentrum an und überprüfen Sie Ihre Zuordnungen in 2a.**

A Kein guter Start!

Einarbeitungsplan für Alexandra Kleinfeld (M. Eng.)

Mentorin: Frau Hesse
Projektleiter: Herr Stoll

Ziele der Einarbeitung:
- selbstständige Abrechnung der Bauleistungen ab Woche 2
- Unterstützung des Teams: bei Mängelcontrolling ab Woche
  bei Erstellung von Angeboten ab

Woche 1: 3.4.–7.4.

3.4.	4.4.	
- Organisations-prozesse - Zuständigkeiten im Team, eigener Arbeitsbereich - Arbeitszeiterfassung - Vorlagen, Dokumente, Tabellen, Protokolle - Form der Aktennotizen	- digitale Projekt-struktur - Aktenstruktur - Einarbeitung in AVA-Software	

Planungsbüro
Wennigsen & Partner
Architektenleistungen

1 Die Einarbeitung: eine wichtige Zeit

a Was soll Frau Kleinfeld kennenlernen und was soll sie machen? › ÜB: A1

Aktennotizen | ~~Arbeitszeiterfassung~~ | AVA | Bauleistungen | Mängelcontrolling | selbstständige Abrechnung | Vorlagen | Unterstützung des Teams

1. System zum Eintragen der Arbeitszeit: *Arbeitszeiterfassung*
2. fertige Dokumententeile zum Benutzen: ____________
3. die Abrechnung ohne Hilfe erledigen: ____________
4. Dokument, das Vereinbarungen und Mitteilungen zeigt: ____________
5. Fehler am Bau aufschreiben und bearbeiten: ____________
6. dem Team helfen: ____________
7. alle Arbeiten, die am Bau gemacht werden: ____________
8. Ausschreibung / Vergabe / Abrechnung: ____________

b Welche Funktion hat eine Einarbeitung? Welche Probleme kann es dabei geben? Sprechen Sie im Kurs.

2 Es gibt Bedarf für ein Gespräch

a **Lesen Sie die Nachricht der Assistentin für Herrn Stoll. Vermuten Sie: Was für ein Problem hat die neue Mitarbeiterin? Sprechen Sie im Kurs.**

> *Frau Kleinfeld bittet um Gespräch, da Probleme bei Einarbeitung → besonders Arbeitsorganisation. Gespräch bitte noch diese Woche.*

b ▶ 1|57 **Hören Sie das Gespräch zwischen Frau Kleinfeld und dem Projektleiter, Herrn Stoll. Waren Ihre Vermutungen in 2a richtig?**

c **Hören Sie das Gespräch noch einmal. Was ist richtig (r), was ist falsch (f)? Kreuzen Sie an.**

		r	f
1.	Frau Kleinfeld mag ihre Aufgaben nicht.	☐	☒
2.	Herr Stoll hat keinen guten Einarbeitungsplan gemacht.	☐	☐
3.	Im Büro sind die Regeln genauer als am alten Arbeitsplatz von Frau Kleinfeld.	☐	☐
4.	Die Mentorin Frau Hesse hat nicht genug Zeit für Frau Kleinfeld.	☐	☐
5.	Frau Kleinfeld soll das Problem allein mit Frau Hesse lösen.	☐	☐

3 Grammatik auf einen Blick: Folgen ausdrücken – „so …, dass“ / „sodass“, „also“ › G: 4.1, 4.2, 4.4

a **Lesen Sie die Sätze aus dem Gespräch in 2b und markieren Sie jeweils den Satz, in dem die Folge steht.**

		NS	HS
1.	An manchen Tagen habe ich sehr wenig zu tun, sodass ich abends ganz unzufrieden bin.	☒	☐
2.	Ich habe so viele Informationen nicht, dass ich meine Aufgaben nicht richtig erledigen kann.	☐	☐
3.	Da gab es nicht so genaue Regeln. Ich weiß also oft nicht, wie es hier gemacht wird.	☐	☐
4.	Und dann planen wir auch schon das nächste Projekt. Also hat sie im Moment viel zu tun.	☐	☐

b **Lesen Sie die markierten Sätze. Welche sind Nebensätze (NS), welche Hauptsätze (HS)? Kreuzen Sie an.**

c **Schauen Sie sich nun die Sätze noch einmal an. Was fällt auf? Ergänzen Sie die Regeln.** › ÜB: A2

G

1. a. ☐ Nebensätze b. ☐ Hauptsätze mit „sodass“ drücken eine Folge aus.
2. „sodass“ kann man auch trennen: Dann steht „__________“ z. B. vor einem Adjektiv oder Adverb im Hauptsatz und „__________“ am Anfang des Nebensatzes.
3. Sätze mit „also“ sind a. ☐ Nebensätze. b. ☐ Hauptsätze.
4. Es gibt zwei mögliche Positionen von „also“: am __________ des Satzes oder in der Satzmitte.

d **Was können Mitarbeiter und Vorgesetzte tun, damit die Einarbeitung eines neuen Kollegen gut funktioniert? Sammeln Sie Ideen und sprechen Sie dann zu zweit.**

Die Mitarbeiter könnten …, sodass sich der neue Kollege wohlfühlt. | Der Vorgesetzte sollte …, sodass der neue Kollege alles leicht findet. | Die Mitarbeiter können …, sodass der neue Kollege nicht so viel fragen muss. | Der Vorgesetzte muss …, sodass der neue Kollege gleich anfangen kann, selbstständig zu arbeiten.

mit ihm zum Essen gehen | eine Informationsliste machen | neuen Kollegen bei ihrer Arbeit zusehen lassen | die Abläufe mithilfe von Beispielen zeigen | …

Die Mitarbeiter könnten mit ihm zum Essen gehen, sodass sich der neue Kollege wohlfühlt.

B Ein Konflikt im Team

1 Stress im Team!

a 2|1 **Hören Sie Teil 1 der Teambesprechung und beantworten Sie die Fragen.**

1. Was möchte Herr Stoll mit der Besprechung erreichen?
2. Welches Problem haben alle Mitarbeiter?
3. Warum findet Frau Kleinfeld die Situation schwierig?

b Hören Sie Teil 1 der Teambesprechung noch einmal und ordnen Sie die Satzteile zu.

1. Wenn Kollege Müller nicht krank wäre,	A. wenn ich mehr Zeit hätte.	1. D
2. Ich würde mich darum kümmern,	B. würde ich Frau Kleinfeld mehr unterstützen.	2. ___
3. Wenn es weniger Probleme gäbe,	C. könnte ich schon vieles alleine machen.	3. ___
4. Wenn ich mehr Unterstützung bekäme,	D. ginge es mit der Einarbeitung besser.	4. ___
5. Und dann wäre es toll,	E. könnte ich selbstständiger arbeiten.	5. ___
6. Wenn ich besser wüsste, wo was ist,	F. wenn man mir die Abrechnungen erklären würde.	6. ___

2 Grammatik auf einen Blick: Konjunktiv II – irreale Bedingungssätze › G: 1.3, 4.4

a Markieren Sie in den Sätzen in 1b die Konjunktiv-II-Formen und die Formen mit „würde", ergänzen Sie dann die Konjunktiv-II-Formen von „bekommen", „geben", „gehen" und „wissen" und die Regeln. › ÜB: B1a–b

Präteritum	Konjunktiv II	Präteritum	Konjunktiv II
ich bekam	ich	es ging	es
es gab	es gäbe	ich wusste	ich

G

1. Bei Modalverben, „haben", „sein", „wissen" sowie einigen häufig verwendeten unregelmäßigen Verben verwendet man die Konjunktiv-II-Form, z. B. könnte, hätte, wäre, wüsste, käme, ginge.
2. Den Konjunktiv II bildet man so: Präteritum + oft Vokalwechsel + „________",
   z. B. ich gab → ich gäbe, du gäb(e)st, er / sie / es gäbe, wir gäben, ihr gäb(e)t, sie / Sie gäben;
   ging → ginge; wusste → wüsste (hier nur Vokalwechsel).
3. Bei den meisten Vollverben verwendet man „würde" + Infinitiv, z. B. kümmern → würde kümmern.

b Lesen Sie die Sätze in 1b noch einmal und formulieren Sie, wie die Situation in Wirklichkeit ist.

1. *Kollege Müller ist krank, also geht es mit der Einarbeitung nicht so gut.*
2. ____________
3. ____________
4. ____________
5. ____________
6. ____________

c Vergleichen Sie die Sätze in 1b und 2b. Was hat sich in 2b verändert? Markieren Sie.

Lektionswortschatz

Architektur und Bauen:
der Architekt, -en
das Planungsbüro, -s
der Arbeitsbereich, -e
die Projektstruktur, -en
der Bauherr, -en
der Bauplan, ¨-e
die Bauleistung, -en
die Baustelle, -n

Aufgaben und Verfahren:
eine Aufgabe erledigen
die Ausschreibung, -en
die Vergabe, -n
die Ablage, -n
ablegen
die Akte, -n
die Aktennotiz, -en
die Aktenstruktur, -en
die Arbeitszeit, -en
die Arbeitszeiterfassung *(nur Sg.)*
die Bearbeitung, -en
die Einarbeitung *(nur Sg.)*
Die E. läuft gut / schlecht.
die Einführung, -en
die Erstellung *(hier nur Sg.)*
das Mängelcontrolling *(nur Sg.)*
die Mängelkontrolle, -n
der Monatsbericht, -e
die Priorität, -en
P. haben
die Unterstützung *(nur Sg.)*
um U. bitten
U. bekommen / erhalten von + *D*
unterstützen
die Vorlage, -n
die Zuständigkeit, -en

Das Protokoll:
Protokoll führen
der Protokollführer, -
anwesend ≠ abwesend
die Vereinbarung, -en
eine V. treffen
der Bedarf, -e *(Pl. selten)*
bei Bedarf
die Verantwortung *(nur Sg.)*
V. geben
V. bekommen / erhalten
das Ergebnis, -se
das Vorgehen *(nur Sg.)*
weiteres Vorgehen
das Ziel, -e
der Ansprechpartner, -

Urlaub:
der Urlaub, -e
Kurzurlaub
Jahresurlaub
Sonderurlaub
U. geben ≠ nehmen
die Ferien *(nur Pl.)*
Schulferien
der Arbeitgeber, - ≠ der Arbeitnehmer, -
der / die Vorgesetzte, -n
der Arbeitstag, -e
der Brückentag, -e
der Feiertag, -e
der Antrag, ¨-e
Urlaubsantrag
beantragen
genehmigen ≠ ablehnen
der Antragsteller, -
der Anspruch *(hier nur Sg.)*
Urlaubsanspruch
Vorrang haben
der Urlaubsübertrag, ¨-e
die Urlaubsverteilung *(nur Sg.)*
die Urlaubsvertretung, -en
die Unterschrift, -en
übrig
bezahlt ≠ unbezahlt

Kommunikation:
der Kommunikationsstil, -e
die Kommunikationsweise, -n
die Gesprächskultur, -en
kommunizieren
direkt ≠ indirekt
konfliktbereit ≠ harmonisch
rational ≠ emotional
effizient
die Direktheit *(nur Sg.)*
die Effizienz *(nur Sg.)*
die Klarheit *(hier nur Sg.)*
die Begegnung, -en
der Kontakt, -e
das Gefühl, -e
das G. haben, zu …
der Konflikt, -e
die Kritik *(hier nur Sg.)*
kritisieren
kritisch
der Ärger *(nur Sg.)*
Ä. haben
ärgern, sich über + *A*
die Störung, -en
stören
die Unklarheit, -en
interkulturell
verhalten, sich

Verben:
beachten
bemerken
bevorzugen
losgehen
reichen
renovieren
schaffen
unterbrechen
verursachen

Nomen:
der Durchschnitt, -e
das Ideal, -e
der Marathon, -s
der Todesfall, ¨-e
die Überstunde, -n
die Vergütung, -en
Extravergütung
der Wettkampf, ¨-e

Adjektive:
deutlich
konkret
leicht ≠ schwierig
relativ
umgehend
völlig
vorsichtig
weiter

Adverbien:
extra

Pronomen:
der- / das- / dieselbe
mancher, -es, -e
einiger, -es, -e
jeder, -es, -e

Präpositionen:
mithilfe + *G* / von + *D*

Redemittel:
Ich habe den Eindruck, dass …
Wenn es noch Fragen geben sollte, …
recht haben
sich in Verbindung setzen mit jmdm.
zum Abschluss bringen

A Kunden gewinnen

Das Internet ist eine harte Konkurrenz – trotzdem steigt der Umsatz der Reisebüros wieder.

Aktuelle Zahlen: Situation der Reisebüros wieder besser – aber die Herausforderungen bleiben groß

In den letzten zehn Jahren wurde das Internet für die stationären Reisebüros zu einer gefährlichen Konkurrenz. Die Zahl der Reisebüros in Deutschland sank seit dem Jahr 2004 von fast 14.000 auf unter 9.800 im Jahr 2013. Obwohl das Reiseangebot im Internet immer größer wird, sehen Experten aber inzwischen einen Trend zurück zum Reisebüro: Die Anzahl der Büros ist im Jahr 2014 zum ersten Mal wieder gestiegen und auch der Umsatz hat sich wieder leicht verbessert.
Denn auf die Konkurrenz im Internet reagierten viele Reisebüros mit gutem Service und kompetenter Beratung. Im Vergleich dazu können komplizierte Angebotsstrukturen und unklare Preise die Reisebuchung im Internet schwierig machen. Und weil sie im Internet keine guten Erfahrungen gemacht haben, kommen nicht wenige Kunden wieder ins Reisebüro zurück. Trotzdem stehen die Reisebüros vor großen Herausforderungen. Denn besonders jüngere Personen unter 30 Jahren informieren sich und buchen hauptsächlich über das Internet – ein Problem für die Zukunft der Reisebüros.

Zwar ist das Internetangebot gut, aber das Buchen einer Kreuzfahrt ist manchmal schwierig.

Die junge Generation bucht lieber online.

1 Die Reisebranche verändert sich

a **Lesen Sie die Überschrift und die Bildunterschriften des Magazinartikels oben. Über welche Entwicklungen wird berichtet?**

b **Lesen Sie den Artikel oben. Was ist richtig (r)? Was ist falsch (f)?** › ÜB: A1

	r	f
1. Seit 2004 ist die Zahl der Reisebüros immer kleiner geworden.	☐	☐
2. Viele Kunden wechseln vom Internet zurück zum Reisebüro.	☐	☐
3. In Reisebüros ist das Buchen komplizierter als im Internet.	☐	☐
4. Für junge Leute spielt das Reisebüro keine große Rolle.	☐	☐

2 Grammatik auf einen Blick: Sätze mit „obwohl“, „trotzdem“, „zwar …, aber“ › G: 4.1, 4.2, 4.4

Lesen Sie die Sätze aus dem Artikel in 1a. Was fällt auf? Ergänzen Sie die Regeln. › ÜB: A2–3

	Ausgangssituation:	**Folge anders als erwartet:**
1.	Das Internet ist eine harte Konkurrenz.	Trotzdem steigt der Umsatz der Reisebüros wieder.
2.	Obwohl das Angebot im Internet größer wird,	sehen Experten einen Trend zurück zum Reisebüro.
3.	Zwar ist das Internetangebot gut,	aber das Buchen einer Kreuzfahrt ist manchmal schwierig.

G

1. Sätze mit „obwohl“, „trotzdem“ und „zwar …, aber“ nennen Situationen und ihre unerwarteten Folgen.
2. Hauptsätze mit „trotzdem“ beziehen sich auf einen Hauptsatz davor. Sie nennen
   a. ☐ die Ausgangssituation. b. ☐ die unerwartete Folge.
3. Nebensätze mit „obwohl“ nennen a. ☐ die Ausgangssituation. b. ☐ die unerwartete Folge.
4. Bei „zwar …, aber“ steht „zwar“ im 1. Hauptsatz und nennt die ____________________,
   „aber“ steht im 2. Hauptsatz und nennt die ____________________.

3 Arbeiten im Bereich „Beratung und Verkauf“

P **Sprechen Sie über Berufe im Bereich „Beratung / Verkauf“. Partner A: Datenblatt A8, Partner B: Datenblatt B8.**

4 Mehr Marketing im „Reisebüro Marina“

a 2|8–9 **Hören Sie das Gespräch zwischen drei Mitarbeitern eines Reisebüros über den Magazinartikel in 1a. Wie reagieren sie auf den Artikel?**

a. ☐ Sie finden, dass er keine neuen Informationen bringt.
b. ☐ Sie wollen im Marketing aktiver werden.

b **Hören Sie das Gespräch noch einmal und beantworten Sie die Fragen.**

1. Warum gehen Herrn Seidels Freunde nicht in Reisebüros?
2. Weshalb wollen die Mitarbeiter am Aktionstag das Thema „Kreuzfahrten“ vorstellen?
3. Warum finden die Mitarbeiter einen Aktionstag besser als einen Vortrag am Abend?

5 Einen Vortragsabend für Reise-Interessenten planen

P **Planen Sie zu zweit einen Vortragsabend, bei dem ein Reisebüro eine neue Urlaubsregion präsentiert. Sprechen Sie über Ihre Vorstellungen und einigen Sie sich auf ein Programm. Die Punkte unten und die Redemittel helfen.**

- Urlaubsregion?
- Veranstaltungsort und -zeit?
- Form der Präsentation: Vortrag, Fotos, Film, Folien?
- Nach dem Vortrag: weitere Angebote?
- Wer begrüßt die Gäste?
- Getränke anbieten? Wann? Welche?
- Ende der Veranstaltung: Wann?
- …

Ich fände es gut, wenn … | Ich denke, wir sollten … | Wir dürfen nicht vergessen, … | Es wäre vielleicht besser, wenn … | Obwohl das eine gute Idee ist, sollten wir lieber … | Und dann müssen / brauchen wir noch … | Jetzt haben wir also folgendes Programm: …

B Der Aktionstag

1 Die Vorbereitung des Aktionstags

a Wie heißen die Werbemittel? Notieren Sie die Wörter.

~~das Poster~~ | der Karton-Aufsteller | die Tüte mit Fruchtgummis | die Sektflasche | der Flyer

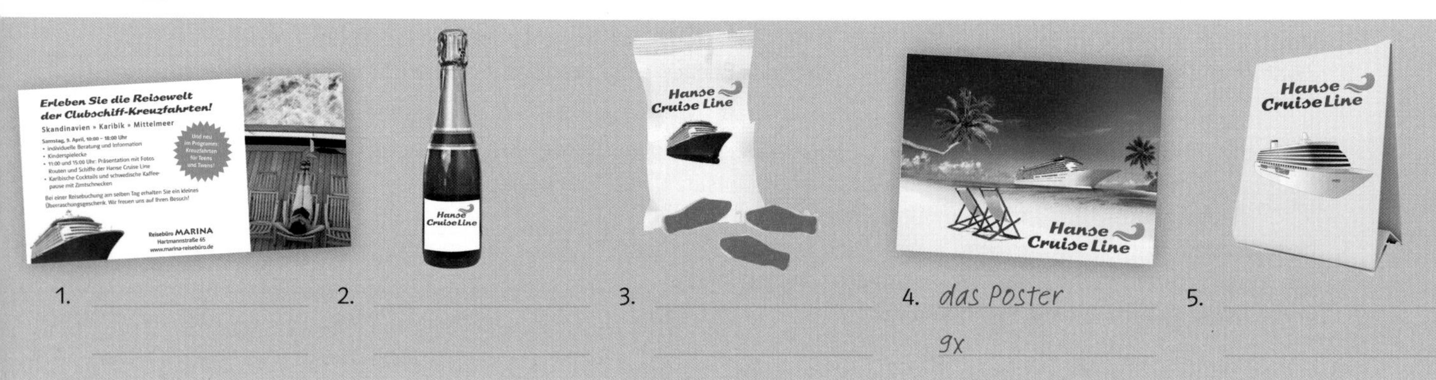

1. ____________
2. ____________
3. ____________
4. das Poster
   9x
5. ____________

b ▶ 2|10 **Hören Sie Teil 1 der Besprechung der Reisebüromitarbeiter. Über welche drei Punkte müssen sie sprechen?**

c ▶ 2|11–12 **Hören Sie Teil 2 der Besprechung. Was passt: a oder b? Kreuzen Sie an.**

1. Die Agentur hatte Vorschläge für a. ☐ Vortragsabende. b. ☐ Aktionstage.
2. Das Reisebüro erhält die Werbemittel a. ☐ gratis. b. ☐ gegen eine Gebühr.
3. Das Reisebüro bietet den Gästen an: a. ☐ Sekt. b. ☐ Cocktails, Kaffee und Zimtschnecken.
4. Das Reisebüro macht einen Flyer und a. ☐ eine Anzeige. b. ☐ einen Eintrag in einer Veranstaltungsapp.

d Hören Sie Teil 2 des Gesprächs noch einmal. Wie viele Werbemittel wollen die Reisebüromitarbeiter bestellen? Notieren Sie in 1a jeweils die Anzahl.

2 Einladung zum Aktionstag

a Lesen Sie den Flyer. Denken Sie, dass er Erfolg hat und neue Kunden bringt? Sprechen Sie im Kurs.

Erleben Sie die Reisewelt der Clubschiff-Kreuzfahrten!

Skandinavien » Karibik » Mittelmeer

Samstag, 18. März, 10:00 – 18:00 Uhr
- individuelle Beratung und Information
- 11:00 und 15:00 Uhr: Präsentation der Routen und Schiffe der Hanse Cruise Line
- Kinderspielecke
- Karibische Cocktails und schwedische Kaffeepause mit Zimtschnecken

Bei einer Reisebuchung am selben Tag erhalten Sie ein kleines Überraschungsgeschenk. Wir freuen uns auf Ihren Besuch!

Reisebüro MARINA
Hartmannstraße 65
www.marina-reisebüro.de

P **b** **Sie interessieren sich für eine Karibik-Kreuzfahrt am Jahresende, aber Sie können nicht zum Aktionstag kommen. Schreiben Sie eine E-Mail an das Reisebüro zu den Punkten unten. Denken Sie auch an Anrede und Gruß.**

- erklären Sie die Situation
- Bitte um Angebot für ein familienfreundliches Schiff, 4 Personen
- spezielle Rabatte für Frühbucher?
- spezielle Silvesterreisen möglich?

Könnten Sie mir ein Angebot für … schicken? | Ich habe Ihren Flyer … bekommen. | Ich würde gern … | Ihr Aktionstag interessiert mich sehr, aber leider … | Gibt es …? | Vielen Dank für Ihre Mühe. | Können Sie mir bitte auch etwas zu … sagen? | Die Reise sollte im / am … stattfinden.

Sehr geehrte Damen und Herren,

3 Beim Aktionstag: Die Präsentation des Angebots

a 2|13 **Hören Sie Teil 1 der Präsentation von Frau Kern. Über welche zwei Themen will sie sprechen?**

b **Hören Sie Teil 1 der Präsentation noch einmal. Welche Sätze hören Sie? Kreuzen Sie an.**

1. Diese Schiffe sind einfach ideal, wenn Ihnen die Reiseziele und die Natur am wichtigsten sind. ☒
2. Hier können Sie bequem und angenehm reisen. ☐
3. Genau das ist die Philosophie dieser Schiffe. ☐
4. Ganz neu bei diesem Anbieter sind die Clubschiffe. ☐
5. Diese Schiffe sind ganz besonders groß. ☐
6. Das Besondere bei diesem Anbieter ist, dass es auch tolle Angebote für Singles gibt. ☐
7. Das ist natürlich super für junge Leute. ☐

c 2|14 **Hören Sie Teil 2 der Präsentation. Über welche Reiseziele spricht Frau Kern in den Sätzen? Notieren Sie.**

1. Länder, wo man interessante Städte und faszinierende Landschaft erleben kann: *Skandinavien*
2. Das ist eine Stadt, wo es viele Sehenswürdigkeiten und Einkaufsmöglichkeiten gibt: ______
3. Auch das ist eine Stadt, wo es auch für junge Leute viele spannende Angebote gibt: ______

4 Grammatik auf einen Blick: Relativsätze mit „wo" › G: 4.4

Markieren Sie in den Sätzen in 3c das Relativpronomen „wo" und die Wörter, auf die es sich bezieht. Formulieren Sie dann die Sätze wie im Beispiel um und ergänzen Sie die Regel. › ÜB: B1

1. Länder, in denen man interessante Städte und faszinierende Landschaft erleben kann.

G

Bei Ortsangaben in Relativsätzen kann man statt der Präposition + Relativpronomen auch „______" verwenden.

5 „Abi-Reise" für Abiturienten – ein Reiseangebot präsentieren

Sie arbeiten bei einem Reiseveranstalter und sollen ein Angebot für eine „Abi-Reise" entwickeln. Sammeln Sie Ideen und präsentieren Sie Ihr Angebot Ihren Kollegen. Die Redemittel helfen. › ÜB: B2–3

Hier ist mein Vorschlag für das Angebot einer „Abi-Reise": … | Zunächst möchte ich das Ziel der Reise vorstellen: … | Das Angebot sollte folgende Leistungen umfassen: … | Beim Preis denke ich, die Reise darf nicht mehr als … kosten / sollte ungefähr … kosten. | Wir müssten darauf achten, dass … | Warum ich so ein Angebot für unser Programm empfehlen möchte: Erstens …, zweitens …

C Kunden beraten

1 Tipps für Auszubildende in Reisebüros

a Lesen Sie die Abschnitte aus einem Text mit Tipps für Auszubildende. Bringen Sie dann die Abschnitte in die richtige Reihenfolge und notieren Sie zu jedem Abschnitt die Überschrift. › ÜB: C1

~~Schritt 1 – Begrüßung~~
Schritt 2 – nach den Kundenwünschen fragen
Schritt 3 – zusammenfassen
Schritt 4 – das Angebot präsentieren
Schritt 5 – Fragen beantworten
Schritt 6 – Buchung

Erfolgreich Kunden beraten – die sechs Schritte zur Buchung!

A. ______

Jetzt kann die Buchung beginnen oder der Kunde nimmt das Angebot mit nach Hause, um noch einmal darüber nachzudenken. Wenn das Beratungsgespräch angenehm war, kommt er bestimmt zurück.

B. *Schritt 1 – Begrüßung*

Die Begrüßung ist eine Situation, deren Atmosphäre vieles entscheiden kann. Die Kunden sollen das Gefühl bekommen, dass sie eingeladen sind. Zeigen Sie, dass Sie für die Kunden Zeit haben. Ein Reisebüro, dessen Mitarbeiter freundlich und interessiert beraten, hat einen Vorteil vor der Konkurrenz!

C. ______

Fassen Sie zusammen, welche Informationen Sie bekommen haben. Sagen Sie zum Beispiel: „Gut, ich habe mir also notiert, dass Sie im Urlaub am liebsten …" Ein Kunde, dessen Wünsche Sie verstanden haben, hat positive Gefühle!

D. ______

Nun präsentieren Sie Ihre Vorschläge, deren positive Seiten Sie sachlich erklären. Machen Sie nicht zu viel Werbung – das mögen die meisten Kunden nicht. Sagen Sie lieber: „Ich denke, das hier würde sehr gut zu Ihnen passen. Was halten Sie davon?"

E. ______

Was will der Kunde / die Kundin? Welche Vorstellungen hat er / sie von der Reise? Was für ein Urlaubstyp ist er / sie – geht es um Natur, Kultur, Entspannung, Abenteuer oder Freizeitspaß? Stellen Sie Fragen, um die sachlichen, aber auch die emotionalen Wünsche des Kunden / der Kundin kennenzulernen.

F. ______

Wenn der Kunden jetzt mit „Ja, aber…" reagiert, ist das ganz normal. Denn eine Urlaubsreise ist nicht billig, das überlegt man sich genau. Beantworten Sie freundlich alle Fragen. Und wenn der Kunde immer noch kritisch ist? Versuchen Sie nicht zu lange, ihn zu überzeugen! Zeigen Sie ihm lieber noch ein anderes Angebot.

b 2|15 **Hören Sie ein Beratungsgespräch beim Aktionstag des Reisebüros Marina. Folgt die Mitarbeiterin den Tipps? Ist die Beratung erfolgreich?**

c Überlegen Sie, wie die Reisemitarbeiterin das Gespräch führt, und bringen Sie die Sätze in die richtige Reihenfolge. Hören Sie dann das Beratungsgespräch in 1b noch einmal und überprüfen Sie Ihre Lösung. › ÜB: C2

A. Gibt es noch etwas, was Ihnen wichtig ist? ___
B. Das ist ein Schiff speziell für … wie Sie. ___
C. Was ist Ihnen denn wichtig im Urlaub? Was machen Sie im Urlaub gern? ___
D. Also, Sie interessieren sich auch für eine Kreuzfahrt? *1*
E. Dann halten wir noch einmal alles fest: … ___
F. Ich denke, ich habe hier das Richtige für Sie. Sehen Sie hier: … ___
G. Wollen Sie andere Länder und Kulturen kennenlernen? ___

d **Spielen Sie ein Beratungsgespräch. Stellen Sie Ihrem Partner / Ihrer Partnerin Fragen nach seinen / ihren Urlaubsvorstellungen. Machen Sie sich Notizen. Präsentieren Sie ihm / ihr dann einen Vorschlag. Die Tipps in 1a und die Redemittel in 1c helfen. Tauschen Sie auch die Rollen.**

2 Grammatik auf einen Blick: Relativpronomen im Genitiv › G: 4.4

Markieren Sie in den Tipps für Auszubildende in 1a die Nomen, auf die sich die grau markierten Relativpronomen beziehen. Ordnen Sie dann die Nomen und Relativpronomen zu und ergänzen Sie die Regel. › ÜB: C3–4

Maskulinum (M): ______________________

Neutrum (N): ______________________

Femininum (F): *eine Situation, deren*

Plural (M, N, F): ______________________

G

Das Relativpronomen im Genitiv:
1. im Maskulinum und Neutrum Singular: __________
2. im Femininum Singular und im Plural: __________

3 Die Kunden: vier häufige Typen

a **Lesen Sie die Beschreibung von vier häufigen Kundentypen. Kennen Sie einen dieser Typen? Was für ein Typ sind Sie selbst? Sprechen Sie im Kurs.**

1. Der emotionale Kundentyp
Der emotionale Typ sucht nicht einfach nur ein gutes Produkt, er sucht auch nach Gefühlen und Ideen. Wenn er ein Angebot toll findet, entscheidet er sich schnell und spontan. Zu viele Daten und Einzelheiten mag er nicht. Und wenn er sich langweilt, entscheidet er sich manchmal spontan, gleich wieder zu gehen.

2. Der analytische Kundentyp
Dieser Typ liebt es, Informationen zu sammeln, zu vergleichen und Listen zu schreiben. Er weiß schon sehr viel über die Produkte, wenn er in ein Geschäft kommt. Er möchte nicht, dass man ihn von etwas überzeugt. Er entscheidet ganz allein, denn er hat einen Plan!

3. Der kritische Kundentyp
Mitarbeiter im Verkauf nennen diesen Typ auch den „schwierigen Kunden". Er denkt: „Alle wollen immer nur mein Geld." Dieser Kunde kann manchmal auch sehr direkt und sogar unhöflich sein. Er findet die Produkte zu teuer, die Qualität nicht gut genug, das ganze Geschäft nicht ideal. Aber wenn die Beratung kompetent ist, kauft er etwas.

4. Der unentschiedene Kundentyp
Er findet es schwer, sich zu entscheiden. Es gibt so viele Möglichkeiten! Er hat immer ein bisschen Angst davor, beim Kauf etwas falsch zu machen. Daher mag er es, wenn man ihm bei der Entscheidung hilft. Danach ist er mit der Entscheidung meistens zufrieden.

b ▶ 2|16–19 **Sie hören vier Kundengespräche im Reisebüro. Zu welchen der vier Typen in 3a gehören die Kunden?**

Gesprächen 1: *Typ 4* Gespräch 2: __________ Gespräch 3: __________ Gespräch 4: __________

c **Kennt man diese Kundentypen auch in Ihrem Heimatland? Gibt es Unterschiede?**

d **Arbeiten Sie zu viert. Jeder wählt einen der vier Kundentypen. Überlegen Sie sich Tipps, wie man mit diesem Kundentyp ein erfolgreiches Gespräch führt. Präsentieren Sie dann Ihre Tipps in der Gruppe und besprechen Sie sie.**

D Die Reisebranche

1 Das City Reisebüro in Tübingen

Lesen Sie das Geschäftsporträt. Welche Aussagen passen: a oder b? Kreuzen Sie an. › ÜB: D1

Das City Reisebüro liegt in zentraler Lage nahe der Altstadt von Tübingen. Die Inhaberin Karin Lechler gründete es im Jahr 1991 und führt es zusammen mit ihrer Kollegin Sonja Vollmer als unabhängiges Reisebüro. Es gehört also nicht wie die meisten deutschen Reisebüros zu einem Reiseveranstalter oder zu einer Franchise-Kette, sondern ist ein selbstständiges Einzelbüro. Das hat Vor- und Nachteile. Karin Lechler sieht für ihre Kunden besonders diesen Vorteil: „Wir können ganz neutral beraten. Wenn uns ein Produkt nicht richtig überzeugt, dann empfehlen wir es auch nicht."

Die Anzahl der Reisebüros pro Einwohner ist in Deutschland im Vergleich zu anderen Ländern sehr hoch. Um in diesem Markt erfolgreich zu sein, ist es wichtig, Stammkunden zu gewinnen. Das geht aber nur mit qualifizierter, persönlicher Betreuung der Kunden. Die beiden Reiseexpertinnen rufen zum Beispiel ihre Kunden ein paar Tage vor dem Reisebeginn an, um noch einmal Einzelheiten der Reise zu besprechen. Guter Service ist die beste Werbung, finden sie.

Unabhängige Reisebüros haben die Möglichkeit, Mitglied einer Reisebürokooperation zu werden. Das sind Vertriebssysteme, deren Mitglieder günstige Bedingungen beim Einkauf, außerdem Weiterbildungen und Unterstützung beim Marketing bekommen. Das verbessert die Chancen am Markt, wo die Franchise-Ketten wegen ihrer Größe im Vorteil sind.

Und was sind besonders beliebte Ziele bei den Kunden des City Reisebüros? Mallorca, die Lieblingsinsel der Deutschen, wird natürlich immer gern gebucht, aber auch Fernreisen nach Südamerika und Asien. Manchmal steigt die Nachfrage nach besonderen Reisezielen direkt nach Berichten im Fernsehen oder in Magazinen.

Karin Lechler vermutet, dass der Trend zum nachhaltigen Reisen geht. Denn auch beim Urlaub denken mehr und mehr Kunden über umweltfreundliche Möglichkeiten nach.

1. Was ist das Besondere des City-Reisebüros?
   a. ☐ Es gehört zu einem Reiseveranstalter.
   b. ☐ Als Einzelbüro ist es nicht Teil einer großen Franchise-Kette.
2. Wie ist die Marktsituation für Reisebüros in Deutschland?
   a. ☐ Es gibt viele Reisebüros und deshalb auch Konkurrenz.
   b. ☐ Für den Reisemarkt sind Stammkunden typisch.
3. Welche Vorteile hat man als Mitglied einer Reisebürokooperation?
   a. ☐ Bessere Chancen am Markt als ohne Kooperation.
   b. ☐ Bessere Marktchancen als bei den Franchise-Ketten.
4. Warum geht der Trend zum nachhaltigen Reisen?
   a. ☐ Weil das Fernsehen darüber berichtet.
   b. ☐ Weil den Urlaubern umweltfreundliche Angebote wichtiger werden.

2 Was die Deutschen ins Reisen investieren

a Schauen Sie die Schaubilder an und sprechen Sie darüber, wie man den Zusammenhang zwischen Urlaubsausgaben und Urlaubsdauer erklären kann. Die Punkte und Redemittel unten helfen.

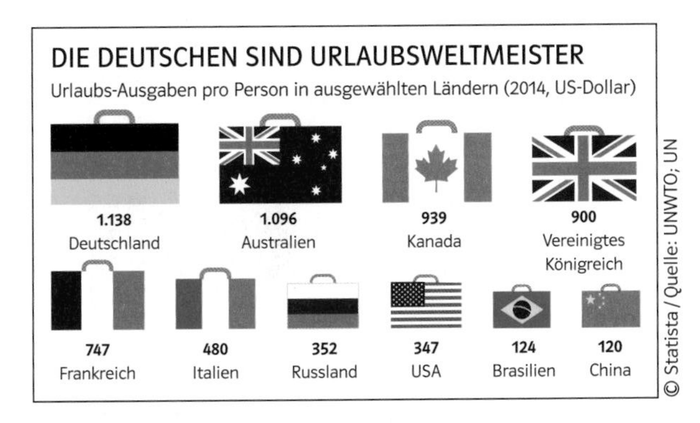

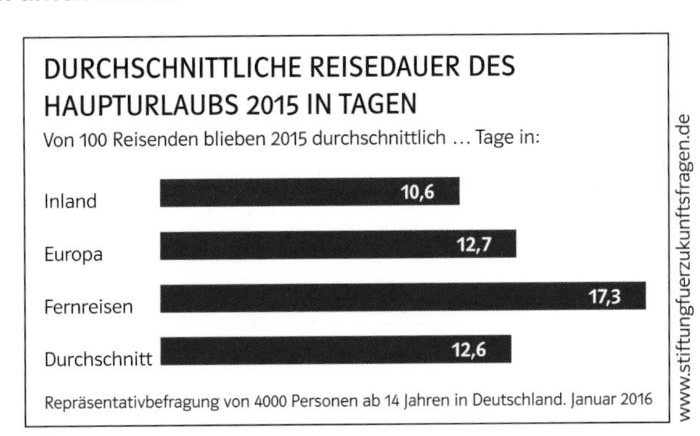

Ökonomische Situation:
- mehr Arbeitsbelastung, daher weniger Zeit
- Höhe der Einkommen

Lebensstil:
- lieber mehrere kurze Reisen als eine lange
- Trend zu teuren Reisen, z. B. Kreuzfahrten, Fernreisen

Man kann hier deutlich sehen, dass … | Es ist interessant, dass … | Ich vermute / denke, dass … | Es könnte auch sein, dass … | Wahrscheinlich gibt es einen Zusammenhang zwischen … und …

b Sammeln Sie Informationen über Reiseausgaben und -dauer in Ihrem Heimatland. Präsentieren Sie sie im Kurs und vergleichen Sie Ihre Daten.

Aussprache

1 Satzakzent und Satzmelodie in längeren Sätzen

a 2|20 **Hören Sie die Sätze und markieren Sie die Satzakzente in Gelb.**

1. Ich würde den Reisebüros raten, → auch in sozialen Netzwerken aktiv zu sein. ↘
2. Ich denke, ____ dass die Deutschen kürzere Reisen machen, ____ weil sie zu Hause viel Arbeit haben. ____
3. Fragen Sie Ihre Kunden immer: ____ Was ist Ihnen im Urlaub am wichtigsten? ____
4. Fragen Sie außerdem: ____ Bevorzugen Sie eine Pauschalreise? ____

b Hören Sie die Sätze in 1a noch einmal und notieren Sie, ob die Satzmelodie gleich bleibt →, steigt ↗ oder sinkt ↘. Was fällt auf? Kreuzen Sie in der Regel an.

A

1. In der gesprochenen Sprache werden längere Sätze durch Pausen in sinnvolle Abschnitte gegliedert. Jeder Abschnitt hat einen Hauptakzent. Dieser liegt meistens
   a. ☐ am Anfang des Abschnitts. b. ☐ mehr am Ende des Abschnitts.
2. Die Melodie innerhalb des Satzes ist a. ☐ fallend. ↘ b. ☐ schwebend. → c. ☐ steigend. ↗
3. Die Melodie am Satzende ist ____________ (bei Aussagesätzen und W-Fragen) oder ____________ (bei Ja- / Nein-Fragen).

c Sprechen Sie die Sätze in 1a. Achten Sie auf die Satzakzente und die Satzmelodie.

E Schlusspunkt

Situation 1

▶ Person A

Sie sind Mitarbeiterin in einem Reisebüro. Sie haben einen Kunden, der eine Reise machen will, aber noch nicht genau weiß, wohin.
Fragen Sie ihn, welche Wünsche und Vorstellungen er hat und beraten Sie ihn:
- Interessen: Kultur, Sport, Natur, anderes?
- in Europa oder außerhalb?
- Reiseform: allein / Gruppenreise, am selben Ort bleiben oder Rundreise?
- Extrawünsche?
- Preisvorstellung?

▶ Person B

Sie sind Kunde in einem Reisebüro. Sie möchten in diesem Jahr eine 3-wöchige Reise machen, die aber nicht zu teuer sein soll. Sie haben noch keine konkrete Idee zum Reiseziel und wollen sich daher beraten lassen.
Die Reisebüromitarbeiterin stellt Ihnen Fragen, um ein passendes Angebot zu finden, und macht Vorschläge.
Antworten Sie auf der Basis Ihrer tatsächlichen Wünsche und Interessen.

Nach Kundenwünschen fragen:
- ▶ Was machen Sie denn gern im Urlaub?
- ▶ Planen Sie …?
- ▶ Wollen Sie …?
- ▶ Haben Sie sonst noch Wünsche?
- ▶ Wie sieht denn Ihre Preisvorstellung aus?
- ▶ Also, ich habe notiert, dass …
- ▶ Haben wir noch etwas vergessen?

Auf Fragen reagieren:
- ▶ Im Moment weiß ich nur, dass …
- ▶ Meine Vorstellung wäre, dass …
- ▶ Ich fände es gut, wenn …
- ▶ Mir wäre noch wichtig, dass …
- ▶ Die Reise sollte insgesamt höchstens … kosten.

Angebot präsentieren:
- ▶ Was würden Sie von … halten? Ich denke, diese Reise passt gut zu Ihren Vorstellungen, weil …
- ▶ Das gefällt mir. Wann / Wie …?

Situation 2

▶ Person A

Sie sind Kundin in einem Reisebüro. Sie möchten mit Ihrem Mann und Ihren drei kleinen Kindern Urlaub am Meer machen. Sie suchen nach familienfreundlichen Angeboten mit Kinderbetreuung.
Der Reisebüromitarbeiter stellt Ihnen Fragen, um ein passendes Angebot zu finden, und macht Vorschläge.
Antworten Sie auf der Basis Ihrer tatsächlichen Wünsche und Vorstellungen.

▶ Person B

Sie sind Mitarbeiter in einem Reisebüro. Sie haben eine Kundin, die mit Ihrer Familie verreisen will.
Fragen Sie sie, welche Wünsche und Vorstellungen sie hat und beraten Sie sie:
- welches Land?
- Flug oder Auto?
- Hotel: groß, mit vielen Angeboten oder klein und ruhig?
- besondere Wünsche?
- Urlaubsdauer?
- Preisvorstellung?

Nach Kundenwünschen fragen:
- ▶ Haben Sie denn schon eine Vorstellung, in welches Land …?
- ▶ Möchten Sie lieber … oder …?
- ▶ Wie wichtig ist Ihnen …?
- ▶ Wie lange wollen Sie verreisen?
- ▶ Wie sieht denn Ihre Preisvorstellung aus?
- ▶ Habe ich Sie richtig verstanden, dass Sie …?

Auf Fragen reagieren:
- ▶ Wir möchten gern nach … / auf keinen Fall nach …
- ▶ Für uns wäre … am besten.
- ▶ Ja, das wäre auch wichtig. / Nein, das ist nicht so wichtig.
- ▶ Die Reise darf nicht mehr als … kosten.

Angebot präsentieren:
- ▶ Hier hätte ich einen schönen Vorschlag für Sie: … Passt das zu Ihren Vorstellungen?
- ▶ Das gefällt mir. Wann / Wie …?

Lektionswortschatz

Reisebranche:
das Reisebüro, -s
stationär
unabhängig
die Agentur, -en
der Anbieter, -
das Einzelbüro, -s
die Kette, -n
die Kooperation, -en
das Mitglied, -er
der Veranstalter, -
  Reiseveranstalter
das Vertriebssystem, -e
die Reise, -n
  Abi-Reise
  Gruppenreise
  Fernreise
  Pauschalreise
  Rundreise
die Kreuzfahrt, -en
das Schiff, -e
  Clubschiff
  Kreuzfahrtschiff
die Route, -n
die Tour, -en
die Herausforderung, -en
der Experte, -n
der Trend, -s
buchen
die Buchung, -en
der Frühbucher, -
der Rabatt, -e
der Urlauber, -
der Stammkunde, -n
der Typ, -en
  Kundentyp
  Urlaubstyp
das Abenteuer, -
die Insel, -n
  Lieblingsinsel
die Kultur, -en
die Landschaft, -en
die Natur, -en *(Pl. selten)*

Werbemittel:
die Aktion, -en
der Aktionstag, -e
der Aufsteller, -
der Flyer, -
das Plakat, -e
der Plakatständer, -
das / der Poster, -
die Veranstaltungsapp, -s
der Cocktail, -s
der Sekt, -e *(Pl. selten)*
der / das Fruchtgummi, -s
die Tüte, -n
die Zimtschnecke, -n

Angebote auf dem Schiff:
der Ausflug, ⸚e
die Disco, -s
das Freizeitprogramm, -e
der (Swimming-)Pool, -s
die Show, -s
die Sportart, -en

Kundentypen:
analytisch
emotional
kritisch
spontan
unentschieden

Verben:
anziehen (sich)
betonen
erleben
hinweisen auf + *A*
langweilen (sich)
nachdenken über + *A*
sammeln
stoppen
überzeugen
umfassen
verändern (sich)
versuchen

Nomen:
der / die Auszubildende , -n
der Azubi, -s
die Generation, -en
die Leute *(nur Pl.)*
der Single, -s
der Abiturient, -en /
  die Abiturentin, -nen
der Teen, -s
der Twen, -s
die Ausgabe, -n
die Belastung, -en
  Arbeitsbelastung
die Chance, -n
das Einkommen, -
der Empfang *(hier nur Sg.)*
  Handyempfang
die Entscheidung, -en
das Fahrrad, ⸚er
das Fernsehen *(nur Sg.)*
die Konkurrenz, -en
  (Pl. selten)
der Stil, -e
  Lebensstil
das Paket, -e
die Philosophie, -n
das Schaubild, -er
der / das Silvester, -
die Überschrift, -en
die Unterschrift, -en
  Bildunterschrift
der Unfall, ⸚e
der Weltmeister, -
der Zusammenhang, ⸚e

Adjektive:
angenehm ≠ unangenehm
bequem
elegant
familienfreundlich
gefährlich
häufig
hauptsächlich
ideal
interessiert
kompetent
kompliziert ≠ unkompliziert
lebendig
neutral
nachhaltig
ökonomisch
persönlich
qualifiziert
sachlich
sozial
speziell
umweltfreundlich

Adverbien:
inzwischen

Redemittel:
Das Besondere bei diesem Anbieter ist …
Ganz neu bei diesem Anbieter ist / sind …
eine Rolle spielen

A Stellenausschreibung intern

K.D. Feddersen Ueberseegesellschaft mbH
Ein Unternehmen der Feddersen-Gruppe

DE EN

Hauptseite Unternehmen Gruppenübersicht Aktuelles Karriere

Die Feddersen-Gruppe ist eine Firmengruppe, die ständig expandiert. Ihr Fokus liegt auf Außenhandel, Distribution und Vermarktung von Kunststoffen, Kunststoffproduktion, Maschinenbau und Edelstahlhandel. Wir stellen uns den neuen, vielfältigen Herausforderungen des globalisierten Marktes. Wenn Sie uns dabei unterstützen wollen, bewerben Sie sich!

Zur Verstärkung unseres Fachbereiches Kunststoffe suchen wir einen Mitarbeiter internationaler Vertrieb / Sales Manager (m / w)

Ihr Aufgabenbereich:
- Verkauf von technischen Kunststoffen, Schwerpunkt Asien
- Markt- und Wettbewerbsanalyse zur Erschließung neuer Absatzgebiete
- Ausbau und Pflege des Lieferantenstamms und des Produktportfolios
- Enger Austausch mit den Kollegen unserer Schwesterunternehmen
- Anfragebearbeitung und Angebotserstellung / -kalkulation

Ihr persönliches Profil:
- Kaufmännische Ausbildung oder betriebswirtschaftliches Studium
- Mehrjährige Erfahrung im Vertrieb von technischen Kunststoffen
- Verhandlungsgeschick
- Verhandlungssicheres Englisch
- Reisebereitschaft im In- und Ausland (ca. 25 % Reisetätigkeit)
- Eigenverantwortlicher, ziel- und ergebnisorientierter Arbeitsstil
- Flexibilität und interkulturelle Kompetenz
- Kundenorientierung

1 Eine Stellenausschreibung

Lesen Sie den Anfang der Stellenausschreibung bis „Ihr Aufgabenbereich". Was ist richtig: a oder b? Kreuzen Sie an. › ÜB: A1

1. Der Fokus der Firma Feddersen liegt auf dem
   a. ☐ nationalen Handel. b. ☐ internationalen Handel.
2. Die Feddersen-Gruppe
   a. ☐ wächst weiter. b. ☐ wächst nicht mehr.
3. Die Anzeige richtet sich an
   a. ☐ Männer. b. ☐ Männer und Frauen.

2 Zwei interne Bewerbungen

a **Lesen Sie die Personalbögen. Vergleichen Sie sie mit der Stellenausschreibung in 1. Was meinen Sie: Welcher Bewerber ist besser für die Stelle geeignet? Sprechen Sie zu zweit und notieren Sie Ihre Gründe auf Karten.** › ÜB: A2

… hat ein Studium / eine Ausbildung als … | … hat viel / nicht so viel Berufserfahrung. | Das stimmt, aber … hat Praktika gemacht. | … hat sich intensiv / ständig weitergebildet. | … ist geprüfter Fachberater im Vertrieb. | … hat Erfahrung im Vertrieb von Kunststoffen. | … hat Sprachkenntnisse in …, aber … | … kann gut / nicht so gut viel reisen, weil … | Ich meine / denke, … passt besser zur Stellenausschreibung.

A

Name: Lange, Emilia
Geburtsdatum: 28.03.1988
Familienstand: ledig

Personalnummer: L 537A6
Nationalität: deutsch
Kinder: keine

Ausbildung / Studium:
- „Mannheim Master in Management, M.Sc.", Universität Mannheim, 2013

Weiter-/Fortbildung:
- SAP®-Grundwissen Vertrieb (Studiengemeinschaft Darmstadt), Zertifikat 2015
- Projektmanagement (Fernuniversität Hagen), Qualifiziertes Zertifikat 2014

Sonstige Kenntnisse:
- Englisch: verhandlungssicher (Auslandssemester an der University of Toronto, Kanada)
- Französisch: sehr gut (regelmäßige Arbeitsaufenthalte in Paris während der Semesterferien)
- Spanisch: gut

Berufserfahrung:
- 1.1. - 31.6.2014: Praktikum bei MünchDesign, Frankfurt/M., 3 Monate Finanzen und Controlling; 3 Monate Vertrieb und Marketing - Bereich Kunststoffe (s. Zeugnis im Anhang)
- seit 01.02.2015: Feddersen - Mitarbeiterin im Controlling

B

Name: Sommer, Phong
Geburtsdatum: 23.04.1985
Familienstand: verheiratet

Personalnummer: L 643B8
Nationalität: deutsch
Kinder: zwei

Ausbildung / Studium:
- Außenhandelsassistent / Industriekaufmann (2-jährige duale Ausbildung), ABS GmbH, Bonn, 2007
- Abitur, 2005

Weiter-/Fortbildung:
- Staatlich geprüfter Betriebswirt (Marketing, Absatzwirtschaft), Hamburger Akademie, 2012
- Geprüfter Fachberater im Vertrieb (IHK), 2009

Sonstige Kenntnisse:
- Englisch: sehr gut
- Vietnamesisch: muttersprachlich

Berufserfahrung:
- 1.10.2005 - 31.12.2012: ABS GmbH, Bonn, Geokunststoffe: Produktion, Einkauf, Vertrieb (s. Zeugnis im Anhang)
- seit 01.01.2013: Feddersen - Mitarbeiter im Marketing

b 2 | 21-22 **Hören Sie das Gespräch des Vertriebsleiters, Herrn Seibt, mit der Personalchefin, Frau Deuz. Welche Person wollen sie zum Vorstellungsgespräch einladen?**

c **Hören Sie das Gespräch noch einmal. Gibt es Unterschiede zu den Gründen für Ihre Auswahl in 2a? Welche? Heften Sie Ihre Karten an die Wand und berichten Sie im Kurs.** › ÜB: A3

B Hard Skills und Soft Skills

1 Wie sollten gute Mitarbeiter sein? – „Soft Skills“ – die 10 wichtigsten Eigenschaften

a 2|23 **Hören Sie Teil 1 von Phongs Gespräch mit einer ehemaligen Studienkollegin. Worum geht es?**

Um die Vorbereitung a. ☐ von Phongs Bewerbung. b. ☒ auf das Vorstellungsgespräch.

b **Lesen Sie die Wörter und ordnen Sie sie den Erklärungen zu.** › ÜB: B1

1. ausdauernd	A. Man ist bereit, viel zu leisten.	1. C
2. belastbar	B. Man kann mit Menschen aus anderen Kulturen gut umgehen.	2. ___
3. ergebnisorientiert	C. Man kann lange Zeit an einer Sache arbeiten.	3. ___
4. flexibel	D. Man hat bei der Arbeit immer das Ziel im Blick.	4. ___
5. interkulturell kompetent	E. Man kann gut mit anderen zusammenarbeiten.	5. ___
6. leistungsbereit	F. Man arbeitet effektiv, um zu einem guten Resultat zu kommen.	6. ___
7. loyal	G. Man macht das, was man versprochen hat.	7. ___
8. zielorientiert	H. Man passt sich gut an verschiedene / neue Situationen an.	8. ___
9. zuverlässig	I. Man ist treu. Die Kollegen / Chefs vertrauen der Person.	9. ___
10. teamfähig	J. Man kann auch unter viel Stress seine Aufgaben erfüllen.	10. ___

c 2|24–25 **Hören Sie Teil 2 des Gesprächs. Welche Beispiele nennt Phong für Eigenschaften in 1b? Kreuzen Sie an.**

1. zielorientiert, ergebnisorientiert: Er hat die Weiterbildung zum „Geprüften Fachberater im Vertrieb“ gemacht, während er schon voll gearbeitet hat. ☒
2. leistungsbereit, belastbar: Nachdem er auf einer Messe den ganzen Tag am Stand gestanden hatte, hat er noch bis 24:00 Uhr Kundengespräche geführt. ☐
3. ausdauernd: Er hatte eine Teambesprechung, bevor die Messe öffnete. Danach arbeitete er noch den ganzen Tag am Stand. ☐
4. flexibel: Als er eine Dienstreise schon komplett geplant hatte, musste er sie absagen, um ein dringenderes Projekt eines Kollegen zu übernehmen. ☐
5. zuverlässig, loyal: Er hat das Projekt des Kollegen sehr erfolgreich beendet. ☐
6. interkulturell kompetent: Er ist mit einer vietnamesischen Mutter und einem deutschen Vater aufgewachsen. ☐

d **Sammeln Sie in Gruppen Beispiele für die Soft Skills in 1b.**

e **Welche „Soft Skills“ aus 1b haben Sie oder eine Person, die Sie kennen? Welche „Soft Skills“ findet man in Ihrem Land besonders wichtig? Sprechen Sie mit einem Partner / einer Partnerin und präsentieren Sie dann ein oder zwei Beispiele im Kurs.**

2 Grammatik auf einen Blick: Nebensätze – vorher, zur gleichen Zeit, nachher? › G: 1.2, 4.2, 4.4

a **Markieren Sie in 1c die Nebensätze mit „nachdem“ / „als“, „während“ und „bevor“.**

b **Lesen Sie die markierten Nebensätze. Wann findet die Handlung statt: vor oder nach der Handlung im Hauptsatz oder gleichzeitig?**

c Kreuzen Sie nun in den Regeln an. › ÜB: B2–4

G

1. Nebensätze mit „während" drücken eine Handlung aus, die
   a. ☐ zur gleichen Zeit wie   b. ☐ später als   die Handlung im Hauptsatz stattfindet.
2. In Nebensätzen mit „nachdem" steht die Handlung, die
   a. ☐ vor   b. ☐ nach   der Handlung im Hauptsatz stattfindet.
3. In Nebensätzen mit „bevor" steht die Handlung, die
   a. ☐ vor   b. ☐ nach   der Handlung im Hauptsatz stattfindet.
4. „als" + Plusquamperfekt hat
   a. ☐ dieselbe Bedeutung wie   b. ☐ eine andere Bedeutung als   „nachdem" + Plusquamperfekt.

3 Über seine Fachkenntnisse und seinen beruflichen Werdegang sprechen

a Lesen Sie Phongs Notizen für seine Selbstpräsentation und formulieren Sie sie in ganzen Sätzen. Verwenden Sie Nebensätze mit „nachdem"/„als", „bevor" und „während" und die Verben und Ausdrücke unten. Vergleichen Sie dann Ihre Sätze mit einem Partner/einer Partnerin.

1. nach Abitur (2005) – Ausbildung zum „Außenhandelsassistenten", ABS GmbH, Bonn
2. während Ausbildung im Bereich „Kunststoffe" – verschiedene Abteilungen kennengelernt
3. nach Abschluss Ausbildung (2007) – Festanstellung bei ABS
4. während Tätigkeit dort – viel über Kunststoffe gelernt
5. vor Wechsel in Vertrieb (2010) – Weiterbildung zum „Geprüften Fachberater im Vertrieb" bei IHK
6. nach Abschluss Weiterbildung zum „Geprüften Fachberater im Vertrieb" (2009) – Fernstudium an der Hamburger Akademie
7. vor Wechsel zu Feddersen – 2012 Abschluss Fernstudium mit Diplom „Staatlich geprüfter Betriebswirt" (2012), Schwerpunkte „Marketing, Absatzwirtschaft"

Abitur machen | eine Ausbildung / eine Weiterbildung / ein Fernstudium beginnen / abschließen / machen | eine Festanstellung erhalten | tätig sein | arbeiten in | wechseln in / zu

Nachdem / Als ich 2005 das Abitur gemacht hatte, habe ich eine Ausbildung zum „Außenhandels-assistenten" bei der ABS GmbH in Bonn begonnen. Während ich meine Ausbildung im Bereich „Kunststoffe" gemacht habe, habe ich ...

b Fach- und sonstige Kenntnisse. Fragen und antworten Sie. Partner A: Datenblatt A9, Partner B: Datenblatt B9.

c Machen Sie Notizen zu Ihren eigenen (Fach-)Kenntnissen und / oder allgemeinen Kenntnissen (z. B. Sprachkenntnisse) und zu beruflichen Erfahrungen (z. B. Jobs, Praktika).

d Interviewen Sie sich gegenseitig und fragen Sie nach Ihren Kenntnissen und beruflichen Erfahrungen. › ÜB: B5

- Schulabschluss?
- Ausbildung?
- Sprachen?
- Auslandserfahrung?
- Praktika?
- Berufserfahrung?

Ich habe ... | Nachdem ich ... abgeschlossen hatte, habe ich / bin ich ... | Bevor ich ... | Ich spreche ... | Ich war ... Wochen / Monate / Jahre in ... | Dort habe ich ... | Während ... | Ich habe bei ... ein Praktikum gemacht. | Ich bin ... | Ich arbeite seit ... in / bei ... | Ich war ... (Zeit) ... in ... (Ort). Dort habe ich ...

▶ Welchen Schulabschluss hast du?
▶ Ich habe Abitur.
▶ Was hast du nach der Schule gemacht?
▶ ...

C Die Selbstpräsentation

1 Bewerbung mit Erfolg – Tipps für die Selbstpräsentation

a Lesen Sie die Tipps einer Bewerbungsberaterin für die Vorbereitung einer Selbstpräsentation. Markieren Sie die Informationen, die neu oder wichtig für Sie sind.

1. Wer bin ich und was kann ich?

Wichtig: Schreiben Sie zuerst einen Ablaufplan. Denken Sie dabei an eine kurze Geschichte. Ihre Präsentation sollte vier bis acht Minuten lang sein. Kürzen Sie sie dann ggf. noch etwas, da sie oft nicht länger als fünf Minuten dauern darf.

a. Der Einstieg: Stellen Sie sich mit Ihrem Namen vor und beschreiben Sie Ihre aktuelle Situation. Überlegen Sie sich, wie Sie am besten beginnen, um das Interesse der Zuhörer zu wecken. Ein Beispiel: Eine Bewerberin aus Chile, die in Deutschland studiert hatte, stellte sich vor: „Ich sehe mich als Vermittlerin zwischen der chilenischen und der deutschen Kultur." Dann erzählte sie von ihrem Studium in Deutschland und ihren Praktika bei deutschen Unternehmen in Chile. Eine perfekte Verbindung. Wie können Sie beginnen und Ihre Präsentation mit „Ihrer Geschichte" verbinden?

b. Ihr Werdegang: Nennen Sie die wichtigsten Stationen Ihres Werdegangs.

- Wiederholen Sie nicht alle Phasen Ihrer Ausbildung – die hat der Arbeitgeber schon in Ihrem Lebenslauf gesehen, sondern konzentrieren Sie sich auf das Wichtigste für die neue Stelle.
- Sprechen Sie auch nicht lange über Soft Skills, die immer vorausgesetzt werden, wie „Zuverlässigkeit" oder „Lernbereitschaft", sondern nennen Sie nur ein oder zwei Beispiele für die Soft Skills, die in Ihrer Stellenausschreibung stehen und die besonders wichtig für die Stelle sind.
- Zählen Sie nicht zu viele Hobbys auf. Der Arbeitgeber könnte denken, dass Freizeit das Wichtigste für Sie ist. Nennen Sie z. B. eins, das Sie allein, und eins, das Sie zusammen mit anderen ausüben.

c. Ihre Erfolge: Welche Erfolge hatten Sie bisher – beruflich, privat? Notieren Sie vier bis sechs Beispiele. Ordnen Sie die Erfolge nach Wichtigkeit: Welche passen besonders gut zur Stellenausschreibung?

2. Warum haben Sie sich beworben?

Betonen Sie, warum Sie sich gerade auf diese Stelle beworben haben. Zeigen Sie dabei, dass Sie sich ausführlich über den Arbeitgeber informiert haben und dass Sie gern dort arbeiten möchten.

3. Üben, üben, üben!

- Üben Sie vor dem Spiegel, mit Freunden. Und bitten Sie um Kritik! Suchen Sie Möglichkeiten, sich selbst zu präsentieren, z. B. auf einer Jobmesse, oder nutzen Sie den „Career Service" von Universitäten – dort gibt es Seminare zur Vorbereitung. Sprechen Sie frei, zunächst mithilfe Ihres Ablaufplans, dann ganz frei. Sie können Ihren Vortrag auch visuell unterstützen, z. B. mit einem Flipchart oder einer kleinen PowerPoint-Präsentation. Dies wird übrigens besonders bei Selbstpräsentationen in Assessment-Centern oft verlangt.
- Achten Sie auf die Körpersprache:
  Sitzhaltung: Sitzen Sie gerade und halten Sie den Kopf und den Oberkörper gerade, aber entspannt – sitzen Sie nicht wie zu Hause auf dem Sofa.
  Wenn Sie stehen: Stehen Sie gerade und halten Sie die Arme locker an der Seite.
  Hände: Halten Sie die Hände relativ ruhig, gestikulieren Sie nicht zu viel. Wenn Sie einen Stift halten, kann das helfen.
  Blickrichtung: Sehen Sie nicht nur Ihren Gesprächspartner an, sondern schauen Sie auch immer wieder die anderen Personen in der Runde an.
- Haben Sie keine Angst, über sich selbst zu sprechen! Das wird ja von Ihnen erwartet. Zeigen Sie Begeisterung: Ihre Gesprächspartner sollen merken, dass Sie sich für Ihr Studium, Ihre Arbeit, Ihre Projekte, Ihre Erfolge begeistern. Sprechen Sie also nicht zu sachlich und neutral, sondern zeigen Sie Ihre Freude und Ihr Engagement! So überzeugen Sie Ihre Gesprächspartner!
- Achten Sie auf die Zeit: Wenn Sie nur fünf Minuten haben, planen Sie für weniger als fünf Minuten! Vielleicht können Sie nicht alles sagen, was Sie wollten, aber halten Sie die Zeit ein! Geben Sie auch etwas Zeit für Fragen. Ein gutes Zeitmanagement ist eine wichtige Kompetenz im Berufsleben!

b Vergleichen Sie Ihre Markierungen mit denen eines Partners / einer Partnerin.

2 Tunnel durch Berge und unter Städten

Film | 3 **Sehen Sie sich den Unternehmensfilm von Implenia einmal ganz an. Welche Informationen gibt es zu den drei gezeigten Untertagebau-Projekten? Ordnen Sie zu.**

1. Gotthardt-Tunnel
2. Lötschberg-Tunnel
3. Zürich

A. Hier entsteht eine neue Verkehrsinfrastruktur.
B. Hier hat Implenia federführend mitgearbeitet.
C. Hier koordinierte Implenia 2.500 Partner und leitete den Ausbau der Bahntechnik.

1. ___
2. ___
3. ___

3 Das „Gotthard-Tunnel"-Quiz

a Lesen Sie die Antworten zu den Fragen 1 bis 5. Was, glauben Sie, ist richtig: a, b oder c? Kreuzen Sie an.

1. Wo liegt das Gotthard-Massiv?
   a. ☐ In Deutschland. b. ☐ In Österreich. c. ☐ In der Schweiz.

2. Der Gotthard-Tunnel ist der längste Tunnel der Welt. Wie lang ist er?
   a. ☐ 57 km. b. ☐ 37 km. c. ☐ 70 km.

3. Der Gotthard-Tunnel ist der tiefste Tunnel der Welt. Wie hoch ist der Berg über dem Tunnel?
   a. ☐ 1.428 m. b. ☐ 2.116 m. c. ☐ 2.500 m.

4. Wie lange hat es bis zum Zusammentreffen der beiden Tunnelteile gedauert?
   a. ☐ 5 Jahre. b. ☐ 14 Jahre. c. ☐ 24 Jahre.

5. Wie genau waren die Tunnelbohrungen?
   a. ☐ Perfekt: minimale Abweichung (unter 10 cm).
   b. ☐ Leichte Ungenauigkeit (zwischen 10 und 25 cm).
   c. ☐ Große Ungenauigkeit (zwischen 1 und 2 m).

b Film | 3 **Kontrollieren Sie Ihre Antworten. Sehen Sie sich dazu noch einmal den Film von Minute 0:40 bis zur Minute 1:20 an.**

4 Zürich – eine neue Verkehrsinfrastruktur

Lesen Sie die gekürzte Transkription von Minute 1:56 bis 2:30 und ergänzen Sie die fehlenden Wörter.

Erfolg | Stadt | ~~Millionen~~ | Verkehrswege | Projekt

Wir schaffen Infrastruktur für [1] *Millionen* ________ von Menschen, ob [2] ________ oder Kanalsysteme für Wasser und Energie. Nur knapp unter der [3] ________ Zürich entsteht die neue Verkehrsinfrastruktur. Ein [4] ________, bei welchem der Verbund von Tunnelling, Microtunnelling und unseren Special Foundation Services zum [5] ________ führt.

A Beruflicher Neuanfang

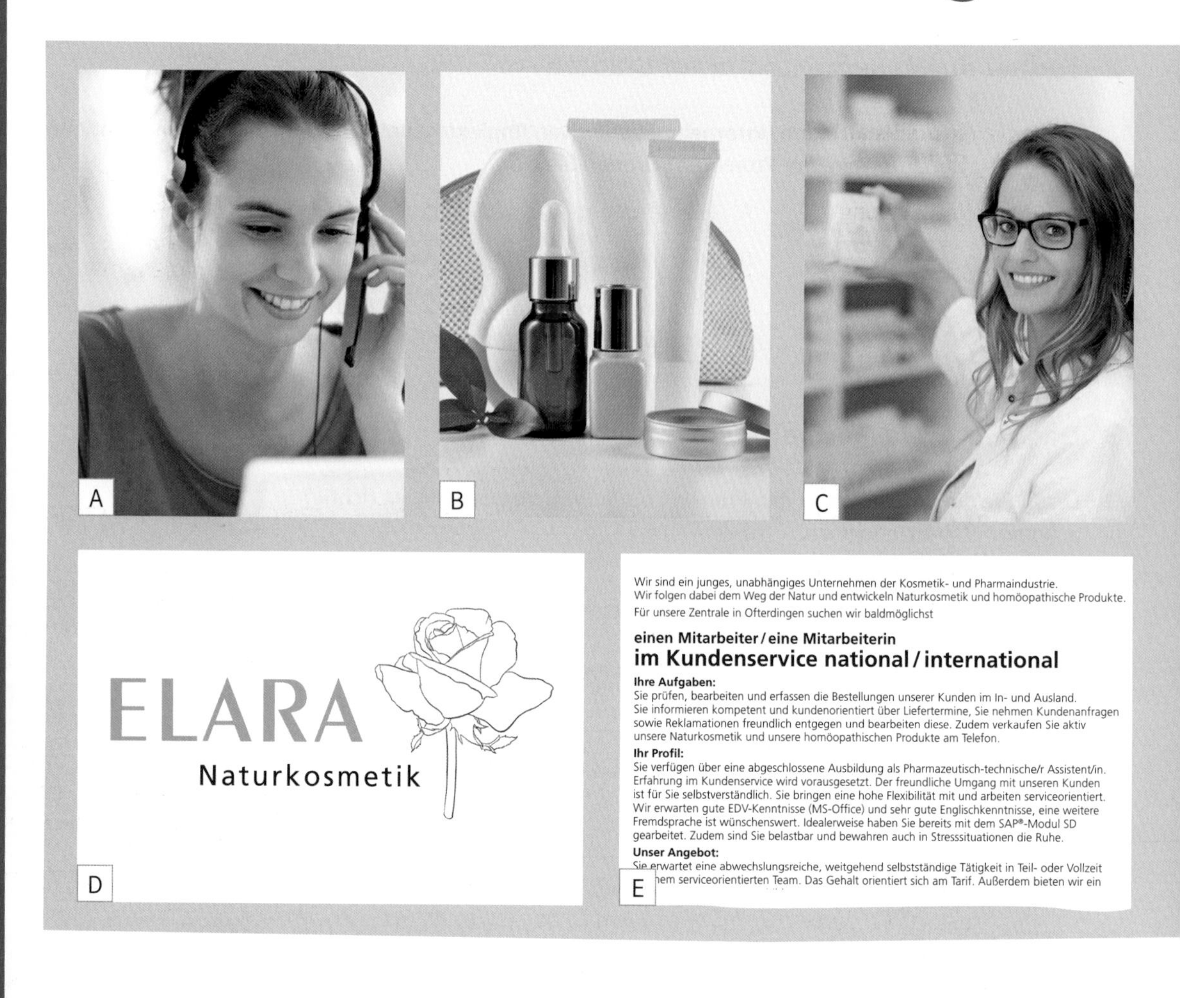

Wir sind ein junges, unabhängiges Unternehmen der Kosmetik- und Pharmaindustrie.
Wir folgen dabei dem Weg der Natur und entwickeln Naturkosmetik und homöopathische Produkte.
Für unsere Zentrale in Ofterdingen suchen wir baldmöglichst

einen Mitarbeiter / eine Mitarbeiterin
im Kundenservice national / international

Ihre Aufgaben:
Sie prüfen, bearbeiten und erfassen die Bestellungen unserer Kunden im In- und Ausland. Sie informieren kompetent und kundenorientiert über Liefertermine, Sie nehmen Kundenanfragen sowie Reklamationen freundlich entgegen und bearbeiten diese. Zudem verkaufen Sie aktiv unsere Naturkosmetik und unsere homöopathischen Produkte am Telefon.

Ihr Profil:
Sie verfügen über eine abgeschlossene Ausbildung als Pharmazeutisch-technische/r Assistent/in. Erfahrung im Kundenservice wird vorausgesetzt. Der freundliche Umgang mit unseren Kunden ist für Sie selbstverständlich. Sie bringen eine hohe Flexibilität mit und arbeiten serviceorientiert. Wir erwarten gute EDV-Kenntnisse (MS-Office) und sehr gute Englischkenntnisse, eine weitere Fremdsprache ist wünschenswert. Idealerweise haben Sie bereits mit dem SAP®-Modul SD gearbeitet. Zudem sind Sie belastbar und bewahren auch in Stresssituationen die Ruhe.

Unser Angebot:
Sie erwartet eine abwechslungsreiche, weitgehend selbstständige Tätigkeit in Teil- oder Vollzeit [illegible] serviceorientierten Team. Das Gehalt orientiert sich am Tarif. Außerdem bieten wir ein

1 Ein Neuanfang

a 2|31 **Sehen Sie sich die Bilder oben an und hören Sie das Telefongespräch zwischen Clara Vinoli und ihrer Freundin Marike. Ordnen Sie dann die Bilder den Stichpunkten zu.**

1. frühere Tätigkeit Foto: ___
2. gewünschte Tätigkeit Foto: ___
3. Stellenanzeige Foto: ___
4. Firma Foto: ___
5. Produkte Foto: ___

b **Hören Sie das Telefongespräch noch einmal. Was ist richtig (r), was ist falsch (f)? Kreuzen Sie an.**

		r	f
1.	Clara Vinoli möchte nach Deutschland zurückkehren.	☒	☐
2.	Sie sucht eine Stelle in ihrer Heimatregion.	☐	☐
3.	Sie kommt im Winter zurück.	☐	☐
4	Sie hat eine Anzeige einer bekannten Firma gesehen.	☐	☐
5.	Sie möchte eine volle Stelle.	☐	☐

c **Haben Sie beruflich schon einmal neu angefangen? Berichten Sie im Kurs.**

2 Stellenanzeigen und ihre Bestandteile verstehen

Lesen Sie die Stellenanzeige. Aus welchen Teilen besteht sie? Notieren Sie die Nummern. › ÜB: A1

1. Arbeitsort
2. Stellenbezeichnung
3. Firmenname
4. Beschreibung der Tätigkeiten
5. Kontaktdaten
6. Einstellungstermin
7. Arbeitszeitmodell
8. Bewerbung an …
9. Leistungen des Unternehmens
10. Informationen über das Unternehmen
11. Formale Qualifikationen und persönliche Kompetenzen

10 Wir sind ein junges, unabhängiges Unternehmen der Kosmetik- und Pharmaindustrie. Wir folgen dabei dem Weg der Natur und entwickeln Naturkosmetik und homöopathische Produkte.

__ __ Für unsere Zentrale in Ofterdingen suchen wir baldmöglichst

einen Mitarbeiter / eine Mitarbeiterin

__ **im Kundenservice national / international**

__ **Ihre Aufgaben:**
Sie prüfen, bearbeiten und erfassen die Bestellungen unserer Kunden im In- und Ausland. Sie informieren kompetent und kundenorientiert über Liefertermine, Sie nehmen Kundenanfragen sowie Reklamationen freundlich entgegen und bearbeiten diese. Zudem verkaufen Sie aktiv unsere Naturkosmetik und unsere homöopathischen Produkte am Telefon.

__ **Ihr Profil:**
Sie verfügen über eine abgeschlossene Ausbildung als Pharmazeutisch-technische/r Assistent/in. Erfahrung im Kundenservice wird vorausgesetzt. Der freundliche Umgang mit unseren Kunden ist für Sie selbstverständlich. Sie bringen eine hohe Flexibilität mit und arbeiten serviceorientiert. Wir erwarten gute EDV-Kenntnisse (MS-Office) und sehr gute Englischkenntnisse, eine weitere Fremdsprache ist wünschenswert. Idealerweise haben Sie bereits mit dem SAP®-Modul SD gearbeitet. Zudem sind Sie belastbar und bewahren auch in Stresssituationen die Ruhe.

__ **Unser Angebot:**
__ Sie erwartet eine abwechslungsreiche, weitgehend selbstständige Tätigkeit in Teil- oder Vollzeit in einem serviceorientierten Team. Das Gehalt orientiert sich am Tarif. Außerdem bieten wir ein 13. Monatsgehalt und Fortbildungen.

__ Senden Sie bitte Ihre vollständigen Bewerbungsunterlagen per E-Mail an Herrn Klement: personal@elara-naturkosmetik.de.

__
__

Elara Naturkosmetik GmbH
Paulinenstr. 194
72131 Ofterdingen
www.elara-naturkosmetik.de

3 Telefonisch nachfragen

a 2|32 **Hören Sie das Telefongespräch von Clara Vinoli mit Herrn Klement von der Elara Naturkosmetik GmbH. Beantworten Sie die Fragen.**

1. Welches terminliche Problem hat Clara Vinoli?
2. Welche Voraussetzung fehlt ihr?
3. Was schlägt Herr Klement von der Personalabteilung vor?
4. Was möchte Clara Vinoli noch wissen?

b Sie haben eine Stellenanzeige gelesen. Rufen Sie an und erfragen Sie fehlende Informationen. Partner A: Datenblatt A10, Partner B: Datenblatt B10. › ÜB: A2

B Der Lebenslauf

1 Der Lebenslauf von Clara Vinoli

a **Lesen Sie den Lebenslauf von Clara Vinoli auf der rechten Seite und ordnen Sie die Angaben zu.** › ÜB: B1

Berufserfahrung | Ausbildung & Schule | ~~Persönliche Angaben~~ | Sprachkenntnisse | Interessen | EDV-Kenntnisse | Fort-/Weiterbildung

b **Wissenswertes zum Lebenslauf in Deutschland. Überprüfen Sie die Aussagen 1 bis 10 mithilfe des Lebenslaufs. Was ist richtig (r), was ist falsch (f)? Kreuzen Sie an.**

		r	f
1.	Zu den persönlichen Angaben zählt auch der Familienstand.	☒	☐
2.	Der Lebenslauf ist vollständig chronologisch aufgebaut und beginnt mit den ältesten Daten.	☐	☐
3.	Die Berufserfahrung steht vor der Ausbildung.	☐	☐
4.	In der Kategorie „Berufserfahrung" nennt man keine Tätigkeiten.	☐	☐
5.	Bei Berufserfahrung, Ausbildung und Weiterbildung nennt man auch den Namen und Ort der Firma bzw. Institution.	☐	☐
6.	Zeiträume gibt man nur in Jahren an.	☐	☐
7.	Man nennt die Computerprogramme, die man beherrscht.	☐	☐
8.	Fremdsprachenkenntnisse werden mit der Niveaustufe angegeben.	☐	☐
9.	Interessen und Hobbys, die zur Stelle passen, werden im Lebenslauf angegeben.	☐	☐
10.	Am Ende des Lebenslaufs steht nur die Unterschrift.	☐	☐

c **Schickt man in Ihrem Heimatland auch einen Lebenslauf mit, wenn man sich bewirbt? Wenn ja, wie sieht der Lebenslauf aus? Was ist gleich / anders als in Deutschland?**

2 Den Lebenslauf an die Stelle anpassen

a **Lesen Sie den Tipp rechts und sehen Sie sich unten die Zertifikate von Clara Vinoli an. Welche Weiterbildung, die für die Stelle wichtig ist, hat sie im Lebenslauf vergessen: A oder B?**

b **Formulieren Sie für Clara Vinolis Lebenslauf einen Eintrag zur Weiterbildung, die dort fehlt.**

TIPP

Ihren Lebenslauf sollten Sie immer an di ausgeschriebene Stelle anpassen. Achte Sie darauf, was verlangt wird, und ergän Sie notwendige Qualifikationen und Informationen oder lassen Sie welche w Beschreiben Sie wichtige Informationen für die Stelle ausführlicher, nennen Sie zum Beispiel wichtige Tätigkeiten oder Schwerpunkte einer Tätigkeit.

A

Zertifikat

Fachberater/in für Homöopathie

Kursthemen der 5-tägigen Weiterbildung:
- Einführung in die Homöopathie
- Herstellung homöopathischer Mittel
- die homöopathische Reiseapotheke
- homöopathische Behandlung von Erkrankungen

DHN e. V.
Reuchlinstr. 96
70178 Stuttgart

15.11.2010

B

Teilnahmebescheinigung

Bildbearbeitung mit Photoshop

Inhalte:
- Techniken zur Bildoptimierung
- Retusche-Techniken
- Anfertigen von Bildausschnitten
- Erstellung von Bildmontagen

EDV-Schulungen Zens
Schellingstr. 145
72072 Tübingen

3 Mein Lebenslauf

Schreiben Sie Ihren eigenen Lebenslauf nach dem Modell von Clara Vinoli. Die Übungen im Übungsbuch helfen. Beachten Sie auch den Tipp in 2. Besprechen Sie dann Ihren Lebenslauf mit einem Partner / einer Partnerin. › ÜB: B2

Lebenslauf Clara Vinoli

Persönliche Angaben

Name	**Clara Vinoli**
Adresse	Via Aosta 98, 38122 Trento, Italien
Mobil	+39 151 2857489
E-Mail	c.vinoli@xpu.it
Geburtsdatum	geb. 14.04.1987 in Reutlingen
Familienstand	verheiratet, 1 Kind (ledig - single)

seit 01/2015	Elternzeit
seit 01/2012	PTA in der „Linden-Apotheke" in Reutlingen • Beratung von Kunden • Bearbeitung von Bestellungen • Verwaltung und Organisation des Lagers • Herstellung von Arzneimitteln, Tees und Naturkosmetik (Cremes / Salben)
09/2006 – 12/2011	PTA in der Apotheke vom Krankenhaus in Nürtingen • Beratung von Ärzten und Pflegepersonal • Belieferung der Krankenhausstationen mit Medizinprodukten • Verwaltung und Organisation des Lagers
05/2006 – 07/2006	dreimonatiges Praktikum in der Apotheke „Boccaccio", Trento, Italien

09/2003 – 04/2006	Ausbildung als Pharmazeutisch-technische Assistentin (PTA) am Berufskolleg für Chemie, Pharmazie und Umwelt in Stuttgart und in der „Apotheke mit Herz" in Tübingen Abschlussnote: gut
09/1997 – 07/2003	Besuch der Hölderlin-Realschule in Reutlingen Abschluss: Mittlere Reife
08/2002	4-wöchiges Schülerpraktikum in der „Malteser-Apotheke" in Metzingen

06/2012	Zusatzqualifikation zur „Fach-PTA für Allgemeinpharmazie" von der Bayerischen Landesapothekenkammer (6 Wochenenden Präsenzkurs + Selbststudium)

Microsoft Office	sehr gut

Deutsch	Muttersprache
Italienisch	Muttersprache
Englisch	B2
Französisch	B1

Aromatherapie, Naturheilverfahren

Trento, 11. September 2016

Clara Vinoli

TIPP

Es ist in Deutschland, Österreich und in der Schweiz (noch) üblich, sich mit einem Foto zu bewerben. Das Foto ist ein „Bewerbungsfoto", es wird extra für Bewerbungen gemacht. Sie müssen es von einem Fotografen machen lassen. Es darf kein privates Foto sein.

C Das Anschreiben

1 Vorbereitung: Die Stellenanzeige gründlich lesen

Lesen Sie die Stellenanzeige noch einmal. Markieren Sie die Sätze, zu denen Sie in einem Bewerbungsanschreiben unbedingt etwas schreiben müssen. Begründen Sie Ihre Markierungen.

Wir sind ein junges, unabhängiges Unternehmen der Kosmetik- und Pharmaindustrie.
Wir folgen dabei dem Weg der Natur und entwickeln Naturkosmetik und homöopathische Produkte.
Für unsere Zentrale in Ofterdingen suchen wir baldmöglichst

einen Mitarbeiter / eine Mitarbeiterin
5 **im Kundenservice national / international**

Ihre Aufgaben:
Sie prüfen, bearbeiten und erfassen die Bestellungen unserer Kunden im In- und Ausland.
Sie informieren kompetent und kundenorientiert über Liefertermine, Sie nehmen Kundenanfragen sowie Reklamationen freundlich entgegen und bearbeiten diese. Zudem verkaufen Sie aktiv
10 unsere Naturkosmetik und unsere homöopathischen Produkte am Telefon.

Ihr Profil:
Sie verfügen über eine abgeschlossene Ausbildung als Pharmazeutisch-technische/r Assistent/in. Erfahrung im Kundenservice wird vorausgesetzt. Der freundliche Umgang mit unseren Kunden ist für Sie selbstverständlich. Sie bringen eine hohe Flexibilität mit und arbeiten serviceorientiert.
15 Wir erwarten gute EDV-Kenntnisse (MS-Office) und sehr gute Englischkenntnisse, eine weitere Fremdsprache ist wünschenswert. Idealerweise haben Sie bereits mit dem SAP®-Modul SD gearbeitet. Zudem sind Sie sehr belastbar und bewahren auch in Stresssituationen die Ruhe.

Unser Angebot:
Sie erwartet eine abwechslungsreiche, weitgehend selbstständige Tätigkeit in Teil- oder Vollzeit
20 in einem serviceorientierten Team. Das Gehalt orientiert sich am Tarif. Außerdem bieten wir ein 13. Monatsgehalt und Fortbildungen.

Senden Sie bitte Ihre vollständigen Bewerbungsunterlagen per E-Mail an Herrn Klement:

„baldmöglichst" heißt: Hier muss man schreiben, ab wann man mit der Arbeit beginnen kann.

2 Stellenanzeige analysieren – Anschreiben formulieren

a **Lesen Sie auf der rechten Seite das Bewerbungsanschreiben von Clara Vinoli. Welcher Abschnitt des Anschreibens bezieht sich auf welchen Abschnitt oder welche Aussage in der Stellenanzeige oben?**

Der Abschnitt 1 des Anschreibens passt zur Stellenbezeichnung, Zeile 4–5 in der Anzeige.

TIPP
Im Bewerbungsanschreiben müssen Sie sich klar auf die Stellenanzeige beziehen. Daz müssen Sie die Anzeige gut lesen. Das Anschreiben ist wi ein formeller Brief aufgebaut Es sollte nicht länger als eine Seite sein.

b **Kennt man in Ihrem Heimatland Bewerbungsanschreiben? Wenn ja, wie sehen sie aus? Was ist gleich / anders als in Deutschland?**

c **Markieren Sie im Bewerbungsanschreiben von Clara Vinoli die Sätze und Redemittel, die Sie in einem eigenen Anschreiben verwenden können.**

d **Formulieren Sie ein eigenes Anschreiben. Die Übungen im Übungsbuch helfen. Vergleichen und korrigieren Sie dann Ihr Anschreiben mit einem Partner / einer Partnerin. Sammeln Sie anschließend gelungene Formulierungen aus den Anschreiben anderer Kursteilnehmer und erstellen Sie eine Kopiervorlage für alle.** › ÜB: C1–4

CLARA VINOLI
Via Aosta 98 – 38122 Trento – Italien
Mobil: +39 151 2857489 – E-Mail: c.vinoli@xpu.it

Elara Naturkosmetik GmbH
Personalabteilung
Herrn Klement
Paulinenstr. 194
72131 Ofterdingen
Deutschland

Trento, 11.09.2016

1 **Bewerbung als Mitarbeiterin im Kundenservice national / international**
Ihre Anzeige auf Ihrer Webseite

2 Sehr geehrter Herr Klement,

3 wie bereits telefonisch besprochen, übersende ich Ihnen hiermit meine Bewerbung. Sie suchen eine Mitarbeiterin, die nationale und internationale Kunden berät und auch Bestellungen prüft und bearbeitet.

4 Als ausgebildete PTA mit acht Jahren Berufserfahrung in einer öffentlichen und in einer Krankenhausapotheke bringe ich beide Qualifikationen mit: Eine qualifizierte Kundenberatung halte ich für sehr wichtig, sie macht mir viel Spaß und wurde von den Kunden immer sehr geschätzt. Zu meinen Aufgaben zählten außerdem die Bearbeitung und Bestellung von Arznei- und Heilmitteln.

5 2010 habe ich mich zur Fachberaterin für Homöopathie weitergebildet, da ich mich sehr für Naturheilverfahren und Naturkosmetik interessiere. Daher begeistert mich auch die Philosophie Ihrer Firma – ein wesentlicher Grund für meine Bewerbung. Übrigens benutze ich die Produkte Ihrer Firma auch selbst.

6 Für die Arbeit mit internationalen Kunden bringe ich umfangreiche Sprachkenntnisse mit: Da ich zweisprachig aufgewachsen bin, spreche ich fließend Italienisch. Zudem habe ich das letzte Jahr in Italien gelebt und habe im Jahr 2006 aus eigenem Interesse ein Praktikum in einer italienischen Apotheke absolviert: Die Arbeitsweise und Abläufe in einer italienischen Apotheke sind mir daher gut vertraut. Zudem spreche ich sehr gut Englisch und gut Französisch.

7 Freundlichkeit, Organisationstalent, Flexibilität und Stresstoleranz zählen zu meinen Eigenschaften. Diese habe ich bereits in meinen vorigen Tätigkeiten bewiesen, wie Sie meinen Zeugnissen im Anhang entnehmen können.

8 Ich möchte mich nach meiner Elternzeit nun gern beruflich weiterentwickeln und suche nach neuen Herausforderungen. Die Tätigkeit im Kundenservice Ihrer Firma würde mir die Möglichkeit geben, mein Verständnis für die Bedürfnisse von Kunden einzubringen und meine Sprachkenntnisse und meine Auslandserfahrung in der Praxis anzuwenden.

9 Gern möchte ich zwischen 20 und 30 Stunden arbeiten. Allerdings kann ich erst ab dem 1. Januar anfangen, da ich erst Ende Dezember nach Deutschland zurückkehre.

10 Für alle weiteren Auskünfte stehe ich Ihnen gern in einem persönlichen Gespräch zur Verfügung.

Mit freundlichen Grüßen

Clara Vinoli

Clara Vinoli

Anlagen

TIPP

Zu vollständigen Bewerbungsunterlagen gehören in Deutschland, Österreich und in der Schweiz: das Bewerbungsanschreiben, der Lebenslauf, die Diplome / Abschlüsse und Arbeitszeugnisse und ggf. auch eine Referenzliste – in dieser Reihenfolge. Bei einer Bewerbung per Post heftet man alles in eine Mappe. Bei einer Mappe kommt auf den Lebenslauf noch ein Deckblatt; das Anschreiben wird nicht in die Mappe geheftet. Bei einer Bewerbung per E-Mail hängen Sie alle Dokumente (Anschreiben, Lebenslauf, Diplome und Arbeitszeugnisse) als pdf-Dokumente an.

D Moderne Stellensuche

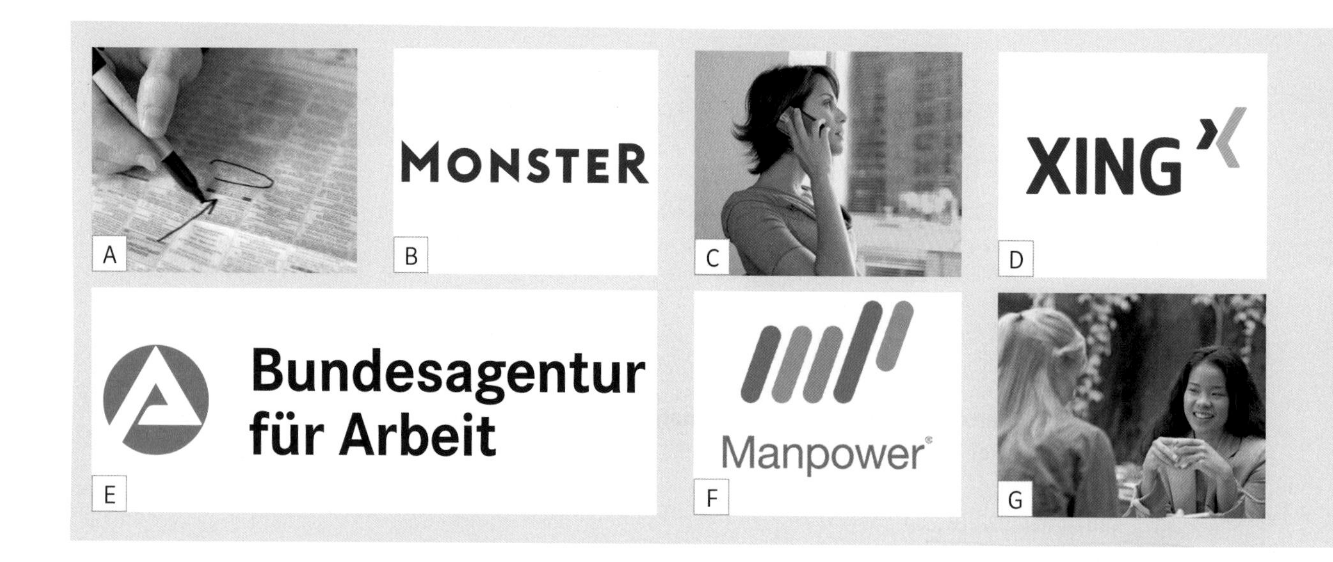

1 Möglichkeiten der Stellensuche

a **Zu welcher Strategie der Stellensuche gehören die Möglichkeiten oben? Ordnen Sie die Bilder zu. Zweimal passen zwei Bilder.** › ÜB: D1

1. Jobbörse Bild: B, ___
2. Professionelle Netzwerke Bild: ___
3. Private Jobvermittler / Zeitarbeit Bild: ___
4. Staatliche Vermittlungsagenturen Bild: ___
5. Printmedien Bild: ___
6. Informelle Strategien Bild: ___

b **Welche Möglichkeiten der Stellensuche kennen Sie? Sprechen Sie im Kurs und sammeln Sie weitere Beispiele.**

2 Nicht den Kopf hängen lassen!

2 | 33 **Hören Sie das Telefongespräch zwischen Clara und ihrer Freundin Marike und beantworten Sie die Fragen.**

1. Warum ruft Marike an?
2. Warum hat Clara die Stelle nicht bekommen?
3. Welche anderen Möglichkeiten, eine Stelle zu finden, schlägt Marike vor?
4. Welche Idee hat Clara?

3 Grammatik auf einen Blick: Nebensätze mit „seitdem" und „bis" › G: 4.2, 4.4

Lesen Sie die Sätze aus dem Telefongespräch und ergänzen Sie dann die Regeln. › ÜB: D2–3

1. Seitdem die Absage kam, habe ich keine Motivation mehr, nach anderen Stellen zu schauen.
2. Ich habe noch nie Jobanfragen bekommen, bis ich mich bei XING registriert habe.
3. Seitdem ich dort ein Profil habe, kommen immer mal Angebote.
4. Bis du eine andere Stelle findest, dauert es sicher nicht lange.

G

1. Nebensätze mit „seitdem" drücken aus: Eine Zeitspanne von einem Zeitpunkt
   a. ☐ bis jetzt: • → jetzt b. ☐ bis zu einem späteren Zeitpunkt (in der Vergangenheit oder Zukunft): • → •
2. Nebensätze mit „bis" drücken aus: Eine Zeitspanne von einem Zeitpunkt
   a. ☐ bis jetzt: • → jetzt b. ☐ bis zu einem späteren Zeitpunkt (in der Vergangenheit oder Zukunft): • → •

4 Erfolgreiche Stellensuche und Bewerbung

a Lesen Sie die Tipps für die Bewerbung per E-Mail und formulieren Sie, was man nicht tun sollte. Welche Tipps haben Sie noch? Sammeln Sie im Kurs.

Wenn man sich auf eine Stellenanzeige per E-Mail bewirbt, sollte man folgende Regeln beachten: Eine E-Mail-Adresse aus Zahlen- und Buchstabenkombinationen, mit einem Spitznamen oder nur mit Vornamen wirkt auf den Empfänger leicht unseriös. Richten Sie daher eine E-Mail-Adresse mit Ihrem Vor- und Nachnamen ein, z. B. m.mustermann@web.de oder max_mustermann@web.de. Formulieren Sie die Betreffzeile so, dass der Empfänger den Grund Ihres Schreibens erkennt, z. B. „Bewerbung als X" oder „Ihre Stellenanzeige in Y". Auch im Text der E-Mail müssen Sie deutlich machen, dass es sich um eine Bewerbung handelt, so können Sie z. B. schreiben: „Anbei sende ich Ihnen meine Bewerbungsunterlagen auf Ihre Stellenanzeige in Y." Außerdem sollte die E-Mail alle Ihre Kontaktdaten enthalten. Und Achtung: Beim schnellen Tippen kommt es leicht zu Fehlern, lesen Sie Ihren E-Mail-Text daher sorgfältig Korrektur – besser zweimal als nur einmal! Fügen Sie Ihrer E-Mail Ihr Bewerbungsanschreiben, den Lebenslauf und alle relevanten Zeugnisse bei. Schicken Sie diese Dokumente als pdf, damit sie der Empfänger in jedem Fall öffnen und lesen kann, und achten Sie darauf, dass die E-Mail maximal zwei Megabytes umfasst, damit sie das System des Empfängers nicht belastet.

b Mit welcher Strategie waren Sie bei Ihrer letzten Jobsuche erfolgreich? Erstellen Sie eine Statistik im Kurs.

Aussprache

1 Silbentrennung

a Wo kann man Wörter trennen? Schauen Sie sich die Regeln an und lesen Sie die Beispielwörter.

So geht man vor	Beispiele
Welche Teilwörter von Komposita erkenne ich? → Man trennt immer an der Wortgrenze.	Stellenangebot → **Stellen-angebot** Lebenslauf → **Lebens-lauf**
Gibt es Vorsilben? → Man trennt die Vorsilben ab.	Bewerbung → **Be**-werbung verkaufen → **ver**-kaufen
Gibt es Nachsilben? → Man trennt die Nachsilben ab, - wenn sie mit einem Konsonanten anfangen. - wenn sie mit einem Vokal beginnen und der Wortteil davor auch mit einem Vokal endet. → Wenn eine Nachsilbe mit einem Vokal beginnt und die Silbe davor mit einem Konsonanten endet, trennt man den Konsonanten mit der Nachsilbe ab.	Gesundheit → Gesund-**heit** Tätigkeit → Tätig-**keit** beruflich → beruf-**lich** Feier → Fei-**er** Befreiung → Befrei-**ung** Mitarbeiter → Mitarbei-**ter** verkaufen → verkau-**fen** Bewerbung → Bewer-**bung**
Wo kann man noch trennen? → zwischen zwei Konsonanten → nach einem Vokal, wenn ein Konsonant und danach ein Vokal folgt	Fortbildungen → Fort-**bil**-dun-**gen** Englischkenntnisse → Eng-**lisch**-kennt-**nis**-se Flexibilität → Fle-**xi**-bi-**li**-tät national → na-**ti**-o-**nal**

b 2|34 **Hören Sie die Beispielwörter aus 1a und sprechen Sie sie nach.**

c 2|35 **Trennen Sie folgende Wörter. Die Regeln in 1a helfen. Hören Sie dann die Wörter und sprechen Sie sie nach. Klatschen Sie dabei die Silben.**

1. Aus | bil | dung
2. herstellen
3. abwechslungsreich
4. Reklamation
5. regional
6. bearbeiten
7. Qualifikation
8. selbstverständlich

E Schlusspunkt

Situation 1

▶ Person A

Sie sind Karim Melouki und suchen eine Stelle als Systemadministrator.
Eine Freundin von Ihnen hat erst vor Kurzem eine neue Stelle in dem Bereich gefunden.
Fragen Sie Ihre Freundin nach ihrer Bewerbungsstrategie.

▶ Person B

Sie sind Tatjana Fischer und arbeiten als Informatikerin. Sie haben vor Kurzem eine neue Stelle über XING gefunden.
Sie haben sich dort registriert und Ihr berufliches Profil erstellt. Dazu muss man, so wie im Lebenslauf, Ausbildung und Berufserfahrung, seine Tätigkeitswünsche und Schwerpunkte angeben. Außerdem gibt man Referenzen an, also die Adressen von Arbeitgebern, für die man gearbeitet hat.
So sind Sie in Kontakt zu Firmen und Personalberatern gekommen und haben ein Stellenangebot erhalten.
Ein Freund möchte wissen, wie die Stellensuche über XING ablief.

Situation beschreiben und nachfragen:

- ▶ Ich suche gerade eine Stelle als …
- ▶ Wie hast du … gefunden?
- ▶ Kannst du mir bitte sagen, wie …?
- ▶ Worauf muss ich noch achten? / Woran muss ich noch denken?

Abläufe beschreiben:

- ▶ Ich habe vor Kurzem …
- ▶ Ich habe mich bei … registriert.
- ▶ Dort habe ich ein … erstellt. Das ist so wie im …
- ▶ Man kann außerdem … angeben.
- ▶ Ich konnte so Kontakte mit … knüpfen und habe so …

Situation 2

▶ Person A

Sie sind Alexander Rust. Sie haben vor Kurzem eine neue Stelle über die Agentur für Arbeit gefunden. Sie informieren eine Bekannte, wie das Beratungsgespräch bei der Agentur für Arbeit abläuft:
Zu Beginn sagt man, was für eine Stelle man sucht und berichtet, wo man sich bereits beworben hat. Dann bespricht man seine Bewerbungsunterlagen.
Raten Sie ihr auch, worauf sie beim Gespräch achten soll:

- aktuelle und vollständige Unterlagen
- nach Möglichkeiten zur Weiterbildung fragen
- um Hilfe bei der Bewerbung bitten, z. B. Kostenerstattung
- einen neuen Termin vereinbaren

▶ Person B

Sie sind Tamara Toller und suchen eine Stelle als Verkäuferin. Sie haben einen Beratungstermin bei der Bundesagentur für Arbeit.
Ein Bekannter erzählt Ihnen, was dort passiert.
Sie stellen ihm Fragen zu den Unterlagen und zum Ablauf des Beratungsgesprächs.
Fragen Sie Ihren Bekannten auch, ob er Ihnen noch andere Ratschläge geben kann.

Situation beschreiben und nachfragen:

- ▶ Ich suche gerade eine Stelle als …
- ▶ Kannst du mir Tipps für den / das … geben? Wie läuft … ab?
- ▶ Und was passiert dann?
- ▶ Welche Unterlagen muss ich mitbringen?
- ▶ Worauf muss ich noch achten? / Woran muss ich noch denken?

Empfehlungen geben:

- ▶ Zu Beginn spricht man darüber, … Außerdem musst du berichten, wo …
- ▶ Dann …
- ▶ Bring unbedingt … mit und besprich …
- ▶ Achte darauf, dass …
- ▶ Es ist wichtig, dass du …
- ▶ Bitte auch um …
- ▶ Denke am Ende daran, …

Lektionswortschatz

Stellenanzeigen:
eine Stelle ausschreiben
eine Stellenanzeige
  schalten / aufgeben
eine Stelle besetzen
baldmöglichst
die Stellenbezeichnung, -en
die Einstellung *(hier nur Sg.)*
die Kontaktdaten *(nur Pl.)*
die Voraussetzung, -en
voraussetzen
Erfahrung haben in + *D*
der Umgang mit + *D*
selbstverständlich sein
  für + *A*
(die) Ruhe bewahren
die Stresssituation, -en
belastbar sein
bieten
erwarten
erwünscht
wünschenswert
mitbringen
verfügen über + *A*
idealerweise
das Gehalt, ¨-er
  Monatsgehalt
der Tarif, -e
  orientieren (sich) am T.
die Vergütung, -en
leistungsgerecht
abwechslungsreich
vollständig

Arbeitszeitmodelle:
die Vollzeit *(nur Sg.)*
  (in) V. arbeiten
die volle Stelle
die Teilzeit *(nur Sg.)*
  (in) T. arbeiten
die Kernarbeitszeit, -en

Lebenslauf:
die Angabe, -n
  persönliche Angaben
angeben
der Familienstand *(nur Sg.)*
ledig ≠ verheiratet
die Elternzeit, -en
die Berufserfahrung, -en
weiterbilden (sich) zu + *D*
die Institution, -en
die Kenntnis, -se
  EDV-Kenntnisse
  (hier nur Pl.)
  Sprachkenntnisse
  (hier nur Pl.)
  Fremdsprachenkenntnisse *(hier nur Pl.)*
fließend
in Wort und Schrift
die Muttersprache, -n
die Niveaustufe, -n
beherrschen
das Interesse, -n
der Zeitraum, ¨-e
chronologisch

Bewerbung:
das Anschreiben, -
  Bewerbungsanschreiben
ausgebildet
absolvieren
  ein Praktikum absolvieren
die Freundlichkeit *(hier nur Sg.)*
das Talent, -e
  Organisationstalent
die Toleranz *(nur Sg.)*
  Stresstoleranz
kommunikationsstark
die Referenz, -en
beifügen
relevant
die Bescheinigung, -en
  Teilnahmebescheinigung
das Arbeitszeugnis, -se
entnehmen
das Selbststudium, -studien
der Präsenzkurs, -e
das Bedürfnis, -se
die Motivation, -en
einbringen
umsetzen
halten für wichtig / unwichtig
vertraut sein jmdm.
jmdm. die Möglichkeit geben, … zu …
die Auskunft, ¨-e
zur Verfügung stehen
  für + *A*

Tätigkeiten:
anfertigen
die Anfertigung *(hier nur Sg.)*
dokumentieren
die Dokumentation, -en
erstellen
die Erstellung *(hier nur Sg.)*
verwalten
die Verwaltung *(hier nur Sg.)*
erfassen
entgegennehmen

Offizieller Brief:
der Absender, -
der Empfänger, -
die Anrede *(hier nur Sg.)*
der Betreff *(hier nur Sg.)*
die Betreffzeile *(hier nur Sg.)*
die Grußformel, -n
das Layout, -s
  einheitliches Layout
Ort und Datum *(hier nur Sg.)*
die Unterschrift, -en

Medizin:
die Apotheke, -n
das Arzneimittel, -
die Erkrankung, -en
die Homöopathie *(nur Sg.)*
homöopathisch
die Pharmazie *(nur Sg.)*
pharmazeutisch
die Therapie, -n
  Aromatherapie
das Verfahren, -
  Naturheilverfahren

Moderne Stellensuche:
die Jobbörse, -n
der Jobvermittler, -
die Vermittlungsagentur, -en
die Zeitarbeit *(nur Sg.)*
das Printmedium, -medien
registrieren (sich) bei + *D*
das Profil, -e
  ein P. erstellen

der Kontakt, -e
  in K. kommen mit + *D*
  K. knüpfen mit / zu +*D*
kontaktieren

Verben:
ablaufen
begründen
erfahren
erstatten
kündigen
schätzen
wirken (seriös ≠ unseriös)
weglassen
zählen zu + *D*
zurückkehren

Nomen:
der Neuanfang, ¨-e
die Bilanz, -en
das Megabyte, -s
der Spitzname, -n
die Umwelt *(hier nur Sg.)*

Adjektive:
bestimmt
formal
national ≠ international
telefonisch
terminlich
vorherig
weitgehend
wesentlich

Adverbien:
allerdings
anbei
hiermit
zudem

Redemittel:
den Kopf hängen lassen
es handelt sich um + *A*
Es liegt mir, … zu …
Der / Das / Die … liegt mir.
Einen Versuch ist es wert.
Das macht mir Sorgen.

A Branchen und Produkte

1 Deutsche Unternehmen: In welcher Branche sind sie tätig und was produzieren sie?

a Bilden Sie aus den Silben und dem Nomen „Industrie" Branchennamen und ordnen Sie sie den Produkten 1 bis 10 zu. › KB: A1b

[auto | be | bil | che | dungs | elek | ge | IT | ke | klei | kos | ma | me | mie | mit | mo | nah | phar | rungs | stahl | tel | tik | trän | tro

1. LKWs: die Automobilindustrie, -n
2. Hosen: ____________
3. Pflanzenschutzmittel: ____________
4. Computernetzwerke: ____________
5. Apfelsaft: ____________
6. Parfum: ____________
7. Zucker: ____________
8. Aspirin: ____________
9. Lampen: ____________
10. Blech: ____________

b Zu welcher Branche aus 1a gehören die Unternehmen? Formulieren Sie aus den Elementen Sätze. › KB: A1d

1. VW – gehören zu … – und – herstellen – Fahrzeuge
   VW gehört zur Automobilindustrie und stellt Fahrzeuge her.
2. SAP – gehören zu … – und – produzieren – Software
   ____
3. BASF – tätig sein in … – und – herstellen – z. B. Kunststoffe
   ____
4. ThyssenKrupp – arbeiten in … – und – produzieren – z. B. Verpackungsstahl
   ____
5. Bosch – tätig sein in … – und – herstellen – z. B. Produkte – für Haushalt – oder – Fahrzeugbau
   ____

B Wirtschaftsbereiche

1 Nomen und Verben › KB: B1b

BOSCH
Technik fürs Leben

a Ergänzen Sie die Ausdrücke mit den passenden Verben.

[ausüben | sein | decken | dienen | erbringen

1. den Bedarf decken
2. der Herstellung von Waren ____________
3. eine Dienstleistung ____________
4. eine Arbeit ____________
5. im Besitz eines Betriebs ____________

A. eine Arbeit für jemanden machen
B. tätig sein
C. das, was jemand braucht, liefern
D. es gehört einem Betrieb
E. das benutzt man für die Produktion

1. C
2. ___
3. ___
4. ___
5. ___

b Ordnen Sie die Bedeutung A bis E den Ausdrücken in 1a zu.

2 Was für ein Handwerk, was für Konsumgüter? › KB: B1b

a **Lesen Sie die Definition von Handwerk im Kursbuch 1B, 1b, noch einmal und ergänzen Sie das Diagramm. Notieren Sie auch Beispiele.**

Handwerk

1. produzierendes Handwerk	2. ______
a. Schokoladenherstellung (kleiner Betrieb)	a. ______
b. ______	b. ______

b **Erstellen Sie ein Diagramm wie in 2a für Konsumgüter und vergleichen Sie es mit einem Partner oder schauen Sie in den Lösungen nach.**

TIPP

Genitivendung „-es":
1. Immer bei Nomen im Maskulinum und Neutrum Singular auf „-s", „-ß", „-x", „-z", z. B. der Bus → des Buss**es**, der Gru**ß** → des Gruß**es** das Fa**x** → des Fax**es**, der Besit**z** → des Besitz**es**,
2. Öfter bei einsilbigen Nomen, z. B. die Leistung des Arzt**(e)s**, besonders wenn man das Wort dann besser aussprechen kann.

3 Wessen Dienstleistung? – Der Genitiv und die Ersatzform mit „von" › KB: B2 › G: 2.1

a **Lesen Sie den Tipp und die Regeln im Kursbuch 1B, 2, und ergänzen Sie den Genitiv in der richtigen Form.**

1. die Arbeit des Malers, die Beratung d___ Anwältin___, die Tätigkeit d___ Arzt___ und d___ Team___
2. die Bearbeitung d___ Aufträge, die Liste d___ Firmen, die Öffnungszeiten d___ Geschäfte
3. die Reparatur ein___ PKW___, das Streichen ein___ Wand___, der Bau ein___ Haus___
4. die Reparatur von PKW___, das Streichen von Wänd___, der Bau von Häuser___

b **Lesen Sie die E-Mail an die Geschäftsführerin eines Reisebüros. Was war das Hauptproblem?**

a. ☐ Der Mitarbeiter hatte kein Interesse an den Kunden. b. ☐ Es gab keinen Direktflug.

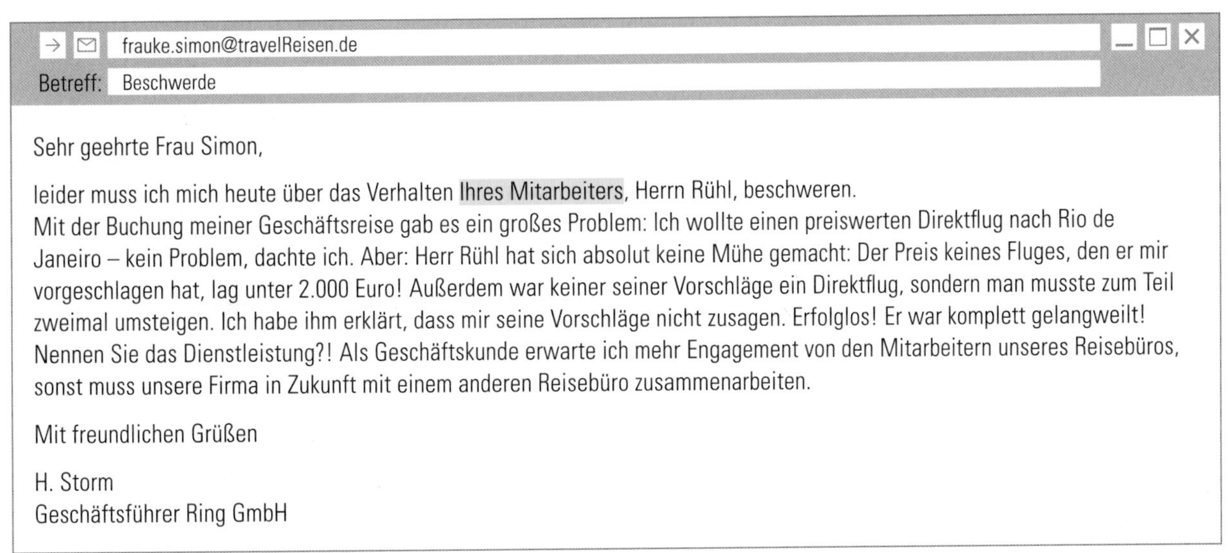

frauke.simon@travelReisen.de
Betreff: Beschwerde

Sehr geehrte Frau Simon,

leider muss ich mich heute über das Verhalten Ihres Mitarbeiters, Herrn Rühl, beschweren.
Mit der Buchung meiner Geschäftsreise gab es ein großes Problem: Ich wollte einen preiswerten Direktflug nach Rio de Janeiro – kein Problem, dachte ich. Aber: Herr Rühl hat sich absolut keine Mühe gemacht: Der Preis keines Fluges, den er mir vorgeschlagen hat, lag unter 2.000 Euro! Außerdem war keiner seiner Vorschläge ein Direktflug, sondern man musste zum Teil zweimal umsteigen. Ich habe ihm erklärt, dass mir seine Vorschläge nicht zusagen. Erfolglos! Er war komplett gelangweilt! Nennen Sie das Dienstleistung?! Als Geschäftskunde erwarte ich mehr Engagement von den Mitarbeitern unseres Reisebüros, sonst muss unsere Firma in Zukunft mit einem anderen Reisebüro zusammenarbeiten.

Mit freundlichen Grüßen

H. Storm
Geschäftsführer Ring GmbH

c **Lesen Sie die E-Mail in 3b noch einmal markieren Sie die Genitivformen vom Negativartikel („kein-") und vom Possessivartikel („mein-", „dein-", . . .).**

d Schreiben Sie die markierten Genitivformen in die Tabelle und ergänzen Sie die Regel.

	Maskulinum (M)	Neutrum (N)	Femininum (F)	Plural (M, N, F)
Possessiv-artikel	meines Flug(e)s	unser___ Büro___	mein___ Reise	sein___ Vorschläge
Negativ-artikel	kein___ Flug___	keines Büros	keiner Reise	keiner Vorschläge

G

Die Genitivendungen des Possessivartikels „mein-", „dein-", ... und des Negativartikels „kein-" sind im Singular: -es, ___, ___.
Im Plural ist die Endung: ___.

e Lesen Sie den Tipp und die Regeln im Kursbuch 1B, 2, und ergänzen Sie die Genitivformen oder die Ersatzform mit „von" in den Informationstexten A und B.

A Eine **Dienstleistung** ist eine Arbeit oder Leistung [1] der Wirtschaft. Sie dient nicht direkt der Herstellung [2] ___ Ware___, sondern man erbringt sie sehr oft im Auftrag [3] ein___ Kunde___. Typische Dienstleistungen sind z. B. die Tätigkeiten [4] ___ Anwälte___, Berater___ oder Ärzte___. Auch die Arbeit [5] ein___ Handwerker___ in einem Privathaushalt ist meist eine Dienstleistung.

TIPP

Die meisten Nomen der n-Deklination haben auch im Genitiv die Endung „-n", z. B. der Kunde → des Kunden
Ausnahmen:
z. B. der Name → des Namens
der Gedanke → des Gedankens
das Herz → des Herz**ens**

B Investitionsgüter nennt man auch Produktions- oder Kapitalgüter. Die Wahl [1] d___ Name___ hängt vom Gebrauch [2] d___ Gut___ ab. Wenn es zur technischen Ausrüstung [3] ein___ Betrieb___ gehört, z. B. Arbeitsmaschinen oder auch die Gebäude [4] d___ Firma, nennt man es eher „Kapitalgut". Wenn es als Werkstoff zur Herstellung [5] ___ Erzeugnisse___ dient, wie z. B. Kunststoff oder Stahl, verwendet man eher den Begriff „Produktionsgut".

C Wirtschaftsnachrichten

Boehringer Ingelheim

1 Boehringer Ingelheim – ein globales Pharmaunternehmen › KB: C1b

SANOFI

Lesen Sie die Meldungen 1, 3 und 4 im Kursbuch 1C, 1a, noch einmal und ordnen Sie die Wörter der passenden Bedeutung zu.

1. der Stammsitz
2. der Schwerpunkt
3. die Forschung
4. die Markteinführung
5. die Selbstmedikation
6. vorbeugen
7. rezeptfrei
8. erwägen

A. Wichtigster Bereich, in dem eine Firma tätig ist.
B. Systematische Suche nach neuen Kenntnissen.
C. Ort, an dem die Firma seit ihrer Gründung ist.
D. Man bekommt ein Medikament ohne Erlaubnis vom Arzt.
E. Etwas tun, damit etwas anderes nicht passiert.
F. Ein neues Produkt auf den Markt bringen.
G. Überlegen, ob man etwas macht oder nicht.
H. Sich selbst ohne Arzt mit Medikamenten behandeln.

1. C
2. ___
3. ___
4. ___
5. ___
6. ___
7. ___
8. ___

2 Nebensätze mit „damit“ und „um … zu“ › KB: C2 › G: 4.2, 4.4

a Lesen Sie den Tipp und schreiben Sie Sätze mit „um … zu“.

1. Das Unternehmen plant neue Markteinführungen.
   (Ziel: Es will weiter wachsen.)
   Das Unternehmen plant neue Markteinführungen, um weiter zu wachsen.
2. Die Geschäftsführer treffen sich. (Zweck: Sie wollen über die Unternehmensziele diskutieren.)
3. Sie erhöhen die Investitionssumme. (Ziel: Sie wollen den Forschungsbereich ausbauen.)
4. Das Unternehmen erwägt einen strategischen Tausch. (Ziel: Es möchte den Bereich „Tiermedizin“ weiterentwickeln.)
5. Sanofi plant eine Konferenz. (Ziel: Es möchte die Konditionen des Tauschs besprechen.)

TIPP

- Bei trennbaren Verben steht das „zu“ zwischen Vorsilbe und Verbstamm, z. B. Man plant den Tausch, um den Bereich Tiermedizin auszubauen.
- In Sätzen mit „um … zu“ oder „damit“ sind die Modalverben „wollen“ / „möchte-“ oder „sollen“ nicht möglich, weil das Ziel schon durch „um … zu“ oder „damit“ ausgedrückt ist.
- In „damit-Sätzen“ verwendet man oft das Modalverb „können“.

b Formulieren Sie nun die Sätze in 2a mit „damit“.

1. Das Unternehmen plant neue Markteinführungen, damit es weiter wachsen kann.

c Schreiben Sie die Sätze mit „um … zu“ oder „damit“ in die Tabelle. Beginnen Sie zuerst mit dem Nebensatz. Einmal passen beide Konnektoren.

1. Wozu hat Sanofi die Investitionssumme erhöht? (Es will zwei neue Gebäude finanzieren.)
2. Wozu baut Sanofi die Gebäude? (Die Medizintechnik soll mehr Platz haben.)
3. Wozu reist der Abteilungsleiter ins Ausland? (Er möchte den neuen Geschäftspartner treffen.)
4. Wozu bearbeitet man den Text über die Firmengeschichte? (Er soll aktuell sein.)

TIPP

„Wozu?“
Das Wort bedeutet „zu was“? (mit welchem Ziel?) (zu welchem Zweck?).

Nebensatz			Hauptsatz	
1. Um	*zwei neue Gebäude*	*zu finanzieren,*	*hat*	*Sanofi die Investitionssumme erhöht.*
Damit	*es zwei neue Gebäude*	*finanzieren kann,*	*hat*	*Sanofi die Investitionssumme erhöht.*

Hauptsatz	Nebensatz		
1. Sanofi hat die Investitionssumme erhöht,	*um*	*zwei neue Gebäude*	*zu finanzieren.*
Sanofi hat die Investitionssumme erhöht,	*damit*	*es zwei neue Gebäude*	*finanzieren kann.*

3 Worauf beziehen sie sich? – Die Präpositionaladverbien › KB: C4 › G: 3.4

a **Lesen Sie die Sätze. Markieren Sie die Präpositionaladverbien und die Aussagen, auf die sie sich beziehen. Verbinden Sie beide mit einem Pfeil.**

1. Sanofi will in Frankfurt bauen. Dafür hat man sich nach langen Beratungen entschieden.
2. Die Geschäftsführung informiert die Mitarbeiter darüber, dass der Bau bald beginnt.
3. Die Unternehmen planen einen strategischen Tausch. Davon wurde in der Presse berichtet.
4. Beide Unternehmen sehen einen Vorteil darin, dass sie die Bereiche tauschen.

b **Schreiben Sie Fragen zu den Sätzen in 3a und antworten Sie kurz.**

1. Wofür hat man sich nach langen Beratungen entschieden? – Dafür, dass Sanofi in Frankfurt baut.

4 Wofür? – Dafür./Für wen? – Für den Chef. › KB: C4 › G: 3.4

a **Lesen Sie den Tipp und stellen Sie dann Fragen zu den markierten Teilen in den Sätzen.**

1. Die Personalabteilung hat sich für die Einstellung von Herrn Jürgens entschieden.
   Wofür hat sich die Personalabteilung entschieden?
2. Die Personalabteilung hat sich für Herrn Jürgens entschieden.
   Für wen hat sich die Personalabteilung entschieden?
3. Die Kollegen haben über den neuen Mitarbeiter gesprochen.
   ____
4. In der Firma hat man sehr viel über den Tausch der Geschäftsbereiche gesprochen.
   ____
5. Es geht um die Erhöhung des Umsatzes.
   ____
6. In dem Gespräch geht es auch um die Mitarbeiter in Deutschland.
   ____

TIPP

Wofür?, Womit?, Worüber? e
fragen nach Sachen oder
Handlungen, z. B. Worüber
sprecht ihr? – Über den Taus
Für wen?, Mit wem?, Über w
etc. fragen nach Personen,
z. B. Über wen sprecht ihr? –
Über den Chef.

Z **b** **Antworten Sie auf die Fragen. Verwenden Sie dabei Präpositionaladverbien wie im Beispiel.**

1. Worum geht es im Gespräch? (Man will eine neue Strategie entwickeln.)
   Es geht *darum, dass man eine neue Strategie entwickeln will.*
2. Worum kümmert sich die Assistentin? (Die Mitarbeiter bekommen die Informationen.)
   Sie kümmert sich ______________________.
3. Worüber beschweren sich die Mitarbeiter? (Sie bekommen die Informationen zu spät.)
   Sie beschweren sich ______________________.
4. Womit ist der Chef einverstanden? (Ein Kollege hilft der Assistentin.)
   Er ist ______________________.

D Eine Firma präsentieren

1 Das Franchisesystem › KB: D1a

Ergänzen Sie die passenden Wörter in den Lücken.

betreibt | Dienstleistungen | Franchisegebühren | Franchisenehmer | Schulungen | unterstützt | vereinbart | ~~Vertriebssystem~~

Franchise ist ein [1] *Vertriebssystem*, das auf Partnerschaft basiert. Ein Unternehmen, der Franchisegeber, [2] ______ mit einem Partner, dem [3] ______, dass dieser unter dem Namen und mit den Produkten oder [4] ______ des Unternehmens selbstständig ein Geschäft [5] ______. Der Franchisegeber [6] ______ den Partner durch Beratung und [7] ______. Und der Franchisenehmer zahlt in der Regel Eintritts- und [8] ______.

2 Präsentationen halten › KB: D1d

a Welche Teile der Redemittel für Präsentationen gehören zusammen? Ordnen Sie zu.

1. Ich freue mich,	A. alle zusammen! (informell)	1. *C*
2. Dann will ich	B. ziehe ich ein Fazit.	2. ___
3. Und zum Schluss	C. dass ich Ihnen … vorstellen kann.	3. ___
4. Drittens möchte ich etwas	D. einige Geschäftszahlen vorstellen.	4. ___
5. Danach haben wir	E. über die Vor- und Nachteile sagen.	5. ___
6. Hallo,	F. also mit …	6. ___
7. Ich begrüße Sie herzlich	G. kurz etwas zu …	7. ___
8. Zuerst erzähle ich	H. zweiten Punkt, zu …	8. ___
9. Zunächst möchte ich Ihnen kurz sagen,	I. eine Viertelstunde Zeit für Fragen.	9. ___
10. Damit komme ich zum	J. ich danke Ihnen für Ihr Interesse.	10. ___
11. Meine Damen und Herren,	K. was Sie in … erwartet.	11. ___
12. Ich beginne	L. zu meiner Präsentation. (formell)	12. ___
13. Nun komme ich	M. ist: …	13. ___
14. Mein Fazit	N. zu …	14. ___

b Ordnen Sie die Redemittel der Struktur einer Präsentation zu und notieren Sie sie in der richtigen Reihenfolge.

1. Begrüßung und Einleitung: *Hallo, alle zusammen! (informell), …*
2. Vorstellung der Punkte der Präsentation: *Zunächst …*
3. Bei der Präsentation den nächsten Punkt nennen: ______
4. Schluss und Dank: ______

3 Arbeitsalltag › KB: D1g

T P **a** **Lesen Sie die vier kurzen E-Mails. Es fehlt jeweils der Betreff. Entscheiden Sie, welcher Betreff (A bis H) am besten zu welcher Mail passt, und notieren Sie ihn.**

Betreff: *Terminabsage*

Sehr geehrter Herr Meyer,
an der Schulung am Freitag kann ich leider nicht teilnehmen, da ich einen wichtigen Termin bei der Bank habe. Ich wollte den Termin verlegen, aber leider ist mein Ansprechpartner ab nächsten Montag in Urlaub und ich muss unbedingt über meinen Kredit mit ihm sprechen. Bitte haben Sie Verständnis dafür, dass ich nicht kommen kann.

Mit freundlichen Grüßen – Anna Seele

1

Betreff: ____

Lieber Klaus,
du wolltest ja diesen Freitag mit mir zur Bank gehen. Jetzt ist mein Ansprechpartner dort krank geworden. Man hat mir einen Termin am Montag in vierzehn Tagen um 17:00 Uhr angeboten. Könntest du da?
Es ist sehr wichtig für mich, denn es geht um die Konditionen für den Kredit für mein neues Geschäft.

Liebe Grüße – Anna

2

Betreff: ____

Sehr geehrte Frau Seele,
ich konnte jetzt wegen der Besichtigung der Geschäftsräume in der Waldstraße mit Herrn Egel sprechen. Er hat am Donnerstag, den 4.7., und Samstag, den 6. 7., Zeit – jeweils in der Mittagspause.
Welcher Tag ist für Sie besser?

Viele Grüße – Martin May

3

Betreff: ____

Sehr geehrter Herr Eckard,
leider muss ich Ihre Rechnung Nr. 25670 vom 05.02.2017 reklamieren: Sie haben nicht 100 weiße Brötchen berechnet, sondern 100 Muffins.
Bitte schicken Sie mir eine korrekte Rechnung zu.

Mit freundlichen Grüßen – Anna Seele

4

A. ~~Terminabsage~~
B. Falsches Produkt
C. Krankheit
D. Schulung
E. Banktermin verschoben
F. Terminzusage
G. Falsche Rechnung
H. Termin Besichtigung

T P **b** 2|36–38 **Hören Sie Berichte von drei Personen, die sich selbstständig gemacht haben. Was ist richtig (r), was ist falsch (f)? Kreuzen Sie an.**

	r	f
1. Isa Holm-Witt hat lange gebraucht, bis ihr Café erfolgreich war.	☐	☐
2. Horst Lebach war selbstständig, arbeitet jetzt aber wieder in einer Computerfirma.	☐	☐
3. Lara Bäcker ist mit ihrer Selbstständigkeit sehr zufrieden.	☐	☐

Rechtschreibung

1 Wie schreibt man hier den „e"-Laut?

2|39 **Hören Sie den Text und ergänzen Sie „e", „ee", „eh" oder „ä", „äh".**

Frau [1] S*ee*__le [2] h____lt eine Präsentation. Sie begrüßt [3] zun____chst die [4] Teiln____mer. Dann [5] st____llt sie den Ablauf ihrer Präsentation vor. [6] Zu____rst [7] erz____lt sie von der Gründung ihres [8] Gesch____fts. Nach einigen Jahren als [9] Ang____stellte wollte sie sich [10] selbstst____ndig machen und hatte die [11] Id____ mit der [12] B____ckerei. Die [13] Verkaufsfl____che des Shops [14] betr____gt 50 m^2. Dort verkauft sie [15] n____ben Brot und Brötchen auch kalte und warme [16] Getr____nke: Wasser, [17] Kaff____, [18] T____ etc. Das Geschäft [19] g____ht [20] s____r gut!

Grammatik im Überblick

1 Der Genitiv mit possessiver Bedeutung › G: 2.1

Der Genitiv steht in der Regel nicht alleine, sondern als Erklärung oder Attribut zu einem Nomen. Die Frage nach dem Genitiv lautet „Wessen …?, z. B. Wessen Fahrzeuge sind das? – Das sind die Fahrzeuge des Betriebs.

	Maskulinum (M)	Neutrum (N)	Femininum (F)	Plural (M, N, F)
best. Artikel	des Betriebs	des Gut(e)s	der Anlage	der Betriebe / Güter / Anlagen
unbest. Artikel	eines Betriebs eines Kunden	eines Gut(e)s	einer Anlage	Ø Betriebe / Güter / Anlagen / Kunden
Possessivartikel	meines Flug(e)s	meines Büros	meiner Reise	meiner Flüge / Büros / Reisen
Negativartikel	keines Flug(e)s	keines Büros	keiner Reise	keiner Flüge / Büros / Reisen

- **Nomen im Maskulinum und Neutrum** erhalten die Endung „-s" oder „-es",
  z. B. der Betrieb → des Betriebs, der Flug → des Flug(e)s
  immer „-es": Nomen auf „-s", „-ß", „-x", „-z",
  z. B. der Bus → des Busses, der Gruß → des Grußes, das Fax → des Faxes
  öfter „-es": einsilbigen Nomen, z. B. die Leistung des Arzt(e)s, des Gut(e)s, **aber:** des Konsumguts
- **Nomen der n-Deklination:** die meisten Wörter der n-Deklination haben auch im Genitiv die Endung „-n" oder „-en",
  z. B. der Kunde → des Kunden, der Lieferant → des Lieferanten
  Ausnahmen: z. B. der Name → des Namens, der Gedanke → des Gedankens
- **Nomen im Femininum und Plural:** Sie erhalten keine Genitivendung!
  z. B. der Anlage, der Reise, der Haushalte, der Güter
- **Umschreibung mit „von":** Den Genitiv Plural ohne Artikel umschreibt man oft mit „von" + Dativ, wenn es kein Adjektiv gibt, z. B. Herstellung guter Waren → Herstellung von Waren

2 Nebensätze mit „damit" und „um … zu" › G: 4.2, 4.4

Nebensätze mit „damit" und „um … zu" drücken ein Ziel oder einen Zweck aus.

Hauptsatz	Nebensatz		
Sanofi hat die Investitionssumme erhöht,	um	zwei neue Gebäude	zu finanzieren.
Sanofi hat die Investitionssumme erhöht,	damit	es zwei neue Gebäude	finanzieren kann.

Nebensatz			Hauptsatz	
Um	zwei neue Gebäude	zu finanzieren,	hat	Sanofi die Investitionssumme erhöht.
Damit	es zwei neue Gebäude	finanzieren kann,	hat	Sanofi die Investitionssumme erhöht.

Der Nebensatz kann vor oder nach dem Hauptsatz stehen. Wenn das Subjekt in Haupt- und Nebensatz gleich ist, kann man „damit" oder „um … zu" verwenden. Im Nebensatz mit „um … zu" steht kein Subjekt. Hier zeigt der Hauptsatz, wer das Ziel hat, z. B. Boehringer Ingelheim plant den Tausch, um den Bereich Tiermedizin auszubauen.

- In Sätzen mit „um … zu" oder „damit" sind die Modalverben „wollen" / „möchte-" oder „sollen" nicht möglich, weil das Ziel schon durch „um … zu" oder „damit" ausgedrückt ist.
- In „damit-Sätzen" verwendet man oft das Modalverb „können".

3 Präpositionaladverbien › G: 3.4

Präpositionaladverbien kann man zusammen mit Verben und Ausdrücken verwenden, die eine präpositionale Ergänzung brauchen, z. B. sprechen über, sich entscheiden für etc. Sie können sich auf einen Satz beziehen, der vor oder nach dem Haupt- oder Nebensatz steht.

z. B. Sanofi will zwei neue Gebäude bauen. Darüber hat man lange beraten.

z. B. Die Geschäftsführung hat darüber informiert, dass sie eine Vereinbarung unterschrieben hat.

A Krank zur Arbeit?

1 Ich habe starke Bauchschmerzen!

a Krankheiten und Beschwerden: Wie heißen die Nomen? Notieren Sie sie mit dem Artikel. › KB: A1b

~~bauch-~~ | -cken | er- | -fen | -gen | hals- | hus- | -käl- | -keit | kopf- | ma- | ~~-schmer~~ | -schmer- | -schmer- | -schmer- | -schmer- | schnup- | -ten | -tung | rü- | übel- | ~~-zen~~ | -zen | -zen | -zen | -zen

1. *die Bauchschmerzen* ______ 4. ______ 7. ______
2. ______ 5. ______ 8. ______
3. ______ 6. ______ 9. ______

b Arzt und Patient: Lesen Sie den Tipp. Welche Verben passen: a, b oder c? Kreuzen Sie an. Es passen immer zwei. › KB: A1d

		a.	b.	c.
1.	Krankengymnastik	☒ verschreiben	☒ machen	☐ nehmen
2.	Tabletten	☐ essen	☐ nehmen	☐ verschreiben
3.	Tropfen	☐ nehmen	☐ geben	☐ trinken
4.	mit Salbe	☐ einreiben	☐ einnehmen	☐ behandeln
5.	eine Spritze	☐ spritzen	☐ bekommen	☐ geben
6.	ein Medikament	☐ einnehmen	☐ einreiben	☐ nehmen

TIPP

In manchen Sprachen „trinkt" man Medikamente – auf Deutsch sagt man „nehmen" oder „einnehmen".

2 Gründe nennen: „wegen" – Adjektive im Genitiv › KB: A2b › G: 4.3, 4.4, 5.1

a Ergänzen Sie in den Sätzen Nomen aus 1a und die passenden Adjektivendungen im Genitiv nach bestimmtem und unbestimmtem Artikel.

1. Warum macht sich Anton einen Tee? Wegen der stark*en Magenschmerzen*.
2. Warum ist er so blass? Wegen der unangenehm__ ______.
3. Warum ist Vera zwei Tage zu Hause geblieben? Wegen des stark__ ______ und ______.
4. Wegen eines kompliziert__ ______ problems ist Marga bei der Orthopädin.
5. Wegen einer leicht__ ______ schreibt der Arzt seine Patienten nicht krank.

b Adjektive vor Nomen ohne Artikel. Formulieren Sie Sätze mit den Angaben in Klammern.

1. Wegen starker Übelkeit *fühlt Anton sich schlecht*. (Anton – schlecht – sich fühlen)
2. Wegen schrecklicher Schmerzen ______. (Arzt – gehen zum – er)
3. Wegen dauernden Hustens ______. (nehmen – Hustentropfen – Vera)
4. Wegen falschen Sitzens ______. (Marga – haben – Rückenbeschwerden)

c **Lesen Sie die Sätze in 2b. Markieren Sie die Genitivendungen der Adjektive, ergänzen Sie die Tabelle und die Regel.**

	Maskulinum (M)	Neutrum (N)	Femininum (F)	Plural (M, N, F)
vor Nomen ohne Artikel	wegen dauernd___ Hustens	wegen falsch___ Sitzens	wegen starker Übelkeit	wegen schrecklich___ Schmerzen

Adjektive im Genitiv vor Nomen ohne Artikel haben folgende Endungen:
Maskulinum und Neutrum Singular: „-________"; Femininum Singular und Plural (M, N, F): „-________".

3 Warum fühlte sich das Team nicht wohl? – Adjektive im Genitiv › KB: A2b › G: 4.4, 5.1

a **Formulieren Sie Gründe mit den Angaben in Klammern.**

1. (der unfreundliche Chef) *Wegen des unfreundlichen Chefs.*
2. (eine langweilige Besprechung) ________
3. (dunkle Räume) ________
4. (ein langsamer Kollege) ________
5. (alte Computer) ________
6. (das schlechte Kantinenessen) ________

b **Gründe, warum das Team jetzt zufriedener ist. Formulieren Sie das Gegenteil von 3a.**

1. *Wegen des freundlichen Chefs.*
2. ________
3. ________
4. ________
5. ________
6. ________

Z 4 Warum? – Wegen ihrer starken Schmerzen: Adjektive im Genitiv nach Possessivartikel › KB: A2b › G: 5.1

a **Ergänzen Sie in den Sätzen das passende Nomen.**

Behandlung | ~~Halsschmerzen~~ | Husten | Medikament

1. Wegen ihrer starken *Halsschmerzen* kann Vera kaum sprechen.
2. Vera fühlt sich wegen ihres trockenen ________ nicht gut.
3. Wegen ihrer guten ________ geht es Marga schon besser.
4. Wegen seines guten ________ ist Anton schon wieder gesund.

TIPP

Umgangssprachlich verwendet man „wegen" oft mit dem Dativ, z. B. „wegen seinem kranken Magen".

b **Adjektive im Genitiv nach Possessivartikel: Lesen Sie die Sätze in 4a noch einmal, markieren Sie die Adjektivendungen und ergänzen Sie die Regel.**

Adjektive im Genitiv nach dem Possessivartikel haben immer die Endung: „-________".

B Zum Arzt und danach?

TIPP

Die meisten Menschen gehe
zuerst zu ihrem „Hausarzt".
In der Regel ist das
ein/e Allgemeinmediziner/ir

1 Der richtige Therapeut für ...

a Wer behandelt welche Beschwerden?
Notieren Sie die Arzt- bzw. Berufsbezeichnungen.
Manchmal passen zwei. › KB: B1a

1. Erkältung: *Facharzt für Allgemeinmedizin*
2. Rückenbeschwerden: ____________
3. Zahnschmerzen: ____________
4. Ohrenschmerzen: ____________
5. Magenschmerzen: ____________
6. Grippe: ____________

b ▶ 1|10 **Hören Sie die Ansage auf den Anrufbeantworter im Kursbuch 2B, 1b, noch einmal. Was ist passt: a oder b? Kreuzen Sie an.** › KB: B1c

1. Sie haben die
   a. ☐ Behandlung   b. ☒ Gemeinschaftspraxis   Menker und Anger angerufen.
2. Unsere Praxis ist wegen einer Fortbildung bis
   a. ☐ Donnerstag, den 16. März   b. ☐ Sonntag, den 19. März   geschlossen.
3. Dr. Mahler übernimmt
   a. ☐ die Vertretung.   b. ☐ die Untersuchung.
4. Wegen der aktuellen Grippe- und Erkältungszeit können Sie sich auch an die HNO-Praxis Dr. Ernst Klinberg
   a. ☐ wenden.   b. ☐ erinnern.

2 Arbeitsunfähigkeit – Das müssen Sie tun! › KB: B3b

T P **a Lesen Sie den Infotext und ergänzen Sie die Lücken 1 bis 10. Verwenden Sie die Wörter A bis O.**
Jedes Wort passt nur einmal. Es bleiben fünf Wörter übrig.

Bitte [1] *informieren* Sie Ihren Arbeitgeber [2] ____________, d. h. vor Dienstbeginn, telefonisch, per E-Mail oder Fax, dass Sie krank sind. Wenn Sie das nicht können, bitten Sie eine Person, dass sie das für Sie [3] ____________. Wenn der Arzt Sie [4] ____________ hat, senden Sie das zweite Blatt der Krankschreibung „Arbeitsunfähigkeitsbescheinigung" [5] ____________ von 3 Tagen an den Arbeitgeber. Achtung: Vielleicht steht in Ihrem [6] ____________ etwas anderes, z. B. dass Sie schon am ersten Krankheitstag ein [7] ____________ vorlegen müssen. Schauen Sie in Ihrem Vertrag nach. Das erste Blatt mit der [8] ____________ schicken Sie bitte auch im [9] ____________ von drei Tagen an Ihre Krankenkasse. Wenn der Arzt Sie noch weiter krankschreibt, informieren Sie den Arbeitgeber noch am selben Tag. Achten Sie auf diese Regeln. Wenn nicht, kann das ein Grund für eine [10] ____________ sein.

A. Arbeitsvertrag	D. berichtet	G. ~~informieren~~	J. Kündigung	M. unverzüglich
B. Attest	E. Diagnose	H. innerhalb	K. nach	N. Zeitpunkt
C. bald	F. Information	I. krankgeschrieben	L. übernimmt	O. Zeitraum

b „innerhalb": Lesen Sie den Tipp. Was passt: a oder b? Kreuzen Sie an.

1. a. ☒ innerhalb von 2 Tagen   b. ☐ innerhalb 2 Tage
2. a. ☐ innerhalb der nächsten Woche   b. ☐ innerhalb von der nächsten Woche
3. a. ☐ innerhalb drei Jahre   b. ☐ innerhalb von drei Jahren

TIPP

„innerhalb" + Genitiv
aber vor Zahlen meist
„innerhalb von" + Dativ

3 Krankgeschrieben – Aber was darf man, wenn es nicht schlecht für die Gesundheit ist? › KB: B3c

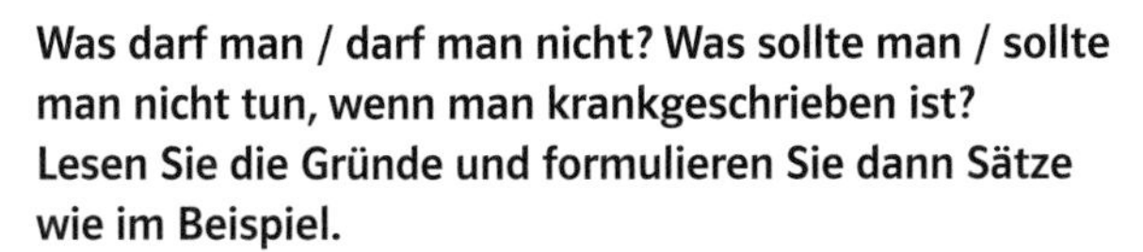

Z

Was darf man / darf man nicht? Was sollte man / sollte man nicht tun, wenn man krankgeschrieben ist? Lesen Sie die Gründe und formulieren Sie dann Sätze wie im Beispiel.

1. Auto fahren
   (+) Man hat eine Erkältung. (–) Man hat starke Rückenbeschwerden.

2. fliegen
   (+) Der Arzt ist mit einem Flug einverstanden. (–) Der Arzt hat es nicht erlaubt.
3. Lebensmittel holen
   (+) Man ist nur noch etwas krank. (–) Man hat hohes Fieber.
4. vor Ende der Krankschreibung wieder arbeiten gehen
   (+) Man weiß selbst, dass man wieder gesund ist. (–) Man fühlt sich noch nicht ganz gesund.
5. Sport machen
   (+) Es ist nur eine leichte körperliche Aktivität. (–) Es ist zu anstrengend.

1. (+) Wenn man eine Erkältung hat, darf man Auto fahren. / Mit einer Erkältung ...
(–) Mit starken Rückenbeschwerden sollte man nicht Auto fahren. / Wenn man ... hat, ...

C Krankgeschrieben – und nun?

1 Die Abwesenheitsnotiz › KB: C1b

a Die Struktur: Ordnen Sie die Elemente in eine sinnvollen Reihenfolge.

~~Anrede~~ | Telefonnummer / E-Mail der Vertretung | ~~Dank für die Nachricht~~ | Name der Vertretung | Gruß | eigene Kontaktdaten | Info, wann wieder im Büro

1. Anrede: Sehr geehrte Damen und Herren, ...
2. Dank für die Nachricht: Vielen Dank für Ihre Nachricht.

b Die Redemittel: Ordnen Sie die beiden Teile der Redemittel zu und schreiben Sie sie an die passende Stelle in 1a. Ergänzen Sie die Abwesenheitsnotiz dann mit eigenen Daten.

1. Vielen Dank	A. ab ... wieder erreichbar.	1. *C*
2. Bitte wenden Sie sich in dringenden Fällen	B. Grüßen	2. ___
3. Ich bin voraussichtlich	C. für Ihre Nachricht.	3. ___
4. Mit freundlichen	D. an meine Vertretung, Frau / Herrn ...	4. ___

c **Erreichbar oder nicht? – Verben mit „-bar". Lesen Sie den Tipp und formulieren Sie die Sätze um wie im Beispiel.** › G: 6.2

1. Man kann mich ab Dienstag, den 5.4., wieder erreichen.
2. Die Dauer der Krankheit kann man nicht vorhersehen.
3. Die Krankheit kann man aber gut behandeln.
4. Den Arzt kann man immer ansprechen.

1. Ich bin ab Dienstag, den 5.4., wieder erreichbar.

TIPP

„-bar"
Wenn man die Nachsilbe „-ba… an den Stamm eines Verbs anhängt, z. B. erreich**en** → erreich**bar**, erhält dieses die Bedeutung „man kann …". Sätze formuliert man mit de… Verb „sein": Er **ist** erreich**bar** Man kann ihn erreichen.

2 Warum? Weshalb? – Aus diesem Grund: „deshalb" / „daher" / „darum" / „deswegen" › KB: C2b › G: 4.1, 4.4

a **Lesen Sie zuerst den Tipp. Formulieren Sie dann Sätze wie im Beispiel um und schreiben Sie sie in die Tabelle.**

1. Vera war in der HNO-Praxis, weil ihr Hausarzt nicht da war.
2. Weil der Arzt eine Lungenentzündung vermutete, schlug er eine Röntgenaufnahme vor.
3. Da es in der HNO-Praxis kein Röntgengerät gibt, musste Vera zum Internisten gehen.
4. Vera ist sehr froh, weil sie „nur" eine schwere Bronchitis hat.
5. Anton soll beim Marketing anrufen, weil die Chefin die Flyer braucht.

TIPP

„deshalb" / „daher" / „darum" / „deswegen" können **vor** und **nach** dem Verb des 2. Hauptsatzes stehen.

1. Hauptsatz	2. Hauptsatz
1. *Veras Hausarzt war nicht da.*	*Darum war sie in der HNO-Praxis.*
2. *Der Arzt vermutete eine Lungenentzündung.*	*Er schlug deshalb eine Röntgenaufnahme vor.*
3.	
4.	
5.	

b **Was passt: „weil" / „da" oder „deshalb" / „daher" / „darum" / „deswegen"? Achten Sie auf die Stellung vom Verb.**

1. Vera hat mehr gehustet als sonst, *weil / da* sie einen großen Schreck bekommen hat.
2. Der HNO-Arzt hat kein Röntgengerät, ______ hat er Vera zum Internisten geschickt.
3. ______ sie eine schwere Bronchitis hat, muss sie ein Antibiotikum nehmen.
4. Vera kann nicht arbeiten gehen. ______ schreibt sie Anton eine E-Mail.
5. Die Kunden warten auf Nachricht, ______ muss Anton die Anfrage schnell bearbeiten.

3 Die Präpositionen „aus" und „vor" › KB: C2b › G: 4.3, 4.4

Lesen Sie den Tipp und ergänzen Sie „aus" oder „vor".

1. *Vor* Schreck hat Vera mehr als sonst gehustet.
2. Sie ist krank. ______ diesem Grund bleibt sie zu Hause.
3. Ihr Kind ist wieder gesund. ______ Freude hat sie geweint.
4. Er muss im Bett bleiben. ______ Langeweile sieht er fern.
5. ______ Angst bekam der Patient starke Herzschmerzen.
6. ______ Vorsicht gab ihm der Arzt ein Medikament.

TIPP

Gründe mit **„aus"** oder **„vor"**
- „aus" verwendet man oft mit abstrakten Nomen, z. B. „aus Langeweile"
- „vor" gebraucht man beson… ders zusammen mit Gefüh… len, auf die eine körperlich… Reaktion folgt, z. B. „vor Angst zittern", „vor Freude weinen".

D Job und Gesundheit

1 Krankheit und Gesundheitsförderung im Betrieb › KB: D1c

P **Welches Wort passt: a, b, c oder d? Kreuzen Sie an.**

1. Viele Arbeitnehmer *klagen* über Schmerzen.
   a. ☐ behandeln b. ☐ haben c. ☒ klagen d. ☐ untersuchen
2. Wenn man sich krank fühlt, sollte man zu Hause bleiben und ______.
   a. ☐ sich anstrengen b. ☐ sich ausruhen c. ☐ arbeiten d. ☐ fernsehen
3. Arbeitnehmer, die krank zur Arbeit kommen, können leicht ihre Kollegen ______.
   a. ☐ anstecken b. ☐ belasten c. ☐ beschäftigen d. ☐ krankschreiben
4. Manche Arbeitnehmer ______, dass sie ihre Arbeit verlieren, wenn sie oft krank sind.
   a. ☐ bedauern b. ☐ erkennen c. ☐ freuen sich d. ☐ fürchten
5. Wenn ______ im Beruf sehr hoch ist, steigt das Krankheitsrisiko.
   a. ☐ das Problem b. ☐ die Arbeit c. ☐ die Belastung d. ☐ die Zufriedenheit
6. Ein guter Arbeitgeber ______ auf die Gesundheit seiner Mitarbeiter.
   a. ☐ achtet b. ☐ aktiviert c. ☐ fördert d. ☐ verbessert

2 Der BGF-Gesundheitspreis für erfolgreiche Unternehmen › KB: D1c

P **Lesen Sie den Artikel. Welche Antwort ist jeweils richtig: a, b oder c? Kreuzen Sie an.**

Gesundheitspreis für Hilti Logistikzentrum in Oberhausen – *Der Mensch im Mittelpunkt*

Für besonders erfolgreiche Gesundheitsprojekte in Betrieben gibt es vom Institut für betriebliche Gesundheitsförderung (BGF-Institut) der AOK Rheinland / Hamburg jährlich einen Gesundheitspreis von 10.000 Euro. 2015 hat die Firma Hilti Deutschland Logistik GmbH in Oberhausen zum zweiten Mal nach 2001 diesen Preis bekommen. In der Firma arbeiten ca. 100 Mitarbeiterinnen und Mitarbeiter. Sie laden, lagern, verpacken und organisieren die Transporte von Hilti-Produkten. Das Zentrum liefert direkt an die Hilti-Kunden in Deutschland, in den Niederlanden, Belgien und Luxemburg. Seit 14 Jahren ist nun die Förderung der Mitarbeitergesundheit ein Thema. Das Ergebnis: Der Krankenstand in der Firma ist sehr niedrig. Es gibt so wenige Krankmeldungen wie noch nie vorher. Die Mitarbeiterinnen und Mitarbeiter nehmen sehr gern an den Veranstaltungen zum betrieblichen Gesundheitsmanagement teil. Viermal pro Jahr trifft sich eine Arbeitsgruppe aus Unternehmensleitung, interessierten Mitarbeitern, Betriebsrat sowie Mitarbeitern der AOK und des BGF-Instituts. Sie macht Vorschläge zur Verbesserung der Gesundheitsförderung in der Firma, z. B. ergonomische Arbeitsplätze, Maschinen, die das Tragen und Packen leichter machen, Schutzkleidung, frisches Obst und Fisch in der Kantine sowie Gesundheitsberatung und -schulungen. An regelmäßigen Gesundheitstagen gibt es z. B. individuelle medizinische Beratung, Informationen zu Arbeitssicherheit oder Entspannungskurse. Der Erfolg: gesunde und motivierte Mitarbeiter!

(Quelle: Hilti Deutschland AG)

HILTI

1. Preise bekommen vom BGF-Institut Firmen, die
   a. ☒ sehr viel für die Gesundheit der Mitarbeiter tun.
   b. ☐ die Gesundheitsprojekte der AOK fördern.
   c. ☐ der AOK im Rheinland und in Hamburg gehören.
2. Das Logistikzentrum liefert an Kunden
   a. ☐ europaweit.
   b. ☐ direkt nach Holland, Belgien und Luxemburg.
   c. ☐ von Hilti in vier europäischen Ländern.
3. Der Krankenstand in der Firma
   a. ☐ ist seit 14 Jahren ständiges Thema.
   b. ☐ ist sehr stark gesunken.
   c. ☐ ist so niedrig wie immer.
4. Die Arbeitsgruppe macht Vorschläge, z. B.
   a. ☐ zur Verbesserung des Kantinenessens.
   b. ☐ zur Produktion von leichten Maschinen.
   c. ☐ zur Motivation der Mitarbeiter.

3 Wortschatz „Gesundheit und Krankheit" › KB: D1c

Lesen Sie den Tipp. Ordnen Sie den Wortschatz dieser Lektion, den Sie lernen wollen, den Kategorien zu. Versuchen Sie es zuerst aus Ihrem Gedächtnis und schauen Sie sich dann die Lektion noch einmal an, um Wörter zu notieren.

1. Krankheit: *die Erkältung, -en, ...*
2. Termin beim Arzt: *Ich hätte gern einen Termin., ...*
3. Ärzte: *der Hausarzt, ¨-e, ...*
4. Behandlung: *ein Schmerzmittel verschreiben, ...*
5. Krankschreibung: *das Attest, -e, ...*
6. Betrieb und Gesundheit: *die Abwesenheit, -en, ...*

TIPP

Wortschatz lernen
Notieren Sie Wörter und Redemittel unter Kategorien oder Oberbegriffen, z. B.
- Kategorie „Arzt": der Hausarzt, der Internist, ...
- Kategorie „Behandlung": verschreiben, eine Spritze geben, ...

Rechtschreibung

1 Groß- und Kleinschreibung

a Lesen Sie die Rechtschreibregeln. Markieren Sie dann die Fehler in den Sätzen und notieren Sie die Nummer der Regeln, die man hier nicht beachtet hat.

1. Das erste Wort vom Satz schreibt man groß.
2. Nach einem Komma schreibt man klein.
3. Nach einem Doppelpunkt schreibt man groß, wenn danach ein ganzer Satz kommt.
4. Nomen schreibt man groß. Man erkennt Nomen am Artikel oder an der Endung, z. B. „-ung", „-heit", ...
5. Die anderen Wortarten, z. B. Verben, Adjektive, Adverbien usw., schreibt man in der Regel klein.
6. Man kann die Wortarten in Regel 5 nominalisieren mit dem Artikel „das", z. B. das Lesen, das Schöne.
7. Namen, Länder, Kontinente und Sprachen schreibt man groß.

1. Die krankheit war leider Sehr schwer. *4, 5*
2. der Arzt hat marga eine Spritze gegeben. ______
3. Vera macht das arbeiten Spaß, sie arbeitet sehr Viel. ______
4. Das schöne war: sie wurde schnell wieder gesund. ______
5. Die krankschreibung kam zu spät, Denn die Adresse war falsch. ______
6. Der Arbeitgeber war Nicht zufrieden. und er beschwerte sich. ______

b Arbeiten Sie zu zweit. Partner 1 diktiert Text A, Partner 2 Text B. Achten Sie auf die Groß- und Kleinschreibung. Korrigieren Sie sich dann gegenseitig Ihre Texte.

A

Gesundheitsförderung im Betrieb
Das Gute ist, dass sich immer mehr Arbeitgeber für die Gesundheit ihrer Mitarbeiter interessieren. Gesundes Essen, Betriebssport oder Entspannungskurse sind Beispiele dafür. Das Arbeiten in so einem Betrieb ist angenehmer und die Motivation steigt. Für die Firma lohnt sich das, denn das Positive ist: Gesunde Mitarbeiter arbeiten besser.

B

Das Klagen der Angestellten über eine zu hohe Arbeitsbelastung ist heute fast „normal". Häufig fehlt Geld, um mehr Personal einzustellen, der Einzelne muss mehr oder zu viel leisten, er fühlt sich nicht wohl und das Krankheitsrisiko steigt. Arbeitgeber sollten auf Beschwerden achten und Lösungen suchen, denn die Gesundheit der Mitarbeiter ist das Kapital einer Firma.

Grammatik im Überblick

1 Gründe ausdrücken – die Präpositionen „wegen", „aus" und „vor" › G: 4.3, 4.4

Mit den Präpositionen „wegen" + Genitiv, „aus" + Dativ und „vor" + Dativ kann man Gründe ausdrücken.
- „wegen" kann man mit allen Nomen verwenden,
  z. B. Wegen des Wetters / Wegen meiner Angst / Wegen der Baustelle gibt es Probleme.
- „aus" verwendet man häufig mit abstrakten Nomen bzw. bei Gefühlen,
  z. B. „aus Angst", „aus Freude", „aus Langeweile" oder in dem Ausdruck „aus diesem Grund".
- „vor" verwendet man oft mit Gefühlen, auf die eine körperliche Reaktion folgt,
  z. B. „vor Kälte zittern", „vor Angst / vor Freude weinen"

2 Adjektive im Genitiv › G: 5.1

	Maskulinum (M)	Neutrum (N)	Femininum (F)	Plural (M, N, F)
bestimmter Artikel	wegen des starken Schmerzes	wegen des kleinen Problems	wegen der leichten Erkältung	wegen der starken Schmerzen
unbestimmter Artikel	wegen eines starken Schmerzes	wegen eines kleinen Problems	wegen einer leichten Erkältung	wegen starker Schmerzen
Possessiv-artikel	wegen meines starken Schmerzes	wegen meines kleinen Problems	wegen meiner leichten Erkältung	wegen meiner starken Schmerzen
Null-Artikel	wegen starken Hustens	wegen falschen Sitzens	wegen leichter Übelkeit	wegen starker Schmerzen

Die Adjektive im Genitiv haben fast immer die Endung „-en".
Ausnahme: Adjektive nach dem Nullartikel Ø im Genitiv Femininum Singular und im Genitiv Plural: Endung „-er".

3 Gründe nennen: Hauptsätze mit „deshalb" / „daher" / „darum" / „deswegen" › G: 4.1, 4.4

Die Verbindungsadverbien „deshalb" / „daher" / „darum" / „deswegen" bedeuten dasselbe wie „aus diesem Grund". Sätze mit „deshalb" / „daher" / „darum" / „deswegen" sind Hauptsätze. Sie beziehen sich auf einen Grund, der bekannt ist. Dieser Grund steht in dem Satz direkt vor dem Satz mit „deshalb" / „daher" / „darum" / „deswegen".

1. Hauptsatz = Grund	2. Hauptsatz = bezieht sich auf Satz 1
Die Chefin braucht den Katalog morgen.	Darum ist es dringend.
Mein Hausarzt war leider nicht da,	ich war deshalb in einer HNO-Praxis.

4 Gründe nennen: Sätze mit „weil" / „da" › G: 4.2, 4.4

Nebensatz = Grund	Hauptsatz
Weil / Da die Chefin den Katalog morgen braucht,	ist es dringend.

Hauptsatz	Nebensatz = Grund
Es ist dringend,	weil / da die Chefin den Katalog morgen braucht.

5 Wortbildung: Bildung von Adjektiven › G: 6.2

- Wenn man die Nachsilbe „-bar" an den Stamm eines Verbs anhängt, bildet man ein Adjektiv. Dieses Adjektiv hat die Bedeutung „man kann …",
  z. B. erreichen → erreichbar
- Sätze formuliert man mit dem Verb „sein",
  z. B. Er ist erreichbar. → Man kann ihn erreichen.

A Unternehmen stellen sich vor

1 Begriffe aus der Wirtschaftswissenschaft › KB: A1b

a Lesen Sie zuerst die Definitionen. Ordnen Sie dann den drei Begriffen aus der Wirtschaft die passende Definition zu.

1. Dienstleistung
2. Handwerk
3. Industrie

A. Wirtschaftsbereich, in dem Betriebe mit Maschinen Waren in großer Menge herstellen.
B. Wirtschaftsbereich, in dem man keine Waren produziert, sondern mit Waren handelt. Man kann auch für den Kunden als Service ein Problem lösen oder eine Arbeit übernehmen.
C. Wirtschaftsbereich, in dem man meist mit der Hand und ohne große industrielle Maschinen kleine Mengen von Waren (oder Einzelstücke) herstellt oder repariert.

1. ___
2. ___
3. ___

Traditionsbäckerei
Häfner
am Neumarkt

Z b Welches Produkt, welcher Service gehört zu welchem Wirtschaftsbereich? Manchmal passen die Produkte zu mehreren Wirtschaftsbereichen.

~~Autos~~ | ~~Bier~~ | Brot | Computerdisplays | Hochzeitsbuffet | Kleidung | Lampen | Medikamente | Mobiltelefone | Möbel | Physiotherapie | Partyservice | Reinigung | Telefonanlagen | Torten | Unternehmensberatung | Umzugsservice

Industrie	Handwerk: produzierendes Handwerk	Handwerk: Dienstleistungshandwerk	Dienstleistungen
Autos, Bier, ...	*Bier, ...*		*Autos, ...*

2 Toi-MäXX – ein Unternehmen präsentieren › KB: A4b

Ergänzen Sie die Wörter aus dem Schüttelkasten in der richtigen Form.

Branche | Dienstleistung | Kunden | Markt | Produkte | Produktpalette | ~~Unternehmen~~ | vertreiben über

Das [1] *Unternehmen* heißt Toi-MäXX. Toi-MäXX ist in der [2] Spielwaren ___ tätig. Toi-MäXX [3a] ___ die Spielwaren [3b] ___ das Internet und in zwei Geschäften in Dresden und Leipzig. Toi-MäXX ist ein modernes Unternehmen und entwickelt ständig neue [4] ___: Vor vier Jahren hat Toi-MäXX Sportgeräte für Kinder in seine [5] ___ aufgenommen und seit einem Jahr bietet Toi-MäXX eine [6] ___ an: Das Unternehmen organisiert Events für Kinder, zum Beispiel Kindergeburtstage mit Spielen. Die [7] ___ für diesen Service kommen aus der Region, das Unternehmen verkauft seine Produkte aber in ganz Deutschland. Der [8] ___ ist groß, denn alle Kinder wollen spielen.

B Die Geschäftsidee

1 Märkte › KB: B1d

a Bilden Sie zusammengesetzte Nomen mit dem Wort „Markt" und ergänzen Sie den Artikel.

1. die Wirtschaft: *die Marktwirtschaft*
2. die Größe: ______
3. das Ausland: ______
4. die Lücke: ______
5. das Bier: ______
6. der Anteil: ______
7. die Analyse: ______
8. die Einführung: ______

b Welche Erklärung passt zu welchen Ausdrücken in 1a?

A. Wirtschaftssystem: Angebot und Nachfrage für ein Produkt regeln, wie viel der Verkäufer von einem Produkt produziert und zu welchem Preis er es verkauft. *1*
B. Ein Unternehmen möchte ein neues Produkt verkaufen und untersucht, ob das neue Produkt auf dem Markt Käufer findet. ___
C. Auf dem Markt gibt es noch nicht alles: Hier ist noch Platz für ein neues Produkt. ___
D. Verkaufte Menge eines Produkts in Prozent auf dem Gesamtmarkt. ___
E. Zeigt, wie groß der Markt für ein bestimmtes Produkt ist. ___
F. Prozess, in dem ein Unternehmen den Kunden ein neues Produkt anbietet. ___
G. Der Markt für Bier. ___
H. Der ausländische Markt. ___

2 Elizabeth und Thomas sprechen über Werbung und Vertrieb › KB: B1e

a Ergänzen Sie die Wörter aus dem Schüttelkasten.

annoncieren | Direktverkauf | lokale Kunden | Mund-zu-Mund-Propaganda | Vertriebskosten | Werbung

Ein wichtiger Punkt ist der Verkauf unserer Biere. Wir möchten keine hohen [1] *Vertriebskosten*. Wir möchten unsere Biere in der Region an [2] ______ verkaufen. Wir wollen den Kunden in unserem Ladenlokal Bier anbieten und außerdem beabsichtigen wir, unsere Biere im [3] ______ an Gastronomiebetriebe und Caterer zu vertreiben. Wir haben schon einige Zusagen. Wir hoffen, dass uns unsere Kunden weiterempfehlen, denn wir wollen von der [4] ______ profitieren. Das spart Geld für [5] ______. Aber wir erstellen natürlich eine Webseite und [6] ______ in der Lokalzeitung.

b Welche Verben passen? Ordnen Sie zu.

1. den Markt	A. stoßen	1. *C*
2. in eine Marktlücke	B. vergrößern	2. ___
3. einen Marktanteil	C. analysieren	3. ___
4. einen Finanzplan	D. gewinnen	4. ___
5. Kunden	E. einplanen	5. ___
6. Werbekosten	F. erstellen	6. ___

3 Infinitiv mit „zu": Elizabeths und Thomas' Plan für die Brauerei › KB: B2 › G: 4.4

a Verbinden Sie die Satzteile mit dem Infinitiv mit „zu".

1. Wir planen: als Team zusammenarbeiten – die Familienbrauerei weiterführen

   1. Wir planen, als Team zusammenzuarbeiten und die Familienbrauerei weiterzuführen.

2. Wir beabsichtigen: alkoholfreies und kalorienarmes Bier brauen – in eine Marktlücke stoßen

   ______

3. Unsere Idee ist: ein Ladenlokal eröffnen – unser Bier lokalen Kunden anbieten

   ______

4. Wir sind sicher: bald neue Kunden gewinnen – unseren Anteil am Biermarkt vergrößern

   ______

5. Wir hoffen: von der Bank einen Kredit bekommen – viele Kunden gewinnen

   ______

b Infinitiv mit „zu" nach Präpositionaladverbien. Formulieren Sie die Sätze wie im Beispiel. › G: 3.4, 4.4

1. Elizabeth – sich darüber ärgern – nicht genug Eigenkapital haben
2. Thomas und Elizabeth – schon lange daran denken – einen Kredit aufnehmen
3. Elizabeth – davon sprechen – einen Termin mit der Bank vereinbaren
4. Thomas – sich darauf freuen – bald mit der Arbeit beginnen
5. Er – sich darum kümmern – alle Unterlagen zusammenstellen

1. Elizabeth ärgert sich darüber, nicht genug Eigenkapital zu haben.

c Lesen Sie die „dass"-Sätze und die Infinitivsätze. Markieren Sie das Subjekt im Haupt- und im „dass"-Satz. Was ist gleich? Kreuzen Sie dann in der Regel an.

1a. Elizabeth und Thomas haben beschlossen, dass sie die alte Brauerei modernisieren.
1b. Elizabeth und Thomas haben beschlossen, die alte Brauerei zu modernisieren.
2a. Sie haben sich überlegt, dass sie zu einer Unternehmensberatung gehen.
2b. Sie haben sich überlegt, zu einer Unternehmensberatung zu gehen.

G

Man kann Infinitivsätze bilden, wenn das Subjekt im Haupt- und Infinitivsatz a. ☐ gleich b. ☐ nicht gleich ist.

Z **d „dass"-Sätze oder Infinitivsätze – was ist möglich? Markieren Sie die Subjekte und verbinden Sie die Sätze.**

1. Die Bank gibt ihnen den Kredit. Elizabeth und Thomas hoffen das.
2. Die Brauerei will junge Kunden gewinnen. Sie plant das.
3. Thomas möchte den Kontakt zur regionalen Gastronomie pflegen. Er hat das vor.
4. Elizabeth und Thomas haben eine gute Unternehmensberaterin. Es ist wichtig.

1. Elizabeth und Thomas hoffen, dass die Bank ihnen einen Kredit gibt.

2. Die Brauerei plant, junge Kunden zu gewinnen.

Z **e Infinitiv mit „zu" nach „Es ist ..." + Adjektiv**

1. Es ist schön, *dich zu treffen*. (dich treffen)
2. Es ist ungesund, ______. (zu viel Alkohol trinken)
3. Es ist wichtig, ______. (Brauerei weiterführen)
4. Es ist verboten, ______. (hier rauchen)

TIPP

Der Infinitiv mit „zu" steht nach:
„Es ist" + Adjektiv, z. B.
- Es ist schön, ...
- Es ist traurig, ...

4 Unser Unternehmen … – Redemittel für die Präsentation einer Geschäftsidee › KB: B3a

Lesen Sie die Redemittel und ordnen Sie sie den Abschnitten einer Präsentation zu.

Uns fehlen … Euro. / Wir brauchen einen Kredit in Höhe von … Euro. | Wir produzieren … / Wir bieten … an. | ~~Guten Tag, wir sind … und wir freuen uns, dass wir Ihnen unsere Geschäftsidee vorstellen dürfen.~~ | Unser Unternehmen heißt … | Ich möchte Ihnen unser Team vorstellen: Wir sind … | Wir möchten … / Wir planen … / Wir beabsichtigen, … | Wir wollen unser Produkt über … verkaufen. / Wir bieten unsere Dienstleistung über … an. | Wir haben den Markt für unser Produkt / unsere Dienstleistung analysiert: … | Der Markt für unser Produkt / unsere Dienstleistung ist … | Als Startkapital bringen wir … Euro Eigenkapital und … in Sachwerten mit.

1. Begrüßung / Einleitung: *Guten Tag, wir sind … und wir freuen uns, dass wir Ihnen …*
2. Die Geschäftsidee: ______
3. Name des Unternehmens: ______
4. Produkt oder Dienstleistung: ______
5. Team: ______
6. Marketing: ______
7. Vertrieb: ______
8. Finanzplan: ______
9. Bitte um Kredit: ______

C Welche Rechtsform passt?

1 Konjunktiv II in Empfehlungen, Ratschlägen und Vorschlägen › KB: C2 › G: 1.3

a Schreiben Sie die Formen von „sollen" im Konjunktiv II in die Tabelle und kreuzen Sie in der Regel an.

ich	du	er / sie / es	wir	ihr	sie	Sie (Sg. + Pl.)
sollte						

G Die Konjunktiv-II-Formen und die Präteritumformen von „sollen" sind a. ☐ gleich. b. ☐ nicht gleich.

b Lesen Sie die Tipps in einem Gründerforum im Internet und ergänzen Sie die Formen von „sollen", „können", „sein" und „werden" im Konjunktiv II. Manchmal gibt es zwei Lösungen.

Wenn man sich mit einer Geschäftsidee selbstständig machen will, [1] *sollte* man auf folgende Punkte achten: Der Name Ihres Unternehmens ist wichtig. Sie [2] ______ den Namen für Ihr Unternehmen gut wählen. Ihr Team [3] ______ zuverlässig sein. Haben Sie genug Startkapital? Wenn ich Sie [4] ______, [5] ______ ich mir eine professionelle Beratung suchen und an Ihrer Stelle [6] ______ ich mich zuerst auf einem Gründerforum informieren. Auch die richtige Rechtsform für Ihr Unternehmen ist wichtig. Wenn Sie wenig Startkapital haben, [7] ______ das eine Mini-GmbH sein. Mit mehr Startkapital [8] ______ Sie eine GmbH gründen – dafür brauchen Sie 25.000 Euro. Aber ich [9] ______ zu einem Beratungstermin bei der IHK gehen, wenn ich Sie [10] ______. Sie [11] ______ auch die Berater eines Jobcenters oder einer Arbeitsagentur fragen.

2 Vermögen › KB: C3

a Die markierten Wörter sind im falschen Satz. Wie heißen die Sätze richtig? Korrigieren Sie.

1. Die Gründer haben 142.000 € gespart und von den Eltern 200.000 € an ~~Sachwerten~~ erhalten. Vermögen
2. Der Onkel von Thomas Wehrle lebt nicht mehr. Thomas hat von ihm Geld bekommen: ein Verlust in Höhe von 95.000 Euro. ______
3. Auf dem Konto hat Elizabeth 16.000 Euro und an Vermögen eine Immobilie und ein Firmenauto im Wert von 270.000 Euro. ______
4. Die Brauerei von Thomas und Elizabeth läuft nicht gut. Die beiden machen mit ihrer Firma Minus, nach einem Jahr haben sie schon 200.000 Euro Gewinn gemacht. ______
5. Die Gründer haben 140.000 Euro und eine Immobilie im Wert von 230.000 Euro in ihr Unternehmen investiert. Das ist ihr Erbe. ______
6. Der Brautmoden-Onlinehandel macht gute Geschäfte. Die Ein-Euro-GmbH hat dieses Jahr schon 10.000 Euro Firmenkapital gemacht. ______

b Wie heißt das Gegenteil?

1. volle Haftung	A. Produzent	1. C
2. freiberuflich	B. Verlust	2. ___
3. bankrott gehen	C. haftungsbeschränkt	3. ___
4. Gewinn	D. unselbstständig	4. ___
5. Firmenvermögen	E. wirtschaftlich arbeiten	5. ___
6. Konsument	F. Privatkapital	6. ___

3 Frau Parker braucht professionelle Hilfe von einem Unternehmensberater › KB: C3

T P **Lesen Sie die E-Mails auf der nächsten Seite. Was passt: a, b oder c? Achtung: Die Aufgaben stehen nicht in der gleichen Reihenfolge wie die Informationen im Text.**

1. Es geht um einen Auftrag,
   a. ☐ den eine Unternehmensberatung bekommen hat.
   b. ☐ den Handwerksbräu erhält.
   c. ☒ den Handwerksbräu einer Unternehmensberatung geben will.

2. Frau Parker
   a. ☐ verschiebt den Termin am Mittwoch um 14:30 Uhr.
   b. ☐ vereinbart einen Termin am Mittwoch um 14:30 Uhr.
   c. ☐ sagt den Termin am Mittwoch um 14:30 Uhr ab.

3. Frau Dr. Massloff beabsichtigt,
   a. ☐ mit Frau Parker zum Kredit-Gespräch bei der Waller-Bank zu gehen.
   b. ☐ am Mittwoch die Preisliste für die Beraterhonorare der Unternehmensgründung mitzubringen.
   c. ☐ sich an der Unternehmensgründung zu beteiligen.

4. Bei Bedarf
   a. ☐ findet Frau Parker die Preisliste für die Beraterhonorare in der Mail von Frau Massloff.
   b. ☐ berät die Unternehmensberatung kostenfrei.
   c. ☐ bekommen Frau Parker und ihr Geschäftspartner einen Kredit von der Bank.

5. Frau Parker, ihr Geschäftspartner und die Unternehmensberaterin Frau Massloff wollen
   a. ☐ zusammen ein Unternehmen aufbauen.
   b. ☐ sich am Mittwoch um 14:30 Uhr im Hause der Unternehmensberatung treffen.
   c. ☐ einen Vertrag schließen.

von: "Elizabeth Parker" <parker@handwerksbraeu.de>
an: "Dr. Sabine Massloff" <s.massloff@unternehmensberatung-massloff-consult.com>
Betreff: Re: Re: Re: Re: Unternehmensberatung

Liebe Frau Massloff,
unser Gespräch war sehr hilfreich. Ich habe mit meinem Geschäftspartner gesprochen und der Preis für Ihr Paketangebot sagt uns zu. Wir wollen das schriftlich festhalten, bitte schicken Sie uns die Vertragsunterlagen.
Elizabeth Parker – Handwerksbräu

S. Massloff schrieb:
>Sehr geehrte Frau Parker,
>Zeit und Ort passen mir sehr gut. Danke für die Info, die Unterlagen bringe ich mit.
>Ich freue mich auf unser Treffen am Mittwoch.
>Mit freundlichen Grüßen
>Dr. Sabine Massloff, Unternehmensberaterin Dr. Massloff-Consult

Elizabeth Parker schrieb:
>>Sehr geehrte Frau Dr. Massloff,
>>vielen Dank für Ihre E-Mail. Der 23.11. passt mir sehr gut, aber wäre Ihnen auch ein Termin
>>nachmittags um 14:30 Uhr bei uns möglich?
>>Zu unserer Firmensituation: Wir sind zwei Geschäftsführer. Ein Finanzplan liegt vor. Wir haben
>>zusammen 80.000 Euro Eigenkapital. In Sachwerten 250.000 Euro – Immobilie, Erbe – und hoffen,
>>von der Bank 50.000 Euro Kredit zu bekommen. Wir möchten eine GmbH gründen, haben aber
>>noch Fragen zur Haftung und zum Mindestkapital. Das wollen wir auch mit Ihnen besprechen.
>>Zu den Kosten Ihrer Beratung: Wir sind an einem Projektpreis interessiert, bringen Sie bitte die
>>Unterlagen mit.
>>Mit freundlichen Grüßen
>>Elizabeth Parker – Handwerksbräu

Sabine Massloff schrieb:
>>>Sehr geehrte Frau Parker,
>>>sehr gerne begleiten wir Sie bei der Durchführung Ihrer Geschäftsidee und bei der Vorbereitung
>>>auf die Kreditverhandlung bei der Waller-Bank bzw. bei der Wahl einer Rechtsform für Ihr
>>>Unternehmen. Als Termin für ein erstes Gespräch schlagen wir Ihnen den 23.11. vormittags vor,
>>>vielleicht so gegen 11:00 Uhr? Am besten Sie schicken uns ein paar Daten, damit wir allgemeine
>>>Fragen schon vorher klären können. Wie viel Startkapital haben Sie? Haben Sie einen
>>>Finanzplan erstellt? Wie groß ist Ihr Team, wie viele Gesellschafter sind Sie? Sind Sie die
>>>einzige Geschäftsführerin?
>>>Zu den Kosten: Wir berechnen pro Tag (8 Stunden) zwischen 940 und 1.500 Euro zzgl. MwSt.
>>>Wir bieten aber auch Projekt- und Paketangebote an. Darüber sprechen wir dann in unserem
>>>kostenfreien Gespräch am Mittwoch. Wenn Sie unsere Konditionen vorher ansehen
>>>wollen, finden Sie im Anhang Informationen.
>>>Mit freundlichen Grüßen
>>>Dr. Sabine Massloff, Unternehmensberaterin
>>>S. Massloff – Dr. Sabine Massloff – Unternehmensberatung – *www.massloff-consult.de*
* Berger Landstraße 122 – 130 * 17291 Prenzlau * Tel: 03984 / 947 245 08

D Wo finden Sie Beratung?

1 Gründerszene
› KB: D1a

a **Notieren Sie den Wortschatz zum Thema „Existenzgründung" von Doppelseite 3D im Kursbuch.**

1. Kredit: *der Kredit, der Sofortkredit, der Zins, der Kreditrechner, die Laufzeit eines Kredits, ...*
2. Unternehmen / Geschäft: ______
3. Unterlagen: ______
4. Geld: ______
5. Werbung: ______
6. Beratung: ______

B P **b** 2 | 40–43 **Sie hören vier kurze Gespräche zum Thema „Existenzgründung". Was passt: a, b oder c? Kreuzen Sie an.**

1. Warum besuchen Gründer das Gründerseminar?
   a. ☒ Man bekommt eine gute Beratung.
   b. ☐ Man spricht über Ladenmieten.
   c. ☐ Man macht eine Marketinganalyse.
2. Warum hat sich Frau Markel selbstständig gemacht?
   a. ☐ Sie war unglücklich mit der Arbeit.
   b. ☐ Sie war arbeitslos.
   c. ☐ Sie hatte Probleme mit ihrer Chefin.
3. Wann geht es um das Thema „Steuern"?
   a. ☐ Nach der Pause.
   b. ☐ Morgen Vormittag.
   c. ☐ Morgen Nachmittag.
4. Warum brauchen Gründerinnen oft eine spezielle Beratung?
   a. ☐ Weil sie andere Fragen und Wünsche haben als männliche Gründer.
   b. ☐ Weil sie keine Kredite von der Bank bekommen.
   c. ☐ Weil sie ein Netzwerk aufbauen wollen.

Rechtschreibung

1 Zusammengesetzte Nomen mit und ohne Knacklaut

a 2 | 44 **Hören Sie die Sätze und schreiben Sie sie. Achten Sie besonders auf die Groß- und Kleinschreibung der Wörter.**

1. *ökologisch* – *ökologisch produzieren* – *Ökoprodukte* sind beliebt.
2. ______ – ______ – Sie ist ______ mit eigener Praxis.
3. ______ – ______ – Ein ______ ist oft Freiberufler.

b **Lesen Sie die Sätze aus 1a laut und achten Sie auf den Knacklaut. Markieren Sie ihn.**

Grammatik im Überblick

1 Infinitivsätze › G: 4.4

Infinitivsätze sind Nebensätze. Man bildet sie mit „zu" + dem Infinitiv des Verbs.
Beim Infinitiv mit „zu" steht kein Subjekt. Das Subjekt vom Hauptsatz ist das gedachte Subjekt vom Nebensatz.
Vor dem Infinitivsatz mit „zu" steht in der Regel ein Komma, wenn er mehr als zwei Wörter hat.

Die Position von „zu":

- „zu" mit dem Infinitiv steht am Ende des Infinitivsatzes.
  z. B. Es war immer unser Traum, eine kleine Brauerei zu gründen.
- Bei trennbaren Verben steht „zu" zwischen Vorsilbe und Verbstamm.
  z. B. Wir haben beschlossen, zusammen ein Geschäft aufzubauen.

„dass"-Sätze und Infinitivsätze

Aus „dass"-Sätzen kann man Infinitivsätze bilden, wenn das Subjekt im Haupt- und Nebensatz gleich ist,
z. B. Elizabeth und Thomas haben beschlossen, dass sie die alte Brauerei modernisieren.
Elizabeth und Thomas haben beschlossen, die alte Brauerei zu modernisieren.

Nach unpersönlichen Ausdrücken steht oft der Infinitivsatz:

Es ist + Adjektiv	Nach Ausdrücken wie	Nach Verben der Absicht / des Wunsches
Es ist toll, … zu …	Es ist ein Problem, … zu …	Wir beabsichtigen / planen / haben vor, … zu …
Es ist wichtig, … zu …	Oft hat man keine Zeit, … zu …	Wir hoffen / wünschen / erwarten , … zu …
Es ist interessant, … zu …	Ich habe Angst, … zu …	
Es ist nicht gut, … zu …	Er hat keine Chance, … zu …	

2 Konjunktiv II in Empfehlungen, Ratschlägen, Vorschlägen › G: 1.3

Die Formen von „sollen" im Konjunktiv II.

ich	du	er / sie / es	wir	ihr	sie	Sie (Sg. + Pl.)
sollte	solltest	sollte	sollten	solltet	sollten	sollten

- Vorschlag, Ratschlag,
  z. B. Ihr solltet zu einer Bank gehen. / Du könntest eine GmbH gründen. / Ich würde eine GmbH gründen.
- Empfehlung,
  z. B. Welche Gesellschaftsform würden Sie empfehlen?

Ausdrücke, mit denen man einen Vorschlag, einen Ratschlag oder eine Empfehlung einleitet,
z. B. Wenn ich du / Sie wäre, würde ich ein Gründerseminar besuchen.
An eurer / Ihrer Stelle würde ich zuerst einen Finanzplan machen.
Wärst du so nett / Wären Sie so nett und würdest / und würden mir einen Rat geben?
Ich hätte gerne einen Rat, könntet ihr / könnten Sie mir helfen?

A Eine neue Nachricht

1 Telefonalphabete › KB: A2a

a Lesen Sie den Infotext. Was ist richtig (r), was ist falsch (f)? Kreuzen Sie an.

Buchstabiertafeln

Das deutsche Telefonalphabet (oder auch Buchstabiertafel) konnte man zum ersten Mal 1890 in einem Berliner Telefonbuch lesen. Damals benutzte man noch Zahlen für die Buchstaben, also A = 1, B = 2 etc. Erst ab dem Jahre 1903 verwendete man Namen mit dem Anfangsbuchstaben, so wie wir das heute kennen.
Es gibt verschiedene Buchstabiertafeln in den deutschsprachigen Ländern: Die österreichische Buchstabiertafel hat einige andere Namen als die deutsche Buchstabiertafel. Auch auf der Schweizer Buchstabiertafel findet man andere Namen. Außerdem gibt es in der Schweiz kein Eszett.
In der internationalen Kommunikation gebrauchte man das NATO-Alphabet: Viele Wörter des NATO-Alphabets sind international und man spricht sie in vielen Sprachen gleich aus. Das macht die Kommunikation zwischen Gesprächspartnern aus verschiedenen Nationen leichter.

		r	f
1.	Im 19. Jahrhundert benutzte man zuerst Zahlen und Buchstaben.	☒	☐
2.	Anfang des 20. Jahrhunderts buchstabierte man mit Hilfe von Namen.	☐	☐
3.	Das österreichische Telefonalphabet und das deutsche Telefonalphabet sind gleich.	☐	☐
4.	Die Schweizer haben die deutsche Buchstabiertafel übernommen.	☐	☐
5.	Im NATO-Alphabet stehen Wörter, die international gleich gesprochen werden.	☐	☐

**b Sehen Sie sich das österreichische und Schweizer Telefonalphabet an.
Markieren Sie die Unterschiede zum deutschen Alphabet.**

TIPP

Drucken Sie die Buchstabiertafel aus und legen Sie sie neben das Telefon.

Das österreichische Telefonalphabet

A	Anton	K	Konrad	ß	scharfes S
Ä	Ärger	L	Ludwig	T	Theodor
B	Berta	M	Martha	U	Ulrich
C	Cäsar	N	Nordpol	Ü	Übel
D	Dora	O	Otto	V	Viktor
E	Emil	Ö	Österreich	W	Wilhelm
F	Friedrich	P	Paula	X	Xaver
G	Gustav	Q	Quelle	Y	Ypsilon
H	Heinrich	R	Richard	Z	Zürich
I	Ida	S	Siegfried		
J	Julius	Sch	Schule		

Das Schweizer Telefonalphabet

A	Anna	K	Kaiser	U	Ulrich
Ä	Äsch (Aesch)	L	Leopold	Ü	Übermut
B	Berta	M	Marie	V	Viktor
C	Cäsar	N	Niklaus	W	Wilhelm
D	Daniel	O	Otto	X	Xaver
E	Emil	Ö	Örlikon (Oerlikon)	Y	Yverdon
F	Friedrich	P	Peter	Z	Zürich
G	Gustav	Q	Quasi		
H	Heinrich	R	Rosa		
I	Ida	S	Sophie		
J	Jakob	T	Theodor		

2 Sich melden und Name, Telefonnummern und E-Mail-Adressen erfragen › KB: A3

a Telefonieren im Beruf: Wie kann man sich am Telefon melden? Kreuzen Sie an.

1. a. ☒ Guten Tag, hier ist Frau Mohr von der Firma Auer. b. ☐ Guten Tag. Mohr hier, von der Firma Auer.
2. a. ☐ Hallo, ich bin die Clara Mohr. b. ☐ Hallo, hier spricht Clara Mohr.
3. a. ☐ Guten Morgen, mein Name ist Mohr, ich arbeite bei der Firma Auer. b. ☐ Morgen, Auer hier.

b Formulieren Sie Fragen zu den Antworten.

1. Wie lautet Ihre Durchwahl? ? Meine Durchwahl ist die 35.
2. ______________________ ? Ich buchstabiere: A wie Anton, B wie Berta, ...
3. ______________________ ? Die Ländervorwahl von Frankreich ist die 0033.
4. ______________________ Die E-Mail-Adresse von Herrn Funke ist:
   ______________________ ? j.funke@kma-hamburg.de.

B Eine Nachricht hinterlassen

1 Nicht zu erreichen › KB: B1a

Ordnen Sie die Ausdrücke für das Telefonieren den Bedeutungen zu.

1. Er / Sie ist nicht am Platz.
2. Er / Sie ist auf Dienstreise.
3. Er / Sie ist außer Haus.
4. Er / Sie ist zu Tisch.
5. Er / Sie spricht gerade.
6. Er / Sie ist gerade in einer Besprechung.

A. Er / Sie ist nicht in der Firma.
B. Er / Sie telefoniert im Moment.
C. Er / Sie ist beim Mittagessen.
D. Er / Sie ist nicht am Arbeitsplatz.
E. Er / Sie hat ein Treffen mit jemandem.
F. Er / Sie ist beruflich unterwegs.

1. D
2. ___
3. ___
4. ___
5. ___
6. ___

2 Höflichkeit am Telefon: Der Konjunktiv II › KB: B2b › G: 1.3

a Welches Verb passt? Ergänzen Sie das Telefongespräch und markieren Sie die Konjunktiv II-Formen.

ausrichten | ~~durchstellen~~ | erreichen | verbinden mit | weitergeben | weiterhelfen | zurückrufen

▶ Guten Tag, hier spricht Inge Roth von der Firma Steiner & Co. Würden Sie mich bitte zu Frau Lange [1] durchstellen? Ich müsste sie dringend sprechen. Leider kann ich sie nicht [2] ______________, ihr Apparat ist besetzt. Könnten Sie mir bitte helfen?

▶ Ja sicher. Einen Moment bitte, ich kann Sie [3a] ______________ Herrn Schütz [3b] ______________, das ist ihr Kollege.

▶ Ja, das wäre prima. Vielen Dank.

▶ Hören Sie, er ist auch nicht am Platz. Kann ich Ihnen vielleicht [4] ______________?

▶ Ja, gern. Ich hätte nämlich eine Nachricht für Frau Lange. Könnten Sie sie bitte [5] ______________: Frau Lange soll mich bitte wegen der Verträge mit der Firma Chronos so schnell wie möglich [6] ______________.

▶ Gut, das habe ich notiert. Ich [7a] ______________ es ihr [7b] ______________. Dürfte ich Sie noch um Ihren Namen bitten, ich habe ihn am Anfang nicht verstanden.

▶ Aber gern, Roth ist mein Name, mit „t-h".

▶ Vielen Dank, Frau Roth. Auf Wiederhören.

▶ Auf Wiederhören.

b **Schreiben Sie die Konjunktiv II-Formen aus 2a in die Tabelle und ergänzen Sie dann die übrigen Formen.**

	haben	sein	können	müssen	dürfen	sollen	werden
ich			könnte				
du		wär(e)st					
er / sie / es					dürfte		
wir	hätten						
ihr				müsstet			
sie						sollten	
Sie (Sg. u. Pl.)							würden

c **Ergänzen Sie die Formen von „haben" und „sein" im Konjunktiv II.**

1. Hätten Sie morgen Zeit für ein Meeting?
2. ________ Sie damit einverstanden?
3. ________ Sie die Nummer von Herrn Schmitt?
4. Wann ________ er erreichbar?
5. ________ du einen Moment Zeit?
6. ________ es möglich, später anzurufen?

d **Formulieren Sie höfliche Fragen und Bitten im Konjunktiv II mit den Modalverben. Schreiben Sie die Sätze in die passende Tabelle.**

1. ich – mit Herrn Mayer – sprechen – müssen – .
2. Sie – die Informationen – weitergeben – können – ?
3. Sie – Ihre Handynummer – geben – mir – können – ?
4. Sie – eine Nachricht – hinterlassen – können – .
5. ich – verbinden – dürfen – Sie – mit Frau Sulzer – ?
6. Sie – noch einmal – anrufen – bitte – müssen – .

Satzklammer

	Modalverb im Konjunktiv II		Infinitiv
1. Ich	müsste	mit Herrn Mayer	sprechen.

Satzklammer

Modalverb im Konjunktiv II		Infinitiv
2. Könnten	Sie die Informationen	weitergeben?

e **Der Chef ruft an: Formulieren Sie die Anweisungen in Sätze mit „würde" um und markieren Sie die Verben.**

1. Geben Sie die Information über die Entscheidung bitte schnell weiter.
2. Und informieren Sie bitte auch die Mitarbeiter der Personalabteilung.
3. Versenden Sie bitte das Protokoll der letzten Teamsitzung.
4. Kümmern Sie sich bitte um die nötigen Dokumente.
5. Kopieren Sie bitte die Arbeitserlaubnis.
6. Informieren Sie mich bitte sofort über die Änderungen in unserer Personalplanung.

1. Würden Sie bitte die Information über die Entscheidung schnell weitergeben.

f **Der Assistent gibt die Aufträge seines Chefs, Herrn Kunz, an die Sekretärin weiter. Formulieren Sie die Anweisungen von Herrn Kunz einmal als direkte Aufforderung mit dem Modalverb „sollen" und einmal indirekt mit dem Modalverb „möchte-".**

1. Bitte rufen Sie Frau Syders so schnell wie möglich zurück. (möchte-)
2. Bitte senden Sie Herrn Schneider die Unterlagen per E-Mail. (sollen)
3. Bitte scannen Sie die Dokumente. (möchte-)
4. Bitte kommen Sie sofort in die dritte Etage. (sollen)
5. Bitte erinnern Sie die Buchhaltung an die Abrechnung. (möchte-)

1. Sie möchten Frau Syders bitte so schnell wie möglich zurückrufen.

2. Sie sollen Herrn Schneider die Unterlagen bitte per E-Mail senden.

TIPP

„möchte-" + Infinitiv: Sprecher gibt einen Auftrag **höflich** weiter, z. B. Sie möchten bitte sofort zurückrufen.
„sollen" + Infinitiv: Sprecher gibt einen Auftrag **deutlich und direkt** weiter, z. B. Sie sollen bitte sofort zurückrufen.

3 Gesprächsnotizen › KB: B3

Lesen Sie die Gesprächsnotiz. Was passt: a oder b? Kreuzen Sie unten an.

Datum: 14.9.2016	**Uhrzeit:** 15:10 Uhr
Anruf von: Herrn Markov	**Firma:** Chronos
Anruf für: Frau König	**Anruf angenommen von:** Tabea Schneider
Telefonnummer:	**Faxnummer:**
Mail:	

☐ ruft wieder an ☒ ruft zurück ☐ erbittet Rückruf ☐ bittet um: ______

Betreff: Herr Markov muss Treffen morgen absagen, meldet sich Ende der Wo. wg. Termin übernächste Wo.

1. Man verwendet a. ☐ Artikel. b. ☐ keine Artikel.
2. Personalpronomen sind a. ☐ nötig. b. ☐ nicht unbedingt nötig.
3. Verständliche Abkürzungen sind a. ☐ möglich. b. ☐ nicht möglich.

4 Eine Nachricht hinterlassen › KB: B4a

Lesen Sie das Telefongespräch und ergänzen Sie die passenden Redemittel.

~~Was kann ich für Sie tun?~~ | Das richte ich gern aus. | Richten Sie ihm bitte aus, dass … | Möchten Sie eine Nachricht hinterlassen? | Hören Sie? | Einen Moment bitte, …

▶ Steiner und Co, Schneider, guten Tag! [1] Was kann ich für Sie tun?

▶ Herzberg hier. Könnte ich bitte Herrn Solokowski sprechen?

▶ [2] ______, ich stelle Sie durch. [3] ______?
Herr Solokowski ist nicht am Platz. [4] ______?

▶ Ja, gern. [5] ______ er mich bitte unter der Nummer 0175 89898991. zurückrufen soll. Es ist dringend.

▶ [6] ______, Herr Herzberg. Auf Wiederhören.

C Wie war das, bitte?

1 Termine vereinbaren › KB: C1

Welche Wörter sind synonym? Schreiben Sie die Wörter hinter den passenden Ausdruck.

etwas ausrichten | es ist möglich | es passt nicht | notieren | ~~vereinbaren~~ | verschieben

1. einen Termin ausmachen: *vereinbaren*
2. eine Nachricht weiterleiten: ______
3. ein Meeting verlegen: ______
4. einen Termin festhalten: ______
5. es geht: ______
6. es klappt nicht: ______

2 Indirekte Fragesätze und Aussagesätze › KB: C2b › G: 4.4

a Ergänzen Sie die Präpositionen und markieren Sie dann die Präpositionalergänzung.

an | an | auf | mit | ~~über~~ | über | um | von

1. Wir sprechen heute *über* das neue Projekt.
2. Ich wende mich ______ den Vertriebsleiter.
3. Er will mit mir ______ den Chef sprechen.
4. Ich soll ______ ihm telefonieren.
5. Wir freuen uns ______ den neuen Kollegen.
6. Der neue Kollege profitiert ______ dem Meeting.
7. Es geht ______ das aktuelle Projekt.
8. Wir müssen ______ den Zeitplan denken.

b Lesen Sie den Tipp und notieren Sie die passenden direkten Fragen.

1. *Worüber sprechen wir heute?*
2. *An wen wenden Sie sich?*
3. ______
4. ______
5. ______
6. ______
7. ______
8. ______

TIPP

Über wen? / Mit wem? – Worüber? / Womit?
- Frage nach einer **Person** – Präp. + wen? / wem?, z. B. Über wen / mit wem sprichst du?
- Fragen nach einer **Sache** – wo(r) + Präp., z. B. Worübe[r] sprichst du? Womit telefonierst du?

c Formulieren Sie nun aus den direkten Fragen aus 2b indirekte Fragen und Aussagesätze.

1. Wissen Sie schon, *worüber wir heute sprechen?*
2. Sagen Sie mir doch bitte, *an wen Sie sich wenden.*
3. Ich kann Ihnen leider nicht sagen, ______.
4. Ich weiß schon, ______.
5. Wissen Sie, ______?
6. Also, Sie fragten, ______?
7. Können Sie mir schon sagen, ______?
8. Sagen Sie mir bitte, ______.

TIPP

Satzzeichen in indirekten Fragesätzen
- Einleitungsatz = Ja- / Nein-Frage → **Fragezeichen**, z. B. Wissen Sie schon, wann …?
- Einleitungssatz = Aussage[satz] → **Punkt**, z. B. Ich weiß schon, wann … .

d **Ab wann? Von wann bis wann? – Fragen nach Zeitpunkt und Zeitdauer. Schreiben Sie Sätze aus den Elementen wie im Beispiel.**

1. sagen – kannst – mir – du / von wann bis wann – das Meeting nächste Woche – dauert
2. weißt – auch – du / das Treffen – beginnt – um wie viel Uhr
3. bitte – mir – sag, / die Sitzung – geht – bis wann
4. weißt – vielleicht – du / erreichbar ist – ab wie viel Uhr – Herr Müller
5. bitte – mich – informier / das Treffen – wie lange – geht
6. ich – gern – wissen – möchte / Frau Schneider im Urlaub – seit wann – ist

1. Kannst du mir sagen, von wann bis wann das Meeting nächste Woche dauert?

3 Verständnis sichern und nachfragen › KB: C3b

Was sagen Sie in welcher Situation? Was passt: a oder b? Kreuzen Sie an.

1. Sie sagen, dass Sie etwas nicht verstanden haben.
   a. ☒ Das ist mir noch nicht ganz klar.
   b. ☐ Ich verstehe das ganz gut.
2. Sie bitten um Wiederholung einer Information.
   a. ☐ Sie sollen das bitte noch einmal wiederholen.
   b. ☐ Könnten Sie das bitte noch einmal wiederholen?
3. Sie notieren einen Termin.
   a. ☐ Ich habe den Termin morgen um 15:00 Uhr festgeschrieben.
   b. ☐ Ich halte fest: Der Termin ist morgen um 15:00 Uhr.
4. Sie möchten prüfen, ob Sie alles richtig verstanden haben.
   a. ☐ Habe ich das richtig verstanden: Das Meeting findet um 16:00 Uhr statt?
   b. ☐ Bitte verstehen Sie mich richtig: Das Meeting findet um 16:00 Uhr statt.

D Rufen Sie bitte zurück!

1 Auf einen Anrufbeantworter sprechen › KB: D2a

Wie heißen die Redemittel? Ordnen Sie die Satzteile zu.

1. Guten Tag, hier	A. sich um das Projekt in Mailand.	1. *B*
2. Würden Sie mich	B. ist Marion Haller von der Firma Xantos.	2. ___
3. Sie erreichen mich	C. Ihnen.	3. ___
4. Es geht	D. wegen des Termins nächste Woche.	4. ___
5. Ich rufe an	E. bitte zurückrufen?	5. ___
6. Ich danke	F. um das Projekt in Turin.	6. ___
7. Es handelt	G. heute Nachmittag unter der Nummer 0135 7987646.	7. ___

2 Etwas machen lassen › KB: D3 › G: 1.4

a **Lesen Sie die Sätze und schreiben Sie die Formen von „lassen" in die Tabelle.**

1. Ich lasse mir den Namen buchstabieren.
2. Er lässt die Akte von der Sekretärin suchen.
3. Sie lassen das Projekt von einem Ingenieur planen.
4. Du lässt ihm etwas ausrichten.
5. Wir lassen die Dokumente von unserem Praktikanten kopieren.

ich	du	er / sie / es	wir	ihr	sie	Sie (Sg. + Pl.)
lasse				lasst		

b **Lesen Sie die Sätze in 2a noch einmal und kreuzen Sie in der Regel an.**

G

„lassen" + Infinitiv bedeutet, a. ☐ dass man selbst etwas tut. b. ☐ dass andere etwas für einen tun.

c **Formulieren Sie Sätze mit „lassen" und schreiben Sie sie in die Tabelle.**

1. ihr: die Unterlagen von der Kollegin ausdrucken
2. ich: ein Angebot erstellen
3. wir: Sitzung von der Assistentin protokollieren
4. du: die E-Mail-Adresse aufschreiben
5. sie (Pl.): die Reservierungsbestätigung vom Hotel faxen

Satzklammer

	„lassen"		Infinitiv
1. *Ihr*	*lasst*	*die Unterlagen von der Kollegin*	*ausdrucken.*
2.			
3.			
4.			
5.			

Z **d** **Für wen ist der Auftrag? Lesen Sie und kreuzen Sie an. Ergänzen Sie dann die Regel.**

	für mich (Auftraggeber)	für eine andere Person
1. Ich lasse mir die Adresse geben.	☒	☐
2. Ich lasse ihr die Adresse geben.	☐	☐
3. Er lässt sich die Unterlagen schicken.	☐	☐
4. Er lässt ihm die Unterlagen schicken.	☐	☐

G

1. Die Person lässt etwas für sich selbst machen. Sätze: *1,* ____________
2. Die Person lässt etwas für eine andere Person machen. Sätze: ____________

Rechtschreibung

1 p – b, t – d, k – g: Plosive hören und schreiben

a 2|45 **Welches Wort hören Sie: a oder b? Kreuzen Sie an.**

1. a. ☒ leider b. ☐ Leiter
2. a. ☐ dir b. ☐ Tier
3. a. ☐ bar b. ☐ Paar
4. a. ☐ ausbacken b. ☐ auspacken
5. a. ☐ Gasse b. ☐ Kasse
6. a. ☐ Egert b. ☐ Eckert

b 2|46 **Hören Sie die Nachricht auf dem Anrufbeantworter und ergänzen Sie die fehlenden Plosive.**

Guten Tag, Frau Wegner, hier ist Frau [1] Abendro*t*, ich wollte nur kurz [2] __escheid geben, dass sich der [3] __ermin für unser Treffen am [4] Frei__agabend um eine Stunde verschiebt. Der [5] Grun__ ist, dass sich der [6] Flu__ von Frau Möller um eine Stunde verspätet. Sie haben also eine kurze [7] __ause. Wir bringen noch einen [8] __ast mit, Herrn [9] __onner von unserem [10] Vertriebs__artner. Er kennt sich gut mit dem Thema [11] „__undenbindung" aus. Er arbeitet mit großem [12] Erfol__ und bekommt von den Kunden viel [13] Lo__. So, das war's. Bis dann, Frau Wegner. [14] Auf Wie__erhören.

Grammatik im Überblick

1 Konjunktiv II bei höflichen Bitten und Fragen › G: 1.3

Bei „haben", „sein" und den Modalverben „können", „müssen", „dürfen", „sollen" verwendet man in höflichen Bitten und Fragen den Konjunktiv II. Bei anderen Verben gebraucht man „werden" im Konjunktiv II + Infinitiv des Verbs, z. B. Ich würde gern Herrn Schulze sprechen.

	haben	sein	können	müssen	dürfen	sollen	werden
ich	hätte	wäre	könnte	müsste	dürfte	sollte	würde
du	hättest	wär(e)st	könntest	müsstest	dürftest	solltest	würdest
er / sie / es	hätte	wäre	könnte	müsste	dürfte	sollte	würde
wir	hätten	wären	könnten	müssten	dürften	sollten	würden
ihr	hättet	wär(e)t	könntet	müsstet	dürftet	solltet	würdet
sie	hätten	wären	könnten	müssten	dürften	sollten	würden
Sie (Sg. + Pl.)	hätten	wären	könnten	müssten	dürften	sollten	würden

Wenn man besonders höflich sein will, kann man höfliche Fragen und Bitten mit „werden" im Konjunktiv II formulieren.

	Position 2		Satzende
Ich	müsste	Herrn Mayer dringend	sprechen.
Ich	würde	Herrn Mayer gern	sprechen.

Position 1		Satzende
Könnten	Sie mir bitte die E-Mail	weiterleiten?
Würden	Sie mir bitte die E-Mail	weiterleiten?

2 Indirekte Fragesätze › G: 4.4

Wenn man höflich sein will, stellt man oft keine direkten Fragen, sondern indirekte. In dem Fall beginnt man die Frage mit Ausdrücken wie „Ich möchte wissen, …" oder „Könnten Sie mir sagen, …".

Indirekte Fragesätze sind Nebensätze. Das Verb steht im Nebensatz steht am Satzende.
Wenn die direkte Frage mit einem Fragewort oder -ausdruck beginnt, beginnt der indirekte Fragesatz mit dem gleichen Fragewort oder -ausdruck.
Wenn die direkte Frage eine Ja- / Nein-Frage ist, beginnt der indirekte Fragesatz mit „ob".

Hauptsatz	indirekte Frage (= Nebensatz)		
Sagen Sie mir bitte,	um wieviel Uhr	es Ihnen gut	passen würde.
Können Sie mir sagen,	an wen	ich mich	wenden kann?
Teilen Sie mir bitte mit,	woran	wir bei der Planung	denken müssen.
Wissen Sie schon,	ob	Frau Schulz nächste Woche wieder da	ist?

3 Das Modalverb „lassen" › G: 1.4

ich	du	er / sie / es	wir	ihr	sie	Sie (Sg. + Pl.)
lasse	lässt	lässt	lassen	lasst	lassen	lassen

Das Modalverb „lassen" + Infinitiv bedeutet, dass man etwas nicht selbst tut, sondern andere bittet oder beauftragt, etwas zu tun,
z. B. Ich lasse die Dokumente kopieren. → Ich mache es nicht selbst. Jemand macht es für mich.

	Position 2		Satzende
Ich	lasse	mir die Nummer von Herrn Mayer	sagen.
Wir	lassen	uns mit der Buchhaltung	verbinden.

A Eine Messe planen

1 Einen Messeauftritt planen › KB: A2b

a Ergänzen Sie die fehlenden Buchstaben und den bestimmten Artikel wie im Beispiel.

1. *der* Messeau*f* tr*i*t*t*	4. ___ Pr__d__ktp__l__tte	7. ___ Messet__e__e
2. ___ Messe__e__uc__er	5. ___ Stand__u__sta__ __ung	8. ___ Rol__ __p
3. ___ Messe__ __ __nd	6. ___ Stand__i__ri__e	9. ___ Prospekt__tä__de__

b Was will die Firma Rischge auf der Paperworld? Ordnen Sie die Wörter zu.

abbilden | Attraktion | ausstellen | Mittelpunkt | ~~Neuheit~~ | Sortiment | unterscheiden | vorführen | Werbespruch

Die Firma Rischge stellt ihre [1] *Neuheit*, den „Rischge Digital Pen", in den [2] ___ ihres Messeauftritts und präsentiert ihn mit dem [3] ___ „Der Rischge Digital Pen – mit einem Strich vom Papier in die digitale Welt". Mit dem digitalen Kugelschreiber will Rischge sich von den Mitanbietern [4] ___. Der Stift ist die [5] ___ auf der Messe. Die Messewand [6a] ___ den „Rischge Digital Pen" groß [6b] ___. Die Mitarbeiter [7a] ___ die Funktionen des Kugelschreibers [7b] ___. Die Besucher dürfen ihn natürlich auch ausprobieren. Außerdem [8a] ___ die Firma den „Rischge Traditional" in einer Vitrine [8b] ___. So bekommen die Messebesucher auch einen Eindruck von dem normalen [9] ___.

Z **c Die Lieferanten bringen Waren an die Messestände. Wo ist welcher Stand? Ergänzen Sie die Ortsangaben.**

in der Mitte rechts | ~~im Gang~~ | vorne links | hinten links | daneben | gegenüber von

- ▶ Also, wir sind jetzt [1] *im Gang* B von Halle 6. Ich habe hier den Plan mit den Firmennamen und Standnummern. Für welche Firmen sind die ersten zwei Pakete?
- ▶ Für die Firmen Noksat und Rüchelt.
- ▶ Noksat ist am Stand 24. Der ist [2] ___. Rüchelt hat die Nummer 30. Dieser Stand befindet sich [3] ___.
- ▶ Wir haben auch ein Paket für Thalkauer.
- ▶ Die haben den Stand 19 und der ist gleich hier [4] ___. [5] ___ ist der Info-Stand.
- ▶ Ach, sehr gut, für den haben wir ja auch ein Paket. Dann bleiben noch die drei Pakete für Stolz & Co.
- ▶ Stolz … Moment. Das ist Stand 20 und der ist [6] ___ Stand 30.
- ▶ Okay, dann gehen wir zuerst zu Thalkauer, dann zum Info-Stand und danach …

Halle 6

23 | 24 | Gang B | 25 | 26 | 27 | 28 | 29
21 | 22 | 20 | 30 | 31 | 32
Info-Stand
19 | X X | 33 | 34

Die Lieferanten sind hier.

c **Schauen Sie sich die Sätze in 2b noch einmal an und ergänzen Sie dann die Regel.**

G

Wenn der Passivsatz ein Nebensatz ist, stehen alle Verben am ______________. Das konjugierte ______________ ist das letzte Wort im Nebensatz.

d **Probleme bei der Messeplanung. Schreiben Sie Passivsätze im Nebensatz. Achten Sie auch auf die Zeitangabe in Klammern.**

1. Warum ist die Messekleidung noch nicht da? (sie – erst letzte Woche – bestellen können / Präteritum)
   Sie ist nicht da, weil *sie erst letzte Woche bestellt werden konnte.*
2. Ist die neue Messewand schon da? (sie – letzte Woche – liefern / Perfekt)
   Ja, Herr Brühler meint, dass ______________
3. Wann entscheiden wir uns für die Messemöbel? (die Standkonzeption – planen / Präsens)
   Wenn ______________, dann entscheiden wir uns für die Möbel.
4. Warum sind die Messemöbel nicht verschickt worden? (sie – noch – verpacken müssen / Präsens)
   Weil ______________, konnten wir sie noch nicht verschicken.

3 Nomen-Verb-Verbindungen › KB: C4a

TIPP

Lernen Sie Nomen und Verben immer zusammen.

a **Ordnen Sie die Verben zu. Oft passen zwei Verben.**

bekommen (2x) | erregen (2x) | geben (3x) | machen (2x) | sein | stehen | wecken (2x)

1. (die) Aufmerksamkeit *erregen / wecken*
2. (das) Interesse ______________
3. im Mittelpunkt ______________
4. in (den) Druck ______________
5. Bescheid ______________
6. (einen) Eindruck ______________
7. in Auftrag ______________
8. zum Geschenk ______________

b **Rischge auf der Paperworld. Ergänzen Sie die Nomen-Verb-Verbindungen aus 3a.**

1. Im *Mittelpunkt* des Messeauftritts *steht* der „Rischge Digital Pen".
2. Die Messemöbel hat die Firma schon im Januar bei der Möbelbaufirma in ______________.
3. Die Flyer wurden letzte Woche in den ______________.
4. Die Druckerei ______________, wenn die Flyer fertig sind.
5. Um das ______________ vieler Besucher zu ______________, wird ein Film über den Stift gezeigt.
6. Im Film ______________ der digitale Stift ______________. Deshalb wollen die Besucher ihn auch ausprobieren.
7. Damit Rischge mehr ______________, engagiert es einen Künstler, der den Stift vorstellt.
8. Wahrscheinlich ______________ sie ihren Großkunden den „Rischge Digital Pen" zum ______________.

4 Braucht die Firma Rischge ein Standevent? › KB: C4c

Lesen Sie das Gespräch und ergänzen Sie die Redemittel.

~~der Ansicht~~ | eine gute Idee | einverstanden | für … entscheiden | Ihre Argumente | stimme … zu

- Unser neuer Stift ist die Attraktion auf der Messe und unser Stand liegt sehr zentral. Ich bin [1] *der Ansicht*, dass wir dann kein Standevent brauchen, um Besucher zu wecken.
- Damit bin ich nicht [2] ______________. Ein guter Stand ist auf den Messen nicht mehr genug. Man muss Aufmerksamkeit erregen, damit die Besucher stehen bleiben.
- Ich verstehe ja [3] ______________, aber das Event muss zu unserem Produkt passen.
- Da [4a] ______________ ich Ihnen [4b] ______________. Ein Moderator aus unserer Region könnte das Produkt mit Humor und Charme präsentieren.
- Das ist [5] ______________, weil er alle Funktionen von dem Stift präsentieren könnte.
- Genau. Ich denke, wir sollten uns [6a] ______________ einen klassischen Moderator [6b] ______________.

D Messen in Deutschland

1 Messeziele › KB: D2

Was wollen die Aussteller auf den Messen erreichen? Schreiben Sie die Verben.

1. Steigerung ihrer Bekanntheit		ihre Bekanntheit *steigern*.
2. Stammkundenpflege		Stammkunden ______________.
3. Neukundengewinnung	Sie wollen	Neukunden ______________.
4. Imageverbesserung		ihr Image ______________.
5. Erschließung neuer Märkte		neue Märkte ______________.
6. neue Vertragsabschlüsse		neue Verträge ______________.

Rechtschreibung

1 Die Laute [s] und [ts]

a 2|47 **Hören Sie die Wörter und schreiben Sie sie in die Tabelle.**

~~Checkliste~~ | ~~Zuschauer~~ | Ausweis | Konzeption | äußern | Künstler | Innovation | Zubehör | begrüßen | festlegen | Nutzfahrzeug | klassisch | Attraktion | außerhalb | Zauberer | Marktplatz | Messe | Azubi

[s]	[ts]
Checkliste, …	*Zuschauer, …*

b **Hören Sie die Wörter in 1a zur Kontrolle noch einmal und vergleichen Sie sie mit Ihren Lösungen.**

Grammatik im Überblick

1 Das Passiv › G: 1.5

Passiv Präsens		
ich	werde	benachrichtigt
du	wirst	benachrichtigt
er / sie / es	wird	benachrichtigt
wir	werden	benachrichtigt
ihr	werdet	benachrichtigt
sie	werden	benachrichtigt
Sie (Sg. + Pl.)	werden	benachrichtigt

Passiv Perfekt			
ich	bin	beauftragt	worden
du	bist	beauftragt	worden
er / sie / es	ist	beauftragt	worden
wir	sind	beauftragt	worden
ihr	seid	beauftragt	worden
sie	sind	beauftragt	worden
Sie (Sg. + Pl.)	sind	beauftragt	worden

Passiv Präteritum		
ich	wurde	angerufen
du	wurdest	angerufen
er / sie / es	wurde	angerufen
wir	wurden	angerufen
ihr	wurdet	angerufen
sie	wurden	angerufen
Sie (Sg. + Pl.)	wurden	angerufen

Passiv mit Modalverb			
ich	muss	informiert	werden
du	kannst	informiert	werden
er / sie / es	soll	informiert	werden
wir	durften	informiert	werden
ihr	wolltet	informiert	werden
sie	mussten	informiert	werden
Sie (Sg. + Pl.)	sollten	informiert	werden

In einem Aktivsatz steht die Person, die Firma etc., die etwas tut, im Vordergrund (Subjekt). In einem Passivsatz steht die Handlung oder der Prozess im Vordergrund.

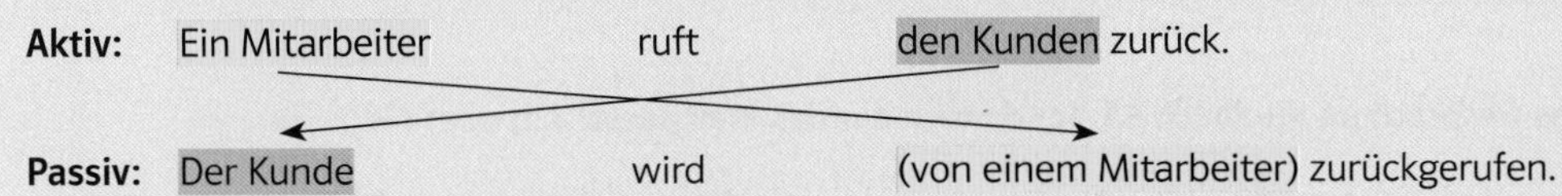

Das Agens ist die Person / die Sache, z. B. die Firma, die etwas tut. Im Passivsatz wird sie meist weggelassen, weil die Handlung oder der Prozess im Vordergrund steht. Wenn man das Agens im Passivsatz nennen möchte, steht es mit der Präposition „von" im Dativ,

z. B. Der Messestand wird von den Mitarbeitern der Firma Rischge eingerichtet.

2 Passiv in Haupt- und Nebensätzen › G: 1.5

	Position 2 (Satzklammer)		Satzende (Satzklammer)
Ihre handschriftlichen Notizen	werden	in einen digitalen Text	umgewandelt.
Die Transportfirma	wurde	mit der Verpackung der Laptops	beauftragt.
Die Messebaufirma	ist	noch nicht	beauftragt worden.
Die Einschreibegebühr	muss	noch	bezahlt werden.

Hauptsatz	Nebensatz		
Wir haben heute Morgen telefoniert,	weil	die Messeflyer noch nicht	geliefert worden sind.
Unser Lieferant hatte viele Probleme,	die	erst gestern Abend	gelöst wurden.
Es tut uns leid,	dass	Ihre Flyer gestern nicht	verschickt werden konnten.
Wir können mit dem Druck beginnen,	wenn	das Papier	geliefert wird.

A Auftragsabwicklung perfekt!

1 Handwerker und ihre Aufgaben

a 1|47 **Wer macht was? Notieren Sie die Verben in der passenden Form. Hören Sie, wenn nötig, Teil 1 vom Gespräch im Kursbuch 6A, 1c, noch einmal.** › KB: A1c

~~beraten~~ | demontieren | einmauern | entsorgen | fliesen | installieren | kontrollieren | machen | montieren | streichen | verkleiden

Sanitärfachmann: Zuerst [1] *berät* ______ er die Kunden.

Dann [2] ______ er ihnen ein Angebot.

Installateur: Er [3] ______ die alten Sachen aus dem Bad und [4] ______ sie.

Er [5] ______ auch die alten Anschlüsse, um zu sehen, ob sie in Ordnung sind. Am Ende der Arbeiten [6] ______ er die neuen Sachen: das WC, das Waschbecken, das Zubehör etc.

Trockenbauer: Er [7] ______ die Wände.

Fliesenleger: Er [8a] ______ die neue Badewanne [8b] ______ und [9] ______ die Wände und den Boden.

Maler: Er [10] ______ das Bad, z. B. mit weißer Farbe.

Elektriker: Er [11] ______ die Steckdosen.

B P **b** 1|47–48 **Hören Sie das Gespräch im Kursbuch 6A, 1c–d, noch einmal. Was passt: a, b oder c? Kreuzen Sie an.** › KB: A1d

1. Frau Herz ist froh,
   a. ☐ weil der Installateur die alten Sachen demontiert.
   b. ☐ weil der Installateur das Bad putzt.
   c. ☒ weil sie die alten Sachen nicht entsorgen muss.
2. Der Fliesenleger kommt, wenn
   a. ☐ der Maler fertig ist.
   b. ☐ die Rohmontage fertig ist.
   c. ☐ alles trocken ist.
3. Die Arbeiten dauern zwei Wochen,
   a. ☐ wenn es keine Probleme gibt.
   b. ☐ wenn es Komplikationen gibt.
   c. ☐ weil das Haus nicht so alt ist.
4. Frau Herz bezahlt,
   a. ☐ wenn alles fertig ist.
   b. ☐ wenn sie die Angebote bekommen hat.
   c. ☐ immer wenn ein Teil der Arbeiten abgeschlossen ist.

2 Ich hatte schon angerufen und Sie waren schon gekommen › KB: A3 › G: 1.2

a Lesen Sie die Regel 1 im Kursbuch 6A, 3, noch einmal und bilden Sie das Plusquamperfekt mit „haben".

1. ich – anrufen: *ich hatte angerufen*
2. du – antworten: ______
3. er / sie – sagen: ______
4. es – anfangen: ______
5. wir – entscheiden: ______
6. ihr – ansehen: ______
7. sie – recherchieren: ______
8. Sie (Sg. + Pl.) – beraten: ______

b **Bilden Sie das Plusquamperfekt mit „sein".**

1. ich – bleiben: *ich war geblieben*
2. du – kommen: ____________
3. er / sie – starten: ____________
4. es – passieren: ____________
5. wir – gehen: ____________
6. ihr – wegfahren: ____________
7. sie – laufen: ____________
8. Sie (Sg. + Pl.) – abreisen: ____________

3 Was war zuerst und was danach? › KB: A3 › G: 1.2, 4.2, 4.4

a **Lesen Sie die Sätze. In welchem Satz steht das, was zuerst passiert ist? Markieren Sie.**

1. Frau Herz hat morgens angerufen. Herr Unger ist zu ihr gekommen.
2. Sie musste abends noch arbeiten. Herr Unger ist gegangen.
3. Herr Unger hat sie beraten. Sie war sehr zufrieden.
4. Sie hat eine Lösung gefunden. Sie hat lange nachgedacht.

b **Bilden Sie Sätze mit „nachdem" + Plusquamperfekt und schreiben Sie sie in die Tabelle.**

Nebensatz			Hauptsatz	
1. Nachdem	*Frau Herz morgens*	*angerufen hatte,*	*ist*	*Herr Unger zu ihr gekommen.*

Hauptsatz	Nebensatz		
2. Sie musste ...			

c **Eine Leserin beschreibt ihre Erfahrungen bei einer Badsanierung. Lesen Sie ihren Bericht in der Wochenendbeilage „Handwerk aktuell" und ergänzen Sie die Verben in der richtigen Zeitform.**

Meine unmögliche Badsanierung

Es begann sehr gut: Nachdem der Sanitärberater [1] *gegangen war* (gehen), war ich sehr zufrieden und [2a] ____________ (vorstellen) mir mein tolles neues Bad [2b] ____________. Aber am nächsten Tag [3a] ____________ (anfangen) die Probleme [3b] ____________: Der Installateur [4] ____________ (kommen) erst um 11:00 Uhr, nachdem ich dreimal in der Firma [5] ____________ (anrufen). Nachdem er seine Sachen in die Wohnung [6] ____________ (bringen), [7] ____________ (machen) er erst einmal Mittag. Nachdem er seine Mittagspause [8] ____________ (beenden), demontierte er die alten Sachen. „Prima", dachte ich, „es geht weiter!" Aber da war auch schon Schluss: Nachdem er alles [9] ____________ (demontieren), [10] ____________ (machen) er Feierabend und ich blieb im Müll sitzen!

d **Frau Herz spricht mit ihrer Freundin über ihre guten Erfahrungen. Lesen Sie den Tipp und formulieren Sie Sätze mit „nachdem". Achten Sie auf die Zeitformen der Verben.**

1. morgens – ich – eine Mail – schreiben / abends – ich – Herr Unger anrufen
2. er – der Katalog – holen / wir alles – am Telefon – besprechen können
3. zuerst – ich – alles – aussuchen / wir – über Termine – sprechen
4. er – der Terminplan – erklären / ich – eine Änderung – machen müssen
5. er – Angebot – schnell schicken / ich sehr froh – sein

1. Nachdem ich morgens eine Mail geschrieben hatte, habe ich Herrn Unger abends angerufen.

______

______

______

______

TIPP

In Sätzen mit einem Nebens[…] mit „nachdem" kann der Ha[…] satz im Präteritum oder Per[…] stehen. Das Präteritum verw[…] det man mehr in schriftliche[…] Texten, z. B. Berichten oder Geschichten, das Perfekt me[…] im mündlichen Sprachgebra[…] „sein", „haben" und die Modalverben verwendet man meist im Präteritum.

B Unser Angebot

1 Klein oder groß? › KB: B1b

Wie heißt das Gegenteil? Ordnen Sie zu?

1. klein	A. breit	1. *C*	4. kurz	D. weit	4. ___
2. schmal	B. hoch	2. ___	5. flach	E. lang	5. ___
3. niedrig	C. groß	3. ___	6. nah	F. tief	6. ___

2 Vergleiche: Komparativ und Superlativ – mit Verben und vor Nomen › KB: B2a › G: 5.2

a **Ergänzen Sie die Tabelle und markieren Sie die jeweilige Besonderheit.**

	Grundform	Komparativ: -er	Superlativ: -(e)st	Besonderheit
1.	klein	kleiner	*am kleinsten*	regelmäßig
2.	lang		am längsten	regelmäßig mit Umlaut
3.	toll	toller		regelmäßig ohne Umlaut
4.	teuer dunkel	 dunkler	am teuersten 	Adjektive auf „-er" und „-el": Im Komparativ fällt das „e" in „-el" und „-er" weg.
5.	weit heiß hübsch kurz groß praktisch	 heißer kürzer praktischer	am weitesten am hübschesten am größten 	Adjektive auf „-d", „-t", „-s", „-ß", „-sch", „-z": Superlativ auf „-est" (Ausnahme: groß, Adjektive auf „-isch")
6.	nah hoch gut gern viel	 höher lieber 	am nächsten am besten am meisten	Sonderformen

b **Mit „am" oder ohne „am"? Mit Endung oder ohne Endung? Was passt: a oder b? Kreuzen Sie an.**

1. Die größere Dusche ist	a. [x] praktischer.	b. [ ] praktischere.	
2. Frau Herz möchte lieber	a. [ ] ein kleiner	b. [ ] ein kleineres	Waschbecken.
3. 90 x 90 cm ist	a. [ ] das beste	b. [ ] am besten	Maß.
4. Armaturen in Chrom halten	a. [ ] die längsten.	b. [ ] am längsten.	
5. Der höhere Spiegel ist	a. [ ] der teuerste	b. [ ] am teuerste	Spiegel.
6. Der Ablauf ist	a. [ ] der komplizierter	b. [ ] der kompliziertere	Teil der Arbeit.

c **Sehen Sie sich die Beispiele in 2b noch einmal an und kreuzen Sie in den Regeln an.**

G

1. Mit Verben erhält das Adjektiv im Komparativ	a. [ ] eine	b. [ ] keine	Endung.
2. Mit Verben verwendet man den Superlativ + Endung „-en"	a. [ ] mit	b. [ ] ohne	„am".
3. Beim Superlativ vor Nomen steht	a. [ ] ein	b. [ ] kein	„am".

d **Ergänzen Sie die Adjektivendungen der Komparativ- und Superlativformen.**

1. der kürzeste Anruf
2. für einen höher___ Preis
3. für ein moderner___ Bad
4. wegen komplizierter___ Arbeit
5. das preiswertest___ Angebot
6. mit best___ Ausstattung
7. die einfachst___ Installation
8. ein größer___ Waschbecken
9. nach länger___ Trockenzeit

e **Lesen Sie die E-Mail und ergänzen Sie die Adjektive im Komparativ oder Superlativ.**

info@unger.xpu

Hallo Herr Unger,

[1] besten (gut) Dank für Ihre gute Beratung. Für mich war das der [2] ___ (interessant) Teil unserer Besprechung gestern. In [3] ___ (kurz) Zeit haben Sie mir alles sehr gut erklärt – [4] ___ (gut) geht es nicht! Am [5] ___ (viel) hat mich die Beschreibung des Ablaufs interessiert. Seine Organisation ist, glaube ich, [6] ___ (kompliziert) als alles andere. Und bitte denken Sie daran: Der [7] ___ (wichtig) Punkt ist für mich, dass die Arbeiten pünktlich abgeschlossen werden. Am 23. August muss wirklich alles fertig sein. Ein [8] ___ (spät) Termin geht leider wirklich nicht. Also bis zum 7. August und danke noch mal!

Viele Grüße, Hannah Herz

3 Vergleichssätze › KB: B2a › G: 5.2

Z **Schreiben Sie Vergleichssätze mit „als", „genauso wie" oder „nicht so wie".**

1. eine Badewanne auf Füßen / eine einfache Badewanne – schöner – ich – finden – als
2. die kleinere Badewanne in Weiß / die größere Wanne in Beige – mir – besser – gefallen – als
3. Badarmaturen in Chrom / in Weiß – mir – gut – gefallen – genauso – wie – welche
4. die breitere Dusche / die schmale Dusche – praktischer sein – als
5. ein niedrigerer Spiegel / ein hoher Spiegel – in mein Bad – gut – nicht so – wie – aussehen
6. ein flacheres Waschbecken / ein tieferes Waschbecken – gut – ich – finden – genauso – wie
7. dunklere Fliesen / hellere Fliesen – gut – ins Bad – passen – nicht so – wie

1. Eine Badewanne auf Füßen finde ich schöner als eine einfache Badewanne.

2. Die kleinere Badewanne in Weiß gefällt mir besser als die größere (Wanne) in Beige.

4 Das Angebot und die Zahlungsbedingungen › KB: B3a

a Notieren Sie zusammengesetzte Nomen aus dem Angebot.

Bedingungen | Bestellung | Datum | Frage | Erteilung | ~~Nummer~~ | Preis | Preis | Stellung

1. Kunden*nummer*
2. An ____________
3. Einzel ____________
4. Gesamt ____________
5. Zahlungs ____________
6. Auftrags ____________
7. Material ____________
8. Fertig ____________
9. Rechnungs ____________

b Wie heißen die Verben zu den Nomen? Notieren Sie.

1. Angebot: *anbieten*
2. Bezeichnung: ____________
3. Demontage: ____________
4. Abtransport: ____________
5. Entsorgung: ____________
6. Erteilung: ____________
7. Abschluss: ____________
8. Abzug: ____________
9. Übertrag: ____________

c Welche Wörter aus dem Angebot sind gemeint? Ordnen Sie sie den Erklärungen zu.

~~fachgerecht~~ | gültig | innerhalb | ohne Abzug | pauschal | termingerecht | Übertrag | zahlbar | zusagen

1. gute Ausführung vom Fachmann: *fachgerecht*
2. im Ganzen berechnet: ____________
3. pünktlich, wie vereinbart: ____________
4. Summe, die von einer Seite auf die nächste Seite übertragen wird: ____________
5. etwas gilt: ____________
6. im Zeitraum von: ____________
7. Man muss zahlen: ____________
8. Man hat keinen Rabatt: ____________
9. etwas gefällt: ____________

C Rechnungen bezahlen

1 Rechnungen – typische Formulierungen › KB: C1

Die markierten Wörter sind im falschen Satz. Wie heißen die Sätze richtig? Korrigieren Sie.

1. Wir bedanken uns für Ihren ~~Abzug~~ *Auftrag* und berechnen Ihnen wie folgt …
2. Das ist die Handwerkerrechnung nach **Rechnungserhalt** für Bauleistungen.
3. Die Rechnung ist sofort nach **Vergabe- und Vertragsordnung (VOB)** zahlbar auf eines der Konten unten.
4. Die Rechnung ist ohne **Auftrag** zahlbar innerhalb von 14 Tagen ab Rechnungsdatum.

Thomas Unger . Langestr. 253a . 37073 Göttingen

Unger GmbH
Heizung und Sanitär · Fliesen und Innenausbau

Frau
Hannah Herz
Waldstr. 31
37073 Göttingen

Objekt: Waldstr. 31, 37073 Göttingen, 1. Stock li.

Schlussrechnung
Rechnungsnummer: 22840
Rechnungsdatum: 15.08.2016
Kundennummer: 14572
Bearbeiter: Alka Heinen

Sehr geehrte Frau Herz,
wir bedanken uns für Ihren Auftrag für die Badeinrichtung und berechnen Ihnen wie folgt:

Position	Menge	Bezeichnung	Einzelpreis	Gesamtpreis
1	1,00 Stck.	Dusche Modell LG 775 weiß. inkl. Armaturen	575,35 €	575,35 €
2	1,00 Stck.	Waschbecken, Modell LG 998, weiß, inkl. Armaturen	326,25 €	326,25 €
3	1,00 Stck.	WC-Anlage Modell LG 778, weiß	380,05 €	380,05 €
4	1,00 Stck.	Spiegel 60 x 80 cm	85,70 €	85,70 €
			Summe	1.367,35 €
			19% MwSt	259,80 €
			Gesamt	1.627,15 €

(Steuernummer: 253/0647/1008) Handwerkerrechnung nach Vergabe- und Vertragsordnung für Bauleistungen (VOB) neuester Stand.
Die Rechnung ist zahlbar sofort nach Rechnungserhalt auf eines der Konten unten.

Unger · Langestr. 253a · 37073 Göttingen
Telefon: 0551 / 387659
Telefax: 0221 / 387660
E-Mail: info@unger.xpu
Web: www.t_unger.com

Überall-Bank Göttingen
IBAN: DE51 2345 6789 0001 2532 14
BIC: UEBKDEGOXXX
Numerus-Bank Göttingen
IBAN: DE67 8919 9000 0005 9876 54
BIC: NBGTDEGO

Handelsregister Göttingen
HRB 408912
Geschäftsführer: Thomas Unger

2 Überweisungen – SEPA › KB: C2b

a Notieren Sie sechs Wörter aus einer Überweisung.

Auf- | Aus- | Be- | -ber- | -ber | ~~-dit-~~ | -dungs- | -füh- | -ge- | -güns- | -ha- |
-in- | ~~-insti-~~ | Kon- | -kon- | ~~Kre-~~ | -min | -rungs- | -ter | -ter- | -tig- | -to- | -to |
~~-tut~~ | -trag- | Ver- | -wen- | -zweck

1. Bank: *Kreditinstitut*
2. Empfänger des Betrags: ______
3. Wofür das Geld ist: ______
4. Wann der Betrag überwiesen wird: ______
5. Wem das Konto gehört: ______
6. Das Konto des Überweisenden: ______

b Lesen Sie den Infotext einer Bank und beantworten Sie die Fragen.

SEPA (Single Euro Payments Area)
Mit SEPA, dem einheitlichen Euro-Zahlungsverkehrsraum, wurden europaweit einheitliche Verfahren für den bargeldlosen Zahlungsverkehr (Überweisungen, Lastschriften) eingeführt. Sie sind für Euro-Zahlungen in den 28 EU-Staaten, Island, Liechtenstein, Norwegen sowie Monaco, der Schweiz und San Marino verwendbar.
Die IBAN (International Bank Account Number, internationale Bankkontonummer) wurde eingeführt, weil die Kontonummern in jedem Land anders aussahen. Sie ist eine Zahl, die in Deutschland 22 Stellen hat. Sie ist wie folgt aufgebaut:

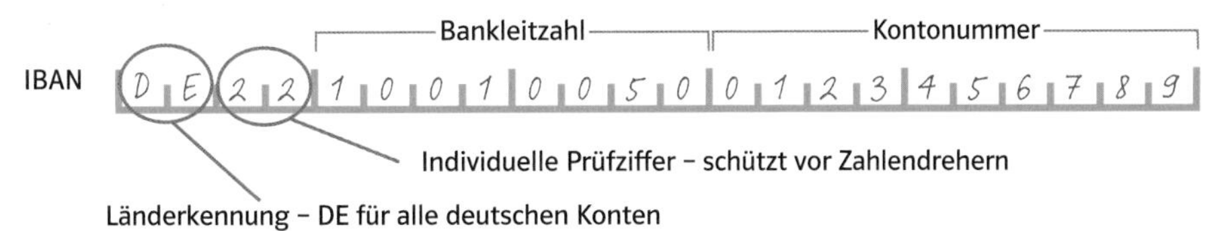

Was ist eine SEPA-Lastschrift? Wenn Sie z. B. Ihre monatliche Miete bezahlen wollen, können Sie dem Vermieter, also dem Zahlungsempfänger, auch ein „Lastschriftmandat" erteilen. Mit dem Lastschriftmandat geben Sie dem Zahlungsempfänger die Erlaubnis, den Betrag von Ihrem Konto „einzuziehen". Zusätzlich bekommt Ihre Bank den Auftrag, die Lastschrift „einzulösen", d. h. den Betrag auf das Konto des Zahlungsempfängers zu überweisen.

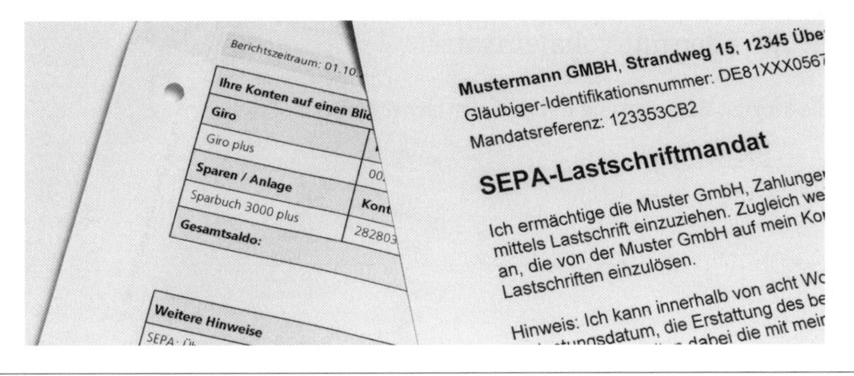

1. Was bedeutet die Bezeichnung „SEPA" und was ist SEPA?
2. In wie vielen Staaten kann man SEPA-Überweisungen benutzen?
3. Warum hat man die IBAN eingeführt?
4. Wie erkennt man das Land, aus dem die IBAN kommt?
5. Was erlaubt man dem Zahlungsempfänger, wenn man ihm ein Lastschriftmandat erteilt?
6. Was muss die Bank des Auftraggebers, die bezahlen muss, tun?

1. SEPA bedeutet Single Euro Payment Area. SEPA ist ein einheitliches Zahlungssystem für die Euroländer in Europa.

D Gewährleistung und Garantie

1 Einen Informationstext verstehen › KB: D1b

BT P

Lesen Sie den Text und ergänzen Sie die Lücken. Was ist jeweils richtig a, b oder c?

1. **Gewährleistung:** Jeder Händler muss 24 Monate Gewährleistung – andere Bezeichnung: [1] „Mängelhaftung" – auf neue Waren und 12 Monate auf gebrauchte Waren [2] ________________. Die Gewährleistung [3] ________________ sich auf Mängel, die ein Produkt schon zum Zeitpunkt des Kaufs hatte. Wenn ein Kunde einen Mangel [4] ________________, kann er vom Händler verlangen, dass dieser das Produkt repariert oder [5] ________________, d.h. der Händler [6] ________________ für den Mangel. Wenn der Händler meint, dass der Schaden erst nach dem Kauf [7] ________________ ist, muss er das in den ersten 6 Monaten beweisen. Nach 6 Monaten ist es [8] ________________: Dann muss der Käufer beweisen, dass der Mangel schon zum Zeitpunkt des Kaufs da war.
2. **Garantie:** Die Garantie ist nicht gesetzlich [9] ________________. Sie ist eine freiwillige Leistung des Herstellers. Daher kann dieser festlegen, wofür und wie lange die Garantie [10] ________________.

1. a. ☐ Mängelgarantie b. ☒ Mängelhaftung c. ☐ Mängelleistung
2. a. ☐ machen b. ☐ stellen c. ☐ geben
3. a. ☐ bezieht b. ☐ beträgt c. ☐ hält
4. a. ☐ hat b. ☐ feststellt c. ☐ meint
5. a. ☐ ersetzt b. ☐ entsorgt c. ☐ erstellt
6. a. ☐ hilft b. ☐ haftet c. ☐ hält
7. a. ☐ bestanden b. ☐ entstanden c. ☐ gestanden
8. a. ☐ genauso b. ☐ umgetauscht c. ☐ umgekehrt
9. a. ☐ festgestellt b. ☐ regeln c. ☐ geregelt
10. a. ☐ gilt b. ☐ gelten c. ☐ gültig

Rechtschreibung

1 Wortanfang: mit „h" oder mit Vokaleinsatz?

a 2|48 **Hören Sie die Wörter. Beginnen sie mit „h" oder nicht? Notieren Sie sie.**

1. offen
2. ________________
3. ________________
4. ________________
5. ________________
6. ________________
7. ________________
8. ________________
9. ________________
10. ________________
11. ________________
12. ________________
13. ________________
14. ________________
15. ________________
16. ________________

b 2|49 **Hören Sie sechs Sätze und schreiben Sie sie. Korrigieren Sie sie mit einem Partner / einer Partnerin oder schauen Sie in den Lösungen nach.**

1. Hannah Herz zahlt die Hälfte der Auftragssumme.
2. ________________________________
3. ________________________________
4. ________________________________
5. ________________________________
6. ________________________________

Grammatik im Überblick

1 Das Plusquamperfekt › G: 1.2

Das Plusquamperfekt bildet man mit dem Präteritum von „haben“ oder „sein“ und dem Partizip Perfekt.
Man verwendet es, wenn man von einem Ereignis in der Vergangenheit berichtet, das schon vor einem anderen Ereignis stattgefunden hat,
z. B. Herr Unger kam gestern um 8:00 Uhr in die Firma. (= Ereignis 2) Da hatte Frau Herz schon angerufen, um mit ihm zu sprechen. (= Ereignis 1)

	Verben mit „haben“		Verben mit „sein“	
ich	hatte	angesehen	war	gegangen
du	hattest	angesehen	warst	gegangen
er / sie / es	hatte	angesehen	war	gegangen
wir	hatten	angesehen	waren	gegangen
ihr	hattet	angesehen	wart	gegangen
sie	hatten	angesehen	waren	gegangen
Sie (Sg. + Pl.)	hatten	angesehen	waren	gegangen

2 Nebensätze mit „nachdem“ › G: 4.2, 4.4

- Im Nebensatz mit „nachdem“ steht das Ereignis in der Vergangenheit, das **vor** einem anderen in der Vergangenheit stattgefunden hat. Der Nebensatz kann vor oder nach dem Hauptsatz stehen.
- Im Nebensatz mit „nachdem“ steht Plusquamperfekt, im Hauptsatz Präteritum oder Perfekt.
  Das Präteritum verwendet man mehr in schriftlichen Texten, z. B. Berichten oder Geschichten, das Perfekt mehr im mündlichen Sprachgebrauch.
  z. B. Nachdem Herr Unger gegangen war, dachte Frau Herz noch über die Badeinrichtung nach.
  Frau Herz hat Herrn Unger angerufen, nachdem sie sich Änderungen überlegt hatte.

3 Vergleiche ausdrücken: Komparativ und Superlativ mit Verben und vor Nomen › G: 5.2

Mit Verben – prädikative Verwendung

- Den Komparativ bildet man mit Adjektiv + Endung „-er“,
  z. B. Armaturen in Chrom finde ich schöner, sie sind auch besser.
- Den Superlativ bildet man mit „am“ und Adjektiv + Endung „-(e)sten“,
  z. B. Das weiße Waschbecken ist am schönsten.
- Adjektive auf „-d“, „-t“, „-s“, „-ß“, „-sch“, „-z“: Im Superlativ Endung „-esten“. Ausnahme: groß, Adjektive auf „-isch“,
  z. B. kurz – kürzer – am kürzesten, heiß – heißer – am heißesten, aber: groß – größer – am größten
  hübsch – hübscher – am hübschesten, aber: praktisch – praktischer – am praktischsten
- Einsilbige Adjektive mit Stammvokal „a“, „o“, „u“ erhalten oft einen Umlaut,
  z. B. alt – älter – am ältesten, hoch – höher – am höchsten
- Adjektive auf „-er“ und „-el“: Im Komparativ fällt das erste „-e“ weg,
  z. B. teuerer → teurer, dunkeler → dunkler
- Unregelmäßige Adjektive und Adverbien: nah – näher – am nächsten, hoch – höher – am höchsten, gut – besser – am besten, gern – lieber – am liebsten, oft – öfter / häufiger – am häufigsten, viel – mehr – am meisten

Vor Nomen – attributive Verwendung

- Der Komparativ wird genauso gebildet wie bei der prädikativen Verwendung.
- Der Superlativ erhält die Endung „-(e)st“.
- Den Superlativ verwendet man nur mit dem bestimmten Artikel,
  z. B. das beste Angebot, der kleinste Spiegel
- Vor Nomen steht kein „am“ und der Komparativ und Superlativ erhalten die üblichen Adjektivendungen,
  z. B. die größere Dusche; einen höheren Spiegel, ein kleineres Waschbecken, in kürzester Zeit

A Kein guter Start!

1 Die Tätigkeit von Architekten › KB: A1a

a Ordnen Sie die richtigen Wörter den Bildern zu. Notieren Sie auch die Artikel.

Planungsbüro | Baustelle | ~~Bauplan~~ | Mängelcontrolling | Bauherren

1. *der Bauplan* 2. ________ 3. ________ 4. ________ 5. ________

b Im Architekturbüro: Zu welchem der beiden Bereiche: typische Arbeitsabläufe von Architekten (Ar) oder Büroorganisation (Bü) gehören die Begriffe? Kreuzen Sie an.

	Ar	Bü		Ar	Bü
1. Vergabe	☐	☒	7. Bauleistungen	☐	☐
2. Bauplan	☐	☐	8. Mängelcontrolling	☐	☐
3. Vorlagen	☐	☐	9. Arbeitszeiterfassung	☐	☐
4. Aktennotiz	☐	☐	10. Organisationsprozesse	☐	☐
5. Baustelle	☐	☐	11. Besprechung mit Handwerkern	☐	☐
6. Aktenstruktur	☐	☐	12. digitale Projektstruktur	☐	☐

c Welches Wort passt? Ergänzen Sie die Lücken.

Abrechnungen | ~~Architekten~~ | Bauherren | Bauleistungen | Bauplan | Baustelle | Mängelcontrolling | Planungsbüro

Familie Müller möchte ein neues Haus bauen. Zuerst sucht sie einen guten [1] *Architekten*, mit dem sie lange über ihre Wünsche und die Kosten spricht. Er zeigt den Müllers auch technische Neuheiten für eine bessere Energieeffizienz. Dann wird der [2] ________ für das Haus gezeichnet. Jetzt kann sich Familie Müller besser vorstellen, wie das neue Haus aussieht, und kann noch Dinge ändern. Der Architekt und sein [3] ________ kümmern sich ab jetzt um alle nötigen Schritte: die Baugenehmigung, die Vergabe an die Handwerker, die Kostenkalkulation und darum, dass alle [4] ________ erledigt werden. Wenn die Termine mit den Handwerkern vereinbart sind, kann die Arbeit auf der [5] ________ beginnen. Der Architekt muss alles regelmäßig kontrollieren und die Abläufe organisieren. Auf einer Baustelle können viele Fehler passieren, deshalb ist auch das [6] ________ ein wichtiger Arbeitsbereich der Architekten. Zum Ende, wenn die Bauleistungen erbracht worden sind, kümmert sich das Planungsbüro um die [7] ________. Ein Jahr später ist das Haus fertig. Die Müllers, die stolzen [8] ________, freuen sich über ihr neues, modernes Zuhause.

d Bilden Sie Nomen zu den Verben und Adjektiven mit den Endungen „-(a)tion", „-ion", „-heit", „-keit", und „-ung". › G: 6.1

1. abrechnen: *die Abrechnung*
2. dokumentieren: ______
3. neu: ______
4. diskutieren: ______
5. leisten: ______
6. einarbeiten: ______
7. organisieren: ______
8. zuständig: ______
9. selbstständig: ______
10. tätig: ______

TIPP

Nomen mit den Endungen „-(a)tion", „-ion", „-heit", „-keit" und „-ung" sind immer feminin.

2 Alles hat Folgen! › KB: A3c › G: 4.1, 4.2, 4.4

a Zu welcher Situation passt welche Folge? Ordnen Sie zu.

1. Die Elektriker haben viele Fehler gemacht.
2. Den Bauherren gefällt der Grundriss nicht.
3. Die Handwerker haben Terminprobleme.
4. Die Baukosten sind gestiegen.
5. Der Architekt ist mit den Fenstern unzufrieden.

A. Der Bauprozess dauert länger als geplant.
B. Es gibt Ärger mit der Fensterbaufirma.
C. Die Bauherren haben kein Geld mehr übrig.
D. Sie müssen alles noch einmal neu machen.
E. Der Architekt muss den Bauplan ändern.

1. *D*
2. ___
3. ___
4. ___
5. ___

b Verbinden Sie die Sätze in 2a mit „sodass".

1. *Die Elektriker haben viele Fehler gemacht, sodass sie alles noch einmal neu machen müssen.*
2. ______
3. ______
4. ______
5. ______

c Verbinden Sie die Sätze in 2a mit „also" wie im Beispiel.

1. Die Elektriker haben viele Fehler gemacht. Also müssen sie alles noch einmal neu machen. / Die Elektriker haben viele Fehler gemacht. Sie müssen also alles noch einmal neu machen.

Z **d Lesen Sie zuerst den Tipp und verbinden Sie die Sätze mit „so ... dass" wie im Beispiel.**

1. Der Architekt hat sehr viele Aufträge. → Die Bauherren müssen lange warten.
   Der Architekt hat so viele Aufträge, dass die Bauherren lange warten müssen.
2. Die Kredite sind jetzt sehr günstig. → Viele Leute wollen bauen.
   ______
3. Die Mentorin hat sehr viel Stress. → Sie kann sich nicht um die neue Mitarbeiterin kümmern.
   ______
4. Mit der neuen Software geht das Arbeiten sehr einfach. → Wir gewinnen viel Zeit.
   ______
5. Auf der Baustelle gibt es sehr viele Probleme. → Das Projekt ist nicht mehr im Zeitplan.
   ______

TIPP

„so" betont die Situation / das Ereignis im Hauptsatz. Es steht für die Angabe „sehr", z. B. Meine Arbeit ist sehr langweilig. Ich suche mir jetzt einen neuen Job. → Meine Arbeit ist so langweilig, dass ich mir jetzt einen neuen Job suche.

e **Ergänzen Sie „sodass", „so …, dass" oder „also".**

Frau Kleinfeld wollte eine neue Herausforderung. [1] *Also* ______ hat sie sich bei Wennigsen & Partner beworben. Denn das Planungsbüro Wennigsen & Partner hat viele neue Aufträge bekommen, [2] ______ sie neue Mitarbeiter einstellen können. Im Büro von Wennigsen & Partner arbeiten [3a] ______ viele Personen, [3b] ______ Frau Kleinfeld immer noch nicht alle kennt. Das Planungsbüro hat Projekte in ganz Deutschland. Frau Kleinfeld wird [4] ______ später vielleicht auch in eine andere Stadt geschickt. Die neuen Aufgaben von Frau Kleinfeld sind [5a] ______ viel schwieriger als ihre alten, [5b] ______ sie jetzt richtig Stress hat.

B Ein Konflikt im Team

1 Was wäre, wenn …? – irreale Bedingungssätze › G: 1.3, 4.2, 4.4

a **Konjunktiv-II-Form oder Form mit „würde"? Ergänzen Sie die Verbformen.** › KB: B2a

1. sie arbeitet: *sie würde arbeiten*
2. wir wissen: *wir wüssten*
3. ich habe: ______
4. ihr hört: ______
5. du bist: ______
6. ihr kommt: ______
7. er kann: ______
8. ich gehe: ______
9. wir machen: ______
10. sie schreiben: ______

b **Ergänzen Sie die Sätze und verwenden Sie den Konjunktiv II.** › KB: B2a

1. Wenn Herr Stoll öfter im Büro *wäre* ______ (sein), könnte er die Probleme klarer sehen.
2. Wenn Frau Kleinfeld viel Unterstützung ______ (bekommen), würde sie tolle Arbeit machen.
3. Herr Müller würde gern helfen, wenn er nicht im Krankenhaus bleiben ______ (müssen).
4. Frau Martínez würde besser schlafen, wenn sie weniger Stress ______ (haben).

c **Lesen Sie zuerst die Sätze und dann die Regel. Was passiert in der Realität, was nicht? Kreuzen Sie an.** › KB: B2d

	Realität	Irrealität
1. Wenn die Kollegen Alexandra unterstützen würden, (dann) ginge die Einarbeitung schneller.	☐	☐
2. Alexandras Einarbeitung geht schneller, wenn ihre Kollegen sie unterstützen.	☐	☐

G

Sätze, die nicht über Ereignisse in der Wirklichkeit sprechen, sondern über Ereignisse, die man sich nur vorstellt, nennt man a. ☐ reale Sätze. b. ☐ irreale Sätze. Diese Sätze stehen im Konjunktiv II.

d **Bilden Sie irreale Bedingungssätze.** › KB: B2d

1. Herr Klausner: weniger zu tun haben – mehr Zeit für Frau Kleinfeld haben
2. Frau Hesse: mehr Eigenkapital haben – ein eigenes Planungsbüro gründen
3. Die Mitarbeiter: Frau Kleinfeld besser helfen können – Frau Kleinfeld – zufriedener sein und sich weniger ärgern
4. Der Praktikant: mehr Erfahrung haben – selbstständiger arbeiten dürfen
5. Die Firma: mehr Mitarbeiter einstellen – größere Projekte übernehmen können

1. Wenn Herr Klausner weniger zu tun hätte, hätte er mehr Zeit für Frau Kleinfeld.

e **Lesen Sie zuerst den Tipp. Markieren Sie dann die Verben im Bedingungssatz wie im Beispiel und formulieren Sie Sätze ohne „wenn". Achten Sie auf die Verbstellung.** › KB: B2d

1. Wenn er die Handwerker kontrollieren würde, dann gäbe es weniger Baumängel.
2. Wenn die Kredite jetzt nicht so günstig wären, würden wir kein eigenes Haus bauen.
3. Wenn Sie heute den Mängelbericht fertig machen würden, könnten wir endlich weiter arbeiten.
4. Wenn ich nicht diese Aktennotiz suchen müsste, könnte ich mit euch in die Kantine gehen!

1. Würde er die Handwerker kontrollieren, dann gäbe es weniger Baumängel.

TIPP

Irreale Bedingungssätze kann man auch ohne „wenn" bilden. Am Anfang des Nebensatzes steht dann das Verb im Konjunktiv II, z. B. Hätten wir noch mehr Aufträge, (dann) müssten wir Überstunden machen. / Wenn wir noch mehr Aufträge hätten, müssten wir …

2 Ein Protokoll schreiben › KB: B3c

a **Ergänzen Sie in den Ausdrücken die passenden Verben.**

arbeiten | bekommen | berichten | ~~sich kümmern~~ | prüfen | sich setzen | treffen | unterstützen

1. sich um einen Bereich kümmern
2. ______ mit jemandem in Verbindung ______
3. Vereinbarungen ______
4. jemanden bei einer Aufgabe ______
5. über eine Entwicklung ______
6. Verantwortung für etwas ______
7. in einem Bereich ______
8. selbstständig Abrechnungen ______

b **Frau Görlich, Mitarbeiterin in einem Planungsbüro, soll das Protokoll einer Teambesprechung schreiben. Ergänzen Sie das Protokoll mit den Informationen aus Frau Görlichs Notizen, verwenden Sie dabei passende Ausdrücke aus 2a.**

- Frau Zabler: macht Ausschreibungen für das Projekt Eichenweg
- Herr Gerold: hilft Frau Zabler
- Herr Sand: soll mit der Firma Huber sprechen
- ich: kümmere mich jetzt allein um die komplette Vergabe
- die neue Mitarbeiterin Frau Eck: soll ohne Hilfe die Abrechnungen kontrollieren
- Praktikant Ingo Metz: Bereich Mängelerfassung. Er sagt uns regelmäßig, ob es gut läuft
- Nächste Woche: Projektleiter vereinbart mit Kunden neuen Zeitplan

TOP 2: Arbeitsplan für diese Woche

1. Frau Zabler kümmert sich um den Bereich „Ausschreibungen" für das Projekt Eichenweg.
2. Herr Gerold ______ Frau Zabler bei den Ausschreibungen.
3. Herr Sand soll sich mit der Firma Huber ______, um Termine zu vereinbaren.
4. Frau Görlich ______ die Verantwortung für die komplette Vergabe.
5. Unsere neue Mitarbeiterin, Frau Eck, prüft ______ die Abrechnungen.
6. Unser Praktikant, Ingo Metz, ______ im Bereich der Mängelerfassung.
   Er ______ dem Team regelmäßig über die Entwicklung.
7. Nächste Woche trifft der Projektleiter mit den Kunden ______ über den neuen Zeitplan.

C Gute Kommunikation?

1 Probleme im Team besprechen › KB: C1b

2|3 Hören Sie das Gespräch zwischen Frau Martínez und Herrn Klausner im Kursbuch 7C, 1b, noch einmal. Was ist richtig (r), was ist falsch (f)? Kreuzen Sie an.

	r	f
1. Herr Klausner hat die Kollegen gefragt, wer am Brückentag frei haben will.	☒	☐
2. Herr Klausner hat etwas falsch verstanden.	☐	☐
3. Frau Martínez möchte ein paar freie Tage, um zu renovieren.	☐	☐
4. Wenn Herr Klausner an einem Montag Urlaub nimmt, hat er mehr als 3 freie Tage.	☐	☐
5. Herr Klausner hilft Frau Martínez bei der Mängelkontrolle.	☐	☐
6. Frau Martínez bekommt einen Brückentag.	☐	☐

2 Österreich, Schweiz, Deutschland: drei Gesprächskulturen › KB: C3b

B P

Lesen Sie den Artikel aus einem Internetforum für interkulturelle Kommunikation und kreuzen Sie die richtigen Antworten an.

Viele Menschen aus nicht deutschsprachigen Ländern denken, dass Deutschland, Österreich und die deutschsprachige Schweiz eine sehr ähnliche Kultur haben. Es ist also vielleicht (5) eine Überraschung für sie, dass zum Beispiel in Deutschland Kurse im Bereich „Kulturtraining" angeboten werden, in denen deutsche Firmenmitarbeiter auf Verhandlungen und Besprechungen mit österreichischen oder Schweizer (10) Geschäftspartnern vorbereitet werden. Es gibt also Bereiche der Gesprächskultur, die in den drei Ländern anders sind.
Experten nennen mehrere kulturelle Aspekte, die bei Besprechungen mit ausländischen Partnern (15) anders sein können. Interessant ist zum Beispiel, wie aktiv sich der einzelne Gesprächsteilnehmer verhält. Vergleicht man die drei Länder, sieht man bei diesem Punkt große Ähnlichkeiten: Die Mitarbeiter vertreten klar ihre Meinung, auch wenn der Vorgesetzte dabei ist. Sie dürfen und sollen (20) auch ihre Kompetenz zeigen.
Der Kommunikationsstil in Geschäftsbesprechungen ist in allen drei Ländern rational und konkret, und der Schwerpunkt liegt auf Daten, Zahlen und Informationen. Besonders in der (25) Schweiz und in Deutschland findet man auch feste Vereinbarungen und Pläne sehr wichtig. Man möchte genau festlegen: Wer macht was? Wie und wann wird es gemacht?
Doch manches ist auch anders. Der relativ direkte, (30) schnelle und kritische Diskussionsstil, den viele Deutsche bevorzugen, ist in Österreich und der Schweiz nicht typisch. In beiden Ländern ist die harmonische Atmosphäre wichtiger, und auch bei Konflikten bleibt man sehr höflich. Kritik wird (35) nur vorsichtig und indirekt gebracht. – Wir sehen: Jedes Land hat seinen eigenen Kommunikationsstil.

1. Deutsche Firmenmitarbeiter lernen in Kursen
   a. ☐ über Kultur zu sprechen.
   b. ☒ mit Schweizern und Österreichern zu verhandeln.
   c. ☐ erfolgreich Geschäfte zu machen.
2. Die Gesprächskultur in den drei Ländern ist
   a. ☐ sehr europäisch.
   b. ☐ in manchen Punkten anders.
   c. ☐ wegen der gemeinsamen Kultur sehr ähnlich.
3. Gesprächsteilnehmer in den drei Ländern
   a. ☐ sagen nicht, was sie denken.
   b. ☐ finden es besser, wenn der Chef nicht da ist.
   c. ☐ sagen, wie sie selbst die Dinge sehen.
4. Der Kommunikationsstil in den drei Ländern ist
   a. ☐ in beruflichen Situationen nicht rational.
   b. ☐ unemotional und an Daten orientiert.
   c. ☐ immer sehr harmonisch.
5. In der Schweiz und Deutschland
   a. ☐ möchte man wenig Informationen.
   b. ☐ sind Zahlen wichtiger als Vereinbarungen.
   c. ☐ werden die Abläufte gern exakt geplant.
6. In Österreich und der Schweiz
   a. ☐ mag man keine direkte Kritik.
   b. ☐ spricht man nicht gern mit Deutschen.
   c. ☐ verhandeln die Menschen sehr schnell.

3 Indefinitartikel und -pronomen: „manch-“ und „einig-“ › KB: C4 › G: 3.3

a Ergänzen Sie die Endungen der Indefinitartikel „manch-“ und „einig-“.

Es ist immer ein beliebtes Thema, Länder und Kulturen zu vergleichen, aber dabei gibt es [1] manch*e*___ Probleme. Denn schon in einem einzigen Land kann man [2] einig___ Unterschiede erkennen. Norddeutsche und Süddeutsche zum Beispiel finden, dass sie in [3] einig___ Bereichen anders sind. Regionale und religiöse Traditionen können ein Grund für [4] manch___ Unterschied sein. [5] Manch___ Besucher und [6] manch___ Besucherin ist überrascht über die vielen regionalen Unterschiede. [7] Manch___ Touristen gefällt es in Bayern besser als im Norden Deutschlands oder umgekehrt. Beim Kulturvergleich muss man also bei [8] manch___ Punkten vorsichtig sein.

b Welche Indefinitpronomen sind richtig: a oder b? Kreuzen Sie an.

1. a. ☒ Manches b. ☐ Manche hier in der Firma, gefällt mir nicht.
2. a. ☐ Einigen b. ☐ Einige finden die Herausforderung im Beruf wichtiger als das Geld.
3. a. ☐ Mancher b. ☐ Manchem ist nicht klar, wie wichtig die Kultur bei internationalen Besprechungen ist.
4. a. ☐ Einiges b. ☐ Einige lernt man nur bei der Zusammenarbeit mit Personen aus dem Ausland.
5. a. ☐ Manches b. ☐ Mancher, der Probleme im Projekt hat, bespricht sie in der Projektbesprechung.
6. a. ☐ Einiges b. ☐ Einige, über das im Vortrag gesprochen wurde, haben wir nicht verstanden.

D Urlaub genehmigt!

1 Wörter rund um den Urlaub im Betrieb › KB: D1a

a Bilden Sie Nomen mit „Urlaubs-“ und „-urlaub-“ aus den Wörtern.

~~Anspruch~~ | ~~Jahres~~ | Antrag | Kurz | Sonder | Sommer | Übertrag | Verteilung | Vertretung | Zusatz

1. Nomen mit „Urlaubs-“: *der Urlaubsanspruch, ...* ______________________________
2. Nomen mit „-urlaub“: *der Jahresurlaub, ...* ______________________________

b Lesen Sie die Mails von Arbeitnehmern an ihre Vorgesetzte. Die markierten Wörter sind falsch. Notieren Sie das richtige Wort.

1. Liebe Frau Berg, Sie sagten uns, dass es ein neues Formular für den ~~Urlaubsvertrag~~ gibt, aber wir finden es nicht. Wo ist es abgelegt? *Urlaubsantrag*
2. Liebe Frau Berg, ich habe dieses Jahr noch einen Urlaubsantrag von 15 Tagen. Kann ich diese Tage im November frei haben? ______
3. Guten Morgen, Frau Berg! Könnte ich am 27. Januar einen Tag Zusatzurlaub bekommen? An diesem Tag möchte ich heiraten! ______
4. Hallo Frau Berg, eine Frage zur Urlaubsbeteiligung: Herr Zenker hat im Mai Urlaub bekommen, aber ich nicht. Könnten Sie mir bitte sagen, warum nicht? ______
5. Liebe Frau Berg, haben Sie schon entschieden, wer nächste Woche für mich die Urlaubszeit macht, wenn ich zwei Tage frei habe? ______

2 Demonstrativartikel und -pronomen „derselbe"/„dasselbe"/„dieselbe" › KB: D2a › G: 3.2

a Markieren Sie in den Sätzen die Formen von „der-/das-/dieselbe" und schreiben Sie sie in die Tabelle. Ergänzen Sie dann die Formen aus dem Ratgebertext im Kursbuch, 7D, 2a.

1. Sie arbeiten bei Bruck? Das ist dasselbe Unternehmen, in dem ich auch lange tätig war.
2. Seit zwanzig Jahren arbeitet er immer in demselben Unternehmen.
3. Ich glaube, ich habe denselben Vorschlag schon einmal gemacht.
4. Ach, du hast das neue Handy-Modell von Telsotec. Ich will mir dasselbe kaufen.

	Maskulinum (M)	Neutrum (N)	Femininum (F)	Plural (M, N, F)
Nominativ	derselbe	dasselbe		dieselben
Akkusativ			dieselbe	
Dativ	demselben			denselben

b Schauen Sie noch einmal die Tabelle in 2a an. Was fällt auf? Ergänzen Sie die Regeln. Schreiben Sie dann die Formen, die noch fehlen, in die Tabelle.

G

1. Der erste Teil des Demonstrativartikels/-pronomens ist wie der Artikel. a. ☐ bestimmte b. ☐ unbestimmte
2. Der zweite Teil „-selb-" hat die Endung eines a. ☐ Artikels b. ☐ Adjektivs.

c Wie heißt das passende Artikelwort? Ergänzen Sie.

1. Wir haben denselben Vorgesetzten.
2. Das ist doch ______ Mann, den wir gestern hier getroffen haben!
3. Ich besuche nie ______ Land zweimal.
4. Ich lebe schon seit 20 Jahren in ______ Stadt.

TIPP

„der-/das-/dieselbe" = etwa
ist identisch, z. B. Wir arbeite
in demselben Büro.
Achtung: „der/das/die gleic
= etwas ist gleich, aber nicht
identisch, z. B. Wir haben die
gleichen Büromöbel, aber m
sind grau und deine sind we

d Welche Form des Pronomens passt? Kreuzen Sie an.

1. Mein Chef sagt immer a. ☒ dasselbe, b. ☐ derselbe, wenn es Probleme gibt.
2. Die externen Mitarbeiter dieses Projekts sind a. ☐ dasselbe b. ☐ dieselben wie beim letzten Mal.
3. Es ist immer a. ☐ dasselben b. ☐ dasselbe mit dir: Du bist so unpünktlich!
4. Unser Büro hat jetzt die neue AVA-Software „architex". Habt ihr a. ☐ dieselbe? b. ☐ derselben?

Rechtschreibung

1 Satzzeichen am Satzende: Punkt, Fragezeichen, Ausrufezeichen

a ▶ 2|50 Hören Sie den gleichen Satz dreimal. Welcher Satz wird neutral, als Frage, als Ausruf ausgesprochen?

	neutral	Frage	Ausruf
1. Auf der Baustelle gibt es wieder Probleme___	☐	☐	☐
2. Auf der Baustelle gibt es wieder Probleme___	☐	☐	☐
3. Auf der Baustelle gibt es wieder Probleme___	☐	☐	☐

b Hören Sie die Sätze aus 1a noch einmal und notieren Sie die passenden Satzzeichen.

Grammatik im Überblick

1 Folgen ausdrücken mit „sodass“ / „so ..., dass“ und „also“ › G: 4.1, 4.2, 4.4

Nebensätze und Hauptsätze mit „sodass“ / „so ..., dass“ und „also“ antworten auf die Fragen „Welche Folge hat das? Welches Ergebnis hat das?“

- „sodass“ steht immer hinter dem Hauptsatz,
  z. B. An manchen Tagen habe ich sehr wenig zu tun, sodass ich abends ganz unzufrieden bin.
- „sodass“ kann man auch trennen. Dann steht „so“ vor einem Adjektiv oder Adverb im Hauptsatz und „dass“ am Anfang des Nebensatzes, z. B. Er hat so viel Stress, dass er keine Zeit zum Essen hat.
- Sätze mit „also“ sind Hauptsätze. „also“ kann am Satzanfang oder in der Satzmitte stehen, z. B. Die Handwerker haben einen vollen Terminkalender. Also dauert der Bauprozess länger als geplant. / Der Bauprozess dauerte also länger.

2 Irreale Bedingungssätze mit Konjunktiv II › G: 1.3, 4.2, 4.4

- In irrealen Bedingungssätzen geht es um Situationen, in denen die Bedingung und die Folge nicht oder nur vielleicht realisiert sind. Im Hauptsatz und im Nebensatz steht der Konjunktiv II.
- Irreale Bedingungssätze sind auch ohne „wenn“ möglich:

Nebensatz			Hauptsatz
Wenn	er jetzt den Bericht schreiben	würde,	könnte ich weiter arbeiten.
Würde	er jetzt den Bericht	schreiben,	könnte ich weiter arbeiten.

- Bei einigen häufig verwendeten unregelmäßigen Verben gebraucht man meist die Konjunktiv-II-Form, z. B. „ginge“, „gäbe“, „käme“, ... z. B. Am Nachmittag habe ich keine Zeit. Ginge es auch am Vormittag?
- Den Konjunktiv II bildet man so: Präteritum + oft Vokalwechsel + „e“,
  z. B. er / sie / es ging → ginge, gab → gäbe, kam → käme

3 Indefinitartikel und -pronomen: „manch-“, „einig-“ › G: 3.3

- „manch-“ und „einig-“ nennen eine unbestimmte Anzahl oder Menge.
- „manch-“ und „einig-“ können auch Pronomen sein und ohne Nomen stehen. Das Pronomen hat die gleichen Endungen wie der bestimmte Artikel, z. B. Einige Personen finden bei den „kritischen“ Deutschen manches schwierig.

	Maskulinum (M)	Neutrum (N)	Femininum (F)	Plural (M, N, F)
Nom.	mancher / einiger	manches / einiges	manche / einige	manche / einige
Akk.	manchen / einigen	manches / einiges	manche / einige	manche / einige
Dat.	manchem / einigem	manchem / einigem	mancher / einiger	manchen / einigen

4 Demonstrativartikel und -pronomen „der- / das- / dieselbe“ › G: 3.2

- „der- / das- / dieselbe“ bedeutet, dass etwas wie etwas anderes ist oder mit etwas anderem identisch ist und eine einzige Sache oder Person meint, z. B. Wir arbeiten in demselben Büro.
- Der Demonstrativartikel bzw. das Pronomen besteht aus dem bestimmten Artikel „der / das / die“ und der Ergänzung „-selb-“. Die Ergänzung „-selb-“ bekommt die Adjektivendung.

	Maskulinum (M)	Neutrum (N)	Femininum (F)	Plural (M, N, F)
Nom.	derselbe	dasselbe	dieselbe	dieselben
Akk.	denselben	dasselbe	dieselbe	dieselben
Dat.	demselben	demselben	derselben	denselben

5 Wortbildung: Nomen mit der Endung „-(a)tion“, „-ion“, „-heit“, „-keit“, „-ung“ › G: 6.1

Nomen mit den Endungen „-(a)tion, „-ion“, „-heit“, „-keit“, „-ung“ sind immer feminin, z. B. die Dokumentation, die Diskussion , die Neuheit, die Tätigkeit, die Besprechung.

A Kunden gewinnen

1 Die Reisebranche › KB: A1b

Welche Wörter passen? Notieren Sie die fehlenden Buchstaben. Wenn Sie die markierten Buchstaben in die richtige Reihenfolge bringen, gibt es das Lösungswort.

1. In diesem Geschäft geht es nur um Reisen. R E I S E B Ü R O
2. So nennt man den Verkauf im Laden. _ T _ T I _ _ Ä R
3. Eine Situation, in der etwas Schlimmes passieren könnte, ist … G _ F Ä _ _ L _ _ H
4. Anbieter, die im Wettbewerb stehen. _ O _ _ U R _ _ _ Z
5. Jemand, der sehr viel über ein Thema weiß. E _ P _ R _ _
6. Wenn der Umsatz gestiegen ist, hat er sich … _ E R B _ S _ E R T
7. Eine Reise kaufen bedeutet eine Reise … B _ _ _ _ N

LÖSUNGSWORT: Eine solche Reise ist bei vielen Urlaubern beliebt: _ R E _ _ _ _ _ _ _ _

2 Gegen die Erwartung – „obwohl“, „trotzdem“/„dennoch“, „zwar …, aber“ › KB: A2 › G: 4.1, 4.2, 4.4

a Bilden Sie Sätze mit dem Satzanfang „Reisen macht Spaß“ und „obwohl“. Stellen Sie den Nebensatz einmal nach vorne und einmal nach hinten wie in den Beispielen.

1. Es kann auch anstrengend sein.
2. Manche Urlaubsorte sind gefährlich.
3. Es gibt oft zu viele andere Urlauber.
4. Es ist manchmal teuer.

Nebensatz			Hauptsatz	
1. Obwohl	Reisen auch anstrengend	sein kann,	macht	es Spaß.
2.				
3.				
4.				

Hauptsatz	Nebensatz		
1. Reisen macht Spaß,	obwohl	es auch anstrengend	sein kann.
2.			
3.			
4.			

b Lesen Sie die Sätze und verbinden Sie sie mit „trotzdem“/„dennoch“. Markieren Sie die Position von „trotzdem“/„dennoch“ im Satz.

1. Wir haben zu viel Arbeit in der Firma. Die Atmosphäre ist gut.
2. Wir müssen erst um 9:00 Uhr beginnen. Die Kollegen kommen schon um 8:00 Uhr.
3. Das Essen in der Kantine ist gut. Wir essen oft nur ein Brötchen.
4. Die Büros sind sehr eng. Die Mitarbeiter beschweren sich nicht.

1. Wir haben zu viel Arbeit in der Firma. Trotzdem / Dennoch ist die Atmosphäre gut. / Die Atmosphäre ist trotzdem / dennoch gut.

TIPP

„trotzdem“ und „dennoch“ haben die gleiche Bedeutun[g]. „trotzdem“ / „dennoch“ kann [am] Satzanfang, aber auch in de[r] Satzmitte stehen, z. B. Der U[m]satz ist gut. Trotzdem / Denn[och] haben wir Probleme. / Wir ha[ben] trotzdem / dennoch Problem[e].

B Hard Skills und Soft Skills

1 Welche Soft Skills sind das? › KB: B1b

a Bilden Sie aus den Elementen links und rechts Nomen, die Soft Skills bezeichnen, und notieren Sie sie mit dem Artikel.

~~Aus-~~ | Belast- | Ergebnis- | Flexi- | Leistungs- | Loyal- | Team- | Zuverlässig-

-barkeit | -bereitschaft | -bilität | ~~-dauer~~ | -fähigkeit | -ität | -keit | -orientierung

die Ausdauer, ...

b Lesen Sie die Sätze und ergänzen Sie die passenden Wörter aus 1a.

1. Man kann sehr lange an etwas arbeiten. Man hat *Ausdauer* ___.
2. Viel zu leisten findet man normal. Man zeigt ___.
3. Das Team und die Leitung vertrauen der Person. Sie kennen ihre ___.
4. Man will immer zu einem guten Resultat kommen. ___ findet man wichtig.
5. Man kann sehr gut in einer Gruppe arbeiten. In der Ausschreibung wird ___ verlangt.
6. Sich an neue Situationen anpassen zu können, ist sehr wichtig. ___ ist ein Muss.
7. Was man versprochen hat, macht man auch. ___ bei der Arbeit ist Voraussetzung.
8. Auch wenn es Stress gibt, erfüllt man seine Aufgaben gut. ___ ist wichtig im Beruf.

2 Das Plusquamperfekt – Wiederholung › KB: B2c › G: 1.2

Notieren Sie die Formen.

1. ich – arbeiten: *ich hatte gearbeitet*
2. er – fahren: ___
3. sie (Pl.) – einladen: ___
4. ihr – beenden: ___
5. wir – sich informieren: ___
6. du – bleiben: ___

3 Nebensätze mit „nachdem", „als", „wenn", „bevor", „während" › KB: B2c › G: 4.2, 4.4

a Temporalsätze mit „nachdem"/„als": Was geschah zuerst (1), was war dann (2)? Tragen Sie die Zahlen ein.

1. Phong hat die Stellenausschreibung gelesen.	*1*	Er war aufgeregt.	*2*
2. Er hat sich beworben.	___	Er hat mit seiner Frau gesprochen.	___
3. Eine Kollegin hat ihn beraten.	___	Er war nicht mehr unsicher.	___

b Lesen Sie den Tipp und schreiben Sie die Sätze aus 3a wie im Beispiel.

1. *Nachdem/Als Phong die Stellenausschreibung gelesen hatte, war er aufgeregt.*
2. ___
3. ___

TIPP

Etwas findet vor etwas anderem in der Vergangenheit statt: Nebensatz: Plusquamperfekt + Hauptsatz: Präteritum oder Perfekt. Statt „nachdem" + Plusquam. kann man auch „als" + Plusquam. verwenden.

c Temporalsätze mit „nachdem“/„wenn“: Was macht man zuerst (1), was dann (2)? Tragen Sie die Zahlen ein.

1.	Man bewirbt sich.	2	Man liest die Stellenausschreibung.	1
2.	Man informiert sich über die Firma.	___	Man schreibt eine Selbstpräsentation.	___
3.	Man übt die Präsentation.	___	Man überlegt sich gute Beispiele für Soft Skills.	___

d Lesen Sie den Tipp und schreiben Sie die Sätze aus 3c wie im Beispiel.

1. Nachdem/Wenn man die Stellenausschreibung gelesen hat, bewirbt man sich.
2. ______________________________
3. ______________________________

TIPP

Etwas findet vor etwas anderem in der Gegenwart statt: Nebensatz: Perfekt + Hauptsatz: Präsens.
Statt „nachdem“ kann man auch „wenn“ verwenden.

e Lesen Sie die Sätze und kreuzen Sie an, ob die Handlung in den Nebensätzen (grau markiert) vor (v), nach (n) oder zur gleichen Zeit (g) wie die Handlung in den Hauptsätzen stattfindet.

		v	n	g
1.	Als Phong seine Ausbildung beendet hatte, erhielt er eine Festanstellung bei ABS.	☒	☐	☐
2.	Während er bei ABS arbeitete, lernte er verschiedene Abteilungen kennen.	☐	☐	☐
3.	Bevor er zu Feddersen wechselte, machte er zwei Weiterbildungskurse.	☐	☐	☐
4.	Bevor er sich zur Bewerbung entschieden hat, hat er lange nachgedacht.	☐	☐	☐
5.	Nachdem er mit seiner Frau gesprochen hatte, hat er sich beworben.	☐	☐	☐

f Lesen Sie die Sätze in 2e noch einmal. Was passt: a oder b? Kreuzen Sie an.

G

1. In Nebensätzen mit „nachdem“ kann die Handlung nur
   a. ☒ vor b. ☐ nach der Handlung im Hauptsatz stattfinden.
2. Im Nebensatz mit „nachdem“ und im Hauptsatz verwendet man
   a. ☐ die gleichen b. ☐ verschiedene Zeiten.
3. In Nebensätzen mit „bevor“ findet die Handlung
   a. ☐ vor b. ☐ nach der Handlung im Hauptsatz statt.
4. Im Nebensatz mit „bevor“ und im Hauptsatz verwendet man
   a. ☐ die gleichen b. ☐ verschiedene Zeiten.

g Lesen Sie die Sätze und formulieren Sie sie neu.

1. Phong hat das Abitur gemacht. Dann hat er eine 2-jährige Ausbildung begonnen. (nachdem)
   Nachdem Phong das Abitur gemacht hatte, hat er eine 2-jährige Ausbildung begonnen.
2. Er hat seine Ausbildung gemacht. Dabei hat er verschiedene Abteilungen kennengelernt. (während)
   ____
3. Er hat die Ausbildung abgeschlossen. Dann ist er fest angestellt worden. (nachdem)
   ____
4. Er war bei ABS tätig. Gleichzeitig hat er in seiner Freizeit zwei Weiterbildungen gemacht. (während)
   ____
5. Er hat sich bei Feddersen beworben. Vorher hat er sich gut über die Firma informiert. (bevor)
   ____
6. Er hatte den Vorstellungstermin. Vorher trug er seiner Frau die Präsentation vor. (bevor)
   ____

4 Kürzer ausdrücken mit Präpositionen › KB: B2c › G: 4.3, 4.4

a Lesen Sie die Hauptsätze und ergänzen Sie die passenden Ausdrücke mit Präpositionen aus dem Schüttelkasten. So drücken Sie die Informationen aus 3g kürzer aus.

während seiner Ausbildung | während seiner Tätigkeit bei ABS | vor seiner Bewerbung bei Feddersen | vor dem Vorstellungstermin | ~~nach dem Abitur~~ | nach dem Abschluss der Ausbildung

1. *Nach dem Abitur* hat Phong eine 2-jährige Ausbildung begonnen.
2. ______ hat er verschiedene Abteilungen kennengelernt.
3. ______ ist er fest angestellt worden.
4. ______ hat er in seiner Freizeit zwei Weiterbildungen gemacht.
5. ______ hat er sich gut über die Firma informiert.
6. ______ trug er seiner Frau die Präsentation vor.

b Schauen Sie sich die Sätze in 3g und 4a an und ergänzen Sie die Tabelle.

Nebensatzkonnektor	nachdem / als		während
Präposition	*nach*	vor	

5 Emilia berichtet: Meine Kenntnisse und beruflichen Erfahrungen › KB: B3d › G: 4.2, 4.3, 4.4

a Lesen Sie Emilias Bericht und ergänzen Sie die Präpositionen und die Nebensatzkonnektoren aus den Übungen 3 und 4. Zweimal passen zwei.

[1] *Nach* dem Abitur studierte ich an der Universität Mannheim. [2] ______ des Studiums arbeitete ich manchmal als Kellnerin in einem Café. [3] ______ ich in Toronto studierte, konnte ich meine Englischkenntnisse verbessern. [4] ______ meiner Rückkehr war es für mich nicht ganz leicht, wieder in Deutschland zu leben. [5] ______ ich das Studium abgeschlossen hatte, habe ich einen Kurs in Projektmanagement an der Fernuniversität Hagen absolviert. [6] ______ ich bei Feddersen angefangen habe, habe ich ein Praktikum in Frankfurt gemacht. [7] ______ meiner Tätigkeit bei Feddersen habe ich eine Fortbildung in SAP®-Grundwissen Vertrieb besucht.

b Emilia erzählt: Lesen Sie den Tipp und schreiben Sie Sätze mit den Präpositionen „nach", „vor", „während". Verwenden Sie die Zeiten in Klammern.

1. vor – Vorstellungsgespräch – ich – über Firma – sich gut informieren (Plusquamperfekt)
2. während – Vorbereitungen – ich – viel Neues – lernen (Perfekt)
3. vor – Termin – ich – Freundin treffen – und – sie – um Rat – bitten (Plusquamperfekt)
4. nach – Treffen – mit ihr – ich – sich sicherer fühlen (Perfekt)
5. während – Gespräch – mit Personalchef – ich – viele Fragen stellen (Perfekt)
6. nach – Vorstellungsgespräch – ich – in – Kantine – gehen – und – etwas essen (Perfekt)
7. während – Essen – ich – über Vorstellungsgespräch – lange nachdenken (Perfekt)

1. Vor dem Vorstellungsgespräch hatte ich mich gut über die Firma informiert.

TIPP

nach / vor + Dativ
während + (Genitiv formell, z. B. im Schriftlichen)
während + Dativ (informell, z. B. im Mündlichen)

C Die Selbstpräsentation

1 Wortschatz lernen mit Synonymen und Verben mit Präpositionen › KB: C1c

a **Schauen Sie sich die Tipps im Kursbuch 9C, 1a, noch einmal kurz an und finden Sie darin Synonyme zu den Wörtern und Ausdrücken.**

1. Zeitliche Folge: der *Ablauf, ¨-e*
2. Anfang eines Vortrags: ____________
3. Karriere: ____________
4. Positives Resultat: ____________
5. Wie man sitzt: ____________
6. Wohin man schaut: ____________

b **Welche Präposition gehört zu welchem Verb? Ordnen Sie zu. Schreiben Sie Beispielsätze.**

1. vermitteln	A. auf	1. *D*
2. sich konzentrieren	B. mit	2. ___
3. verbinden	C. nach	3. ___
4. ordnen	D. zwischen	4. ___
5. sich beschäftigen	E. um	5. ___
6. bitten	F. mit	6. ___
7. sich begeistern	G. auf	7. ___
8. achten	H. für	8. ___

1. Die Chefin vermittelt zwischen den Kollegen.

TIPP

Einen Text überprüfen
Lesen Sie Ihre Texte noch ei genau und achten Sie z. B. a Groß- und Kleinschreibung, passende Präpositionen unc Konnektoren.

2 Einen Text genau lesen und Fehler finden: Tipps für die Selbstpräsentation › KB: C1c

B P **Lesen Sie die Tipps. Finden Sie sieben weitere Fehler und korrigieren Sie sie. Wenn kein Fehler in der Zeile ist, machen Sie ein Häkchen (✓).**

Text	Korrektur	Zeile
Sie sollten die Präsentation auf dem Spiegel üben. Bitten Sie auch Freunde	*vor*	1
um Kritik. Eine Möglichkeit, sich selbst zu präsentieren, ist z. B. eine Jobmesse.	*✓*	2
An den Universitäten es gibt oft einen „Career Service" mit Seminaren zur		3
Vorbereitung. Üben Sie zuerst mithilfe Ihres Ablaufplans, dann ganz frei. Achten		4
Sie besonders um Ihre Körpersprache. Die Sitzhaltung: gerade, aber entspannt.		5
Als Sie stehen: Stehen Sie gerade, die Arme locker an der Seite.		6
Halten Sie die Hände relativ ruhig. gestikulieren Sie also nicht zu viel. Sehr		7
wichtig ist auch die Blickrichtung: Schauen Sie nicht nur ihren Gesprächspartner,		8
sondern sehen Sie auch immer wieder die anderen Personen auf der Runde an.		9
Haben Sie keine Angst, über sich selbst sprechen!		10

3 Etwas kurz erwähnen – die Modalpartikel „übrigens" › KB: C1c

Z **Lesen Sie die Sätze. Wann verwendet man „übrigens"? Kreuzen Sie in der Regel an.**

1. Phong reist viel. Übrigens geht seine nächste Reise nach Hangzhou, in China.
2. Interkulturelle Kompetenz ist ein Muss. Übrigens habe ich die schon als Kind trainiert.
3. Seine Frau spricht mit ihm über die Selbstpräsentation. Sie ist übrigens auch Betriebswirtin.

G

Den Satz mit „übrigens" verwendet man,
a. ☐ wenn man das Thema von dem Satz davor weiterführt.
b. ☐ wenn man eine Nebenbemerkung macht oder das Thema wechseln möchte.

4 Redemittel für Präsentationen › KB: C2b

Ordnen Sie die Redemittel im Schüttelkasten der Struktur der Selbstpräsentation zu.

~~Guten Morgen zusammen!~~ | Ich habe mich auf die Stelle beworben, weil ich ... | Wenn Sie Fragen haben, beantworte ich sie gern. | Ein Beispiel für mein erfolgreiches Arbeiten ist das folgende: ... | Mein Name ist ... | Guten Morgen, meine Damen und Herren! | Besonders freue ich mich auf ... | In meiner kurzen Präsentation möchte ich auf folgende Punkte eingehen: ... | Ich komme aus ... und wollte schon immer ... | Wer bin ich? Was kann ich? | Meine kurze Präsentation besteht aus ... Teilen. | Zu meiner Ausbildung möchte ich nur ganz kurz etwas sagen: ... | Ich war für ... verantwortlich. | Berufserfahrung habe ich während ... gesammelt. | Mich fortzubilden, war mir immer wichtig, deshalb habe ich ... | Nun komme ich zu Teil ... meines kleinen Vortrags. | Besonders gut kann ich ... | Ich glaube, dass ich fachlich und persönlich genau zu der Stelle passe, weil ... | Ich bin überzeugt, dass ich für die Stelle geeignet bin, denn ... | Meine Tätigkeit umfasste ... | Ich kann mir sehr gut vorstellen, ... zu ... | In Ihrer Ausschreibung fordern Sie, dass ... | Ich danke Ihnen für Ihre Aufmerksamkeit.

1. Begrüßung / Name: *Guten Morgen zusammen!, ...*
2. Einleitung / Überleitung: ______
3. Werdegang: ______
4. Kenntnisse / Erfolge: ______
5. Grund für Bewerbung: ______
6. Schluss: ______

D Berufliche Pläne

1 Das Futur: Formen und Bedeutung › KB: D2a › G: 1.1

a Lesen Sie die Mail im Kursbuch 9D, 1a, noch einmal und ergänzen Sie die Tabelle.

ich	du	er / sie / es	wir	ihr	sie	Sie (Sg. + Pl.)
			werden	werdet	*werden*	werden

b Formulieren Sie Emilias und Insas Pläne im Futur. Schreiben Sie die Sätze in die Tabelle.

1. ab Herbst – Emilia – bei Feddersen – arbeiten – im Vertrieb
2. sie – bekommen – dort – ein höheres Gehalt
3. Insa – anfangen – bald – bei einem großen Unternehmen – in Düsseldorf
4. dort – zuständig sein – für die Markt- und Wettbewerbsanalyse – sie

	Position 2		Satzende
1. *Ab Herbst*	*wird*	*Emilia bei Feddersen im Vertrieb*	*arbeiten.*
2. *Sie*			
3.			
4.			

c Formulieren Sie die Sätze in 1b im Präsens.

Ab Herbst arbeitet Emilia bei Feddersen im Vertrieb.

TIPP

Man kann Zukünftiges auch im Präsens ausdrücken, meist mit einer Zeitangabe, z. B. Morgen spreche ich mit dem Chef.

d **Prognosen für Hamburg: Lesen Sie den Ausschnitt aus einem Informationstext der Handelskammer und markieren Sie die Prognosen.**

> Im Jahr 2030 werden mehr als 8,3 Milliarden Menschen auf der Erde leben, fast zwei Drittel davon in Städten. Auch die deutsche Großstadt Hamburg wird wachsen, da viele Menschen aus dem Ausland nach Hamburg – einem Zentrum des deutschen Außenhandels – kommen werden. Denn als moderne Hafenstadt ist Hamburg international bekannt und beliebt. Bis zum Jahr 2020 wird das Angebot an offenen Stellen auf dem Hamburger Arbeitsmarkt zunehmen und der Anteil der Frauen und von Personen aus verschiedenen Ländern am Arbeitsmarkt wird steigen.
> Diese Entwicklung wird Hamburgs Wirtschaft positiv verändern.

2 Die Feddersen Holding › KB: D3a

B P **Ergänzen Sie die Lücken im Profil der Feddersen Holding jeweils mit einem Wort in der richtigen grammatikalischen Form.**

K.D. FEDDERSEN
Think Value

Die Feddersen Holding [1] *wurde* 1985 gegründet. Sie hält die Beteiligungen an den Unternehmen [2] ______ Firmengruppe. Die Unternehmen konzentrieren sich schwerpunktmäßig [3] ______ den weltweiten Handel mit chemischen und technischen Produkten. Sie vertreten [4] ______ eigenen Niederlassungen in Europa und weltweit wichtige Unternehmen [5] ______ Chemie-, Investitions- und Konsumgüterindustrie.

Rechtschreibung

1 Wie schreibt man das?

a **„i“ oder „ie“? Ergänzen Sie.**

1. Erschl*ie*ßung 4. D__nstleister 7. Not__z 10. Einst__g 13. expand__ren
2. Arbeitsst__l 5. F__nanzen 8. Ab__tur 11. N__derlassung 14. Qualif__kation
3. Flex__bilität 6. St__ftung 9. Zertif__kat 12. Z__l 15. Vertr__b

b **„s“, „ss“ oder „ß“? Ergänzen Sie.**

1. erschlie*ß*en 3. Intere__e 5. Zeugni__e 7. abschlie__en 9. zuverlä__ig
2. erschlo__en 4. Zeugni__ 6. Kenntni__ 8. Abschlu__ 10. flei__ig

TIPP
Endung „-nis“ → Plural: „-niss

c **Doppelkonsonant oder nur einer? Ergänzen Sie.**

1. Kunststo*ff*e 3. Ho__y 5. Gru__e 7. interkulture__ 9. Erste__ung
2. Liefera__t 4. Fli__chart 6. A__alyse 8. We__bewerb 10. komple__

Grammatik im Überblick

1 Temporale Nebensätze: Gleichzeitigkeit, Vorzeitigkeit und Nachzeitigkeit › G: 4.2, 4.4

Nebensätze mit „während" – gleichzeitig

Sie drücken aus, dass die Handlungen oder Geschehen im Nebensatz und im Hauptsatz **gleichzeitig** stattfinden. Der Nebensatz mit „während" kann vor oder nach dem Hauptsatz stehen, z. B. Phong hat die Weiterbildung gemacht, während er schon voll gearbeitet hat. Während Phong schon voll gearbeitet hat, hat er die Weiterbildung gemacht.

Nebensätze mit „nachdem" – vorzeitig

Sie drücken aus, dass eine Handlung oder ein Geschehen **vor** einer anderen / einem anderen in der Vergangenheit stattfinden. Der Nebensatz mit „nachdem" kann vor oder nach dem Hauptsatz stehen, z. B. Nachdem Phong sich beworben hatte, war er aufgeregt. Phong war aufgeregt, nachdem er sich beworben hatte.

- Die Zeiten in Sätzen mit „nachdem": Nebensatz: Plusquamperfekt + Hauptsatz: Präteritum oder Perfekt. Statt „nachdem" kann man auch „als " verwenden.
  z. B. Nachdem / Als Phong sein Abitur gemacht hatte, hat er mit seiner Ausbildung zum Außenhandelsassistenten begonnen.
  Phong hat mit seiner Ausbildung zum Außenhandelsassistenten begonnen, nachdem / als er sein Abitur gemacht hatte.
- Etwas findet vor etwas anderem in der Gegenwart statt: Nebensatz: Perfekt + Hauptsatz: Präsens oder Futur. Statt „nachdem" kann man auch „wenn" verwenden.
  z. B. Nachdem / Wenn man die Stellenausschreibung gelesen hat, bewirbt man sich.
  Nachdem / Wenn Emilia ihr Projekt beendet hat, fährt sie mit Insa in Urlaub. Emilia wird mit Insa in Urlaub fahren, nachdem / wenn sie ihr Projekt beendet hat.

Nebensätze mit „bevor" – nachzeitig

Sie drücken aus, dass eine Handlung **später** als die Handlung im Hauptsatz stattfindet. Nebensätze mit „bevor" können vor oder nach dem Hauptsatz stehen. Im Nebensatz mit „bevor" und im Hauptsatz steht dieselbe Zeit.

z. B. Phong hatte eine Teambesprechung, bevor die Messe öffnete. Bevor er seine Präsentation gehalten hat, hat er mit einer Studienkollegin gesprochen.
Bevor er nach China fährt, lernt er Chinesisch.

2 Temporale Präpositionen: „nach", „während", „vor" › G: 4.3, 4.4

Mit den Präpositionen „nach" und „vor" + Dativ sowie „während" + Genitiv oder Dativ (informell mündlich / umgangssprachlich) kann man Zeitangaben machen.

z. B. Nach dem Abitur hat Phong eine 2-jährige Ausbildung begonnen.
Während seiner Tätigkeit bei ABS hat er Weiterbildungen gemacht.
Vor seiner Bewerbung bei Feddersen hat er sich gut über die Firma informiert.

3 Das Futur › G: 1.1

Man verwendet das Futur, um Zukünftiges zu äußern, z. B. um über Pläne und Prognosen zu sprechen. Es wird mit der konjugierten Form von „werden" und dem Infinitiv des Verbs gebildet.

ich	du	er / sie / es	wir	ihr	sie	Sie (Sg. + Pl.)
werde	wirst	wird	werden	werdet	werden	werden

	„werden"		Infinitiv
Ab Herbst	wird	Emilia bei Feddersen im Vertrieb	arbeiten.
Wann	wird	Emilia nach Kanada	gehen?

Man verwendet auch häufig das Präsens, um Zukünftiges auszudrücken, besonders wenn es im Satz eine Zeitangabe gibt,

z.B. Ab Herbst arbeitet Emilia im Vertrieb.
Sie macht im November eine Dienstreise nach Frankreich.

A Beruflicher Neuanfang

1 Stellenanzeigen lesen und verstehen › KB: A2

TIPP

„Tarifvertrag": Vertrag zwisc Arbeitnehmervertretung un Arbeitgebern, der z. B. die H von Löhnen und Gehältern regelt.

a Was gehört zu welcher Kategorie? Ordnen Sie die Wörter aus dem Schüttelkasten zu.

~~abgeschlossene Ausbildung~~ | Bezahlung nach Tarif | Flexibilität | Englisch: sehr gut in Wort und Schrift | Kenntnisse in … | kommunikationsstark | 13. Monatsgehalt | Teilzeit (50%) | Teamfähigkeit | Studium im Fach … | Urlaubsgeld | verhandlungssicheres Spanisch | Vollzeit

1. formale Qualifikationen: *abgeschlossene Ausbildung, …*
2. persönliche Kompetenzen: _____
3. Arbeitszeitmodell: _____
4. Leistungen des Unternehmens: _____

b Lesen Sie die Stellenanzeige unten. Aus welchen Teilen besteht sie? Notieren Sie die passenden Nummern von den Stichpunkten unten.

1. Infos über das Unternehmen
2. Stellenbezeichnung
3. Beschreibung der Tätigkeiten
4. Firmenname
5. Eintrittsdatum
6. Arbeitszeitmodell
7. Formale Qualifikationen
8. Arbeitsort
9. Persönliche Kompetenzen
10. Leistungen des Unternehmens
11. Art der Bewerbung
12. Kontaktdaten

Für unser neues Planungsbüro aus dem Bereich Gebäudetechnik suchen wir ab 15.11. in Hamburg-Schnelsen *(1)* *(5)* *(8)*

einen Technischen Zeichner / eine Technische Zeichnerin in Vollzeit *(2)* *(6)*

Das sind Ihre Aufgaben: *(3)*
- Erstellung technischer Zeichnungen im Bereich Heizung, Sanitär & Klima
- Projektbesprechungen mit den Projektleitern und Planungsingenieuren
- Erstellung von technischen Dokumentationen

Das bringen Sie mit: *(7)*
- abgeschlossene Berufsausbildung als Technischer Zeichner und mehrjährige Berufserfahrung
- Kenntnisse von Konstruktionssoftware wie AutoCAD oder Inventor erwünscht
- selbstständige Arbeitsweise und Teamfähigkeit *(9)*

Das ist Ihre berufliche Zukunft: *(10)*
- ein interessantes und spannendes Aufgabengebiet und eine abwechslungsreiche Tätigkeit in einem großen Unternehmen
- attraktive, leistungsgerechte Vergütung

Ihre kompletten Bewerbungsunterlagen mit Lebenslauf und Zeugnissen senden Sie uns bitte per Online-Bewerbung an *(11)* Proplanotec GmbH. www.Proplanotec.com *(4)* *(12)*

c **Lesen Sie Anzeigen in 1b und im KB 10A, 2, noch einmal. Welche Qualifikationen / Kenntnisse muss man unbedingt haben, welche sind nicht unbedingt notwendig, aber ein Vorteil? Ordnen Sie die Formulierungen zu.**

~~Sie bringen mit:~~ … | idealerweise | … ist für Sie selbstverständlich. | Sie verfügen über … | … ist / sind erwünscht. | … setzen wir voraus. | … sind von Vorteil. | … wird / werden vorausgesetzt. | Wir erwarten … | Wünschenswert ist …

1. Das muss man haben: *Sie bringen mit: …,*
2. Das wäre gut zu haben: ______

TIPP

Achten Sie auf die Formulierungen in Anzeigen. So wissen Sie, welche Kenntnisse und Qualifikationen Sie unbedingt haben müssen.

2 Telefonisch nachfragen › KB: A3b

Formulieren Sie Sätze, um am Telefon nachzufragen.

1. Ich rufe an, (weil – einige Fragen haben – zu Ihrer Anzeige auf monster.de)
   Ich rufe an, weil ich einige Fragen zu Ihrer Anzeige auf monster.de habe.
2. Ich möchte gern wissen, (ab wann spätestens – Sie – besetzen wollen – die Stelle)
   ______
3. Ich wollte außerdem nachfragen, (welche Kenntnisse in SAP® – unbedingt notwendig sein)
   ______
4. Könnten Sie mir bitte sagen, (die Tätigkeit – ob – verbunden sein – mit Reisen)
   ______
5. Zum Schluss würde ich gern noch wissen, (eine Bewerbung auch per E-Mail – ob – möglich sein)
   ______

B Der Lebenslauf

1 Kategorien im Lebenslauf › KB: B1a

Schauen Sie sich den Lebenslauf im Kursbuch 10B, 1a, noch einmal an und ergänzen Sie passende Überschriften zu den Erklärungen.

1. Informationen zu Ihrer Person: Geburtsdatum, -ort, Familienstand, Kinder können Sie, aber müssen Sie nicht angeben. *Persönliche Angaben*
2. Ihre Ausbildung / Ihr Studium. Geben Sie hier Schwerpunkte oder Spezialisierungen an. ______
3. Weitere Qualifikationen, z. B. Fort- / und Weiterbildungen oder Zertifikate ______
4. Niveau von Sprachen, die Sie können. ______
5. Hobbys / ehrenamtliche Tätigkeiten sind wichtig, um Ihr Profil perfekt zu machen ______
6. Abschluss Ihres Lebenslaufs: Diese drei Angaben müssen immer dort stehen und sollten aktuell sein. ______
7. Genaue Angaben zu Ihren Computerkenntnissen ______
8. Informationen zu Ihrer Arbeitserfahrung. Notieren Sie wichtige Tätigkeiten, wenn möglich sehr konkret. Wenn Sie wegen eines Kindes eine Zeit lang nicht gearbeitet haben, sollten Sie das auch hier angeben. So gibt es keine Lücke im Lebenslauf. ______

2 Was hat Clara Vinoli gemacht? – Nominalisierungen im Lebenslauf › KB: B3 › G: 6.1

a Schreiben Sie Sätze im Perfekt. Ergänzen Sie dann die Regeln.

1. Bearbeitung von Bestellungen: *Sie hat Bestellungen bearbeitet.*
2. Kundenberatung: ______
3. Verwalten und Organisation des Lagers: ______
4. Durchführung einer Kundenumfrage: ______
5. Herstellung der Arzneimittel: ______
6. Lesen von Fachliteratur über Naturheilverfahren: ______

G

Nomen bilden: Tätigkeiten im Lebenslauf beschreibt man in nominalisierter Form. Es gibt verschiedene Möglichkeiten aus Verben Nomen zu bilden, z. B.
- mit Endungen (z. B. „(-a)tion", „-ung") z. B. *Bearbeitung,* ______
- Man kann auch zusammengesetzte Nomen bilden, z. B. ______.
- der Infinitiv kann nominalisiert werden (verwalten → das Verwalten), z. B. ______

Weitere Information angeben: Die Akkusativergänzungen zu den Nomen gibt man oft mit der Präposition „von" an, z. B. ______ oder mit dem Genitiv, z. B. ______.

b Angaben zu Schule, Studium und Beruf nominalisieren: Lesen Sie, was Mauricio berichtet. Markieren Sie die Verben und wichtige Ergänzungen.

1. Ich habe von 2003 bis 2009 das „Colegio Madrid Secundaria y Bachillerato" besucht und mit der Hochschulreife abgeschlossen.
2. Dann habe ich von September 2009 bis Juni 2012 an der Universität Complutense Madrid Wirtschaft mit dem Schwerpunkt Rechnungswesen studiert.
3. Ich habe das Studium mit dem Bachelor mit der Note „sehr gut" abgeschlossen.
4. Nach dem Studium war ich fast zwei Jahre lang (Oktober 2012 – September 2014) als Mitarbeiter im Rechnungswesen des Unternehmens „Día" in Madrid tätig.
5. Ich habe dort die Rechnungen dokumentiert, geprüft und gebucht.
6. Außerdem war ich auch in der Lohnbuchhaltung tätig, ich habe die Lohnzahlungen vorbereitet.
7. Seit Oktober 2014 arbeite ich als Teamleiter in der Buchhaltung des Unternehmens „Telefónica".
8. Ich bearbeite Rechnungen und Lohnzahlungen und organisiere Fortbildungen für neue Mitarbeiter/innen.

c Schreiben Sie die markierten Angaben in nominalisierter Form. Arbeiten Sie ggf. mit einem Wörterbuch.

1. *2003–2009: Besuch des „Colegio Madrid Secundaria y Bachillerato", Abschluss: Hochschulreife*
2. ______
3. ______
4. ______
5. ______
6. ______
7. ______
8. ______

TIPP

Normalisierungen im Lebens lauf verkürzen den Text. Daher lässt man die Artikel c weg und Verbindungen werden oft mit Doppelpunkt hergestellt, z. B. Ich habe da Colegio mit der Hochschulre abgeschlossen.
→ Der Abschluss des Colegic war die Hochschulreife
→ Abschluss: Hochschulreife

Grammatik im Überblick

1 Bildung von Nomen › G: 6.1

Verben und Adjektive können mithilfe von Endungen nominalisiert werden. Nomen mit diesen Endungen haben immer den Artikel „die", z. B.
- „-ion": diskutieren → die Diskussion, präzisieren → die Präzision
- „-(a)tion": konstruieren → die Konstruktion, organisieren → die Organisation
- „-heit": neu → die Neuheit, sicher → die Sicherheit
- „-keit": zuständig → die Zuständigkeit, tätig → die Tätigkeit
- „-ung": prüfen → die Prüfung, beraten → die Beratung

Auch der Infinitiv des Verbs kann nominalisiert werden. Die Infinitive als Nomen haben immer den Artikel „das". Sie werden dann großgeschrieben, z. B.
- nominalisierter Infinitiv: verwalten → das Verwalten, lesen → das Lesen

Wenn man die Nomen um Informationen ergänzen möchte, muss man Folgendes beachten:
- Akkusativergänzungen im Singular und Akkusativergänzungen im Plural mit dem bestimmten Artikel gibt man als Genitiv wieder (Ausnahme: Plural mit dem unbestimmtem Artikel),
  z. B. Er prüft den Zahlungseingang. → die Prüfung des Zahlungseingangs
  Er kontrolliert die Rechnungen. → die Kontrolle der Rechnungen
- Bei Akkusativergänzungen im Plural mit dem unbestimmten Artikel fügt man die Ergänzung mit der Präposition „von" an,
  z. B. Er prüft Rechnungen. → die Prüfung von Rechnungen, außer wenn vor dem Nomen ein Adjektiv steht, z. B. die Prüfung hoher Rechnungen
- Präpositionalergänzungen werden in der Regel mit den gleichen Präpositionen wiedergegeben,
  z. B. Er hilft bei den Hausaufgaben. → die Hilfe bei den Hausaufgaben

2 Temporale Nebensätze mit „seitdem"/„seit" und „bis" › G: 4.2, 4.4

Temporale Nebensätze mit „seitdem"/„seit"
- Sie drücken eine Zeitspanne von einem Zeitpunkt in der Vergangenheit bis jetzt aus: • → jetzt. Das Verb im Nebensatz mit „seitdem"/„seit" kann im Präteritum bzw. Perfekt oder im Präsens stehen.
- Nebensätze mit „seitdem"/„seit" können vor oder nach dem Hauptsatz stehen.
- „Seitdem" wird in der Alltagssprache oft zu „seit" verkürzt,
  z. B. Seitdem / Seit ich mich bei monster.de angemeldet habe, bekomme ich täglich Stellenangebote per E-Mail.
  Ich bekomme täglich Stellenangebote per E-Mail, seitdem / seit ich mich bei monster.de angemeldet habe.

Temporale Nebensätze mit „bis"
- Sie drücken eine Zeitspanne von einem Zeitpunkt bis zu einem späteren Zeitpunkt (in der Vergangenheit oder Zukunft) aus: • →
- Wenn dieser Zeitpunkt in der Vergangenheit liegt, stehen die Verben im Nebensatz mit „bis" und im Hauptsatz im Perfekt oder Präteritum, z. B. Clara arbeitete sehr gern in der Krankenhausapotheke, bis ein neuer Chef kam.
- Wenn dieser Zeitpunkt in der Zukunft liegt, stehen die Verben im Nebensatz mit „bis" und im Hauptsatz im Präsens oder Futur,
  z. B. Bis du eine neue Stelle findest, dauert es sicher nicht lange. / wird es nicht lange dauern.
- Nebensätze mit „bis" können vor oder nach dem Hauptsatz stehen.

3 Die temporalen Präpositionen „seit" und „bis" › G: 4.3, 4.4

Mit den Präpositionen „seit" + Dativ und „bis" + Akkusativ kann man eine Zeitspanne ausdrücken.
- Angaben mit „seit" drücken aus, dass eine Zeitspanne von einem Zeitpunkt in der Vergangenheit bis jetzt andauert, z. B. Seit dem letzten Vorstellungsgespräch habe ich schon viele neue Angebote bekommen.
- Angaben mit „bis" drücken aus, dass eine Zeitspanne von einem Zeitpunkt bis zu einem späteren Zeitpunkt andauert, z. B. Bis diesen Freitag erhalte ich die Information, ob ich die Stelle bekomme.
- Die Präposition „bis" wird oft auch in Kombination mit der Präposition „zu" benutzt,
  z. B. Bis zum nächsten Freitag bekomme ich Bescheid.

Datenblätter – Partner A

Datenblatt A1 – Situation 1 › Lek. 1

Sie sind Chef in einer Bäckerei mit Café. Sie waren lange krank.

Ihr Mitarbeiter, Partner B, hat Sie in der Zeit vertreten und hat einiges anders gemacht.

Stellen Sie mit den Informationen rechts Fragen nach dem Zweck der Änderungen von Partner B:
- Wozu haben Sie viel mehr Mehl und … als normal bestellt?
- Wozu … Reinigungsplan geändert?
- Wozu … eingeplant?
- Wozu … bestellt?

- Bestellung:
  viel mehr Mehl und Zucker als normal
- Reinigungsplan:
  von einmal auf zweimal täglich
- Servicekraft:
  1 Servicekraft mehr am Samstag
- Wartungsteam für den Kaffeeautomaten:
  früher als bisher

Datenblatt A1 – Situation 2 › Lek. 1

Sie arbeiten in einer Baufirma.

Ihr Kollege, Partner B, der für die Material- und Ausstattungsbestellung sowie für die Haustechnik zuständig ist, war lange krank. Sie haben Ihren Kollegen in der Zeit vertreten und haben einiges anders gemacht.

Ihr Kollege kommt zurück und hat einige Fragen.

Antworten Sie Partner B mit den Informationen rechts:
- Ich habe … bestellt, um … zu … können. Denn …
- Ich habe … gekauft, um … zu …, weil …
- Ich habe … vereinbart, damit wir … können. Denn …
- Ich habe noch einmal … verhandelt, um … zu …, weil …

- Bestellung – Zweck:
  ein günstiges Angebot nutzen
  Grund: brauchen viel Papier für nächste Projekte
- Kauf – Zweck:
  Getränke kühl halten
  Grund: im Sommer sich oft über zu warme Getränke geärgert
- Termin mit Hausmeisterservice – Zweck:
  Austausch von Lampen besprechen
  Grund: viele schon lange kaputt
- Verhandlung mit dem Lieferanten – Zweck:
  bessere Konditionen bekommen
  Grund: Angebot sehr teuer

Datenblatt A2 – Situation 1 › Lek. 2

Sie arbeiten bei der Baugesellschaft „Modernes Bauen AG". Sie bekommen morgens im Büro plötzlich starke Rückenschmerzen und wollen zum Orthopäden gehen.

Sie rufen in der Praxis an. Beschreiben Sie der medizinischen Fachkraft, Partner B, den Schmerz und bitten Sie dringend um einen Termin. Verwenden Sie dafür die Informationen rechts.

Verwenden Sie höfliche Fragen und Wünsche. Vergessen Sie nicht Begrüßung und Abschied.

- heute Termin bekommen? – denn starke Rückenschmerzen
- am unteren Rücken
- seit einer Stunde, Schmerzen plötzlich da
- Schmerzen immer schlimmer, Sie können nicht mehr sitzen – Termin heute möglich?
- Schmerzen so stark – Sie müssen heute noch kommen
- Dank – sind vor 12:00 Uhr da
- Krankenkasse: DAK
- haben Versichertenkarte immer dabei

Datenblatt A2 – Situation 2 › Lek. 2

Sie sind medizinische Fachkraft in der Praxis für Allgemeinmedizin und Naturheilkunde Dr. Weber.

Ein Patient, Partner B, ruft an. Er ist stark erkältet und möchte noch heute einen Termin.

Sagen Sie höflich, dass es heute nicht möglich ist.

Der Patient, Partner B, will aber unbedingt heute kommen.

Stellen Sie Partner B mit den Informationen rechts Fragen und antworten Sie höflich auf die Fragen von Partner B. Vergessen Sie nicht Begrüßung und Abschied.

- heute kein Termin möglich, denn Praxis sehr voll – viele Patienten erkältet – Patient soll morgen kommen
- Kopfschmerzen – immer?
- Husten – wie?
- Fieber – wie hoch?
- Medikamente genommen? Welche?
- um 14:00 Uhr kommen
- Hustentropfen mitbringen
- Versichertenkarte nicht vergessen

Datenblatt A3 – Situation 1 › Lek. 3

Sie wollen eine Firma gründen und brauchen einen Kredit von einer Bank.

Partner B ist bei der Bank für die Kredite zuständig.

Präsentieren Sie Partner B Ihre Geschäftsidee rechts.
- Unsere Firma heißt …
- Das Team sind …
- Die Firmenidee ist, … anzubieten.
- Unsere Zielgruppe ist … / Unsere Kunden sind …
- Unser Markt ist …
- Wir möchten über … werben.
- Wir beabsichtigen, … über … und … zu verleihen.
- Als Rechtsform haben wir … gewählt.
- Wir haben … Eigenkapital. Außerdem haben wir …
- Wir brauchen … Euro für … und …

Partner B notiert Ihre Informationen.

Vergleichen Sie dann Ihre Informationen mit den Notizen von Partner B.

Ihre Geschäftsidee:
- **Name:** er & sie Brautmoden
- **Team:** Sofie Häberle, Beate Wagner
- **Idee:** Brautkleiderverleih
- **Zielgruppe:** Brautleute, die keine teure Brautmode kaufen wollen; junge Kunden und Kundinnen, gebildet
- **Markt:** regional
- **Werbung:** Internet, Print-Werbung in Lokalzeitung, Aushänge in Supermärkten und Läden
- **Vertrieb:** Laden in der Innenstadt / Webseite mit Versand
- **Rechtsform des Unternehmens:** UG (haftungsbeschränkt)
- **Eigenkapital:** 8.000 € und Waren: 200 Brautkleider, 50 Herrensmokings, Hochzeits-Accessoires
- **Kreditwunsch:** 20.000 € für Ladenausbau, 5.000 € für Ladenausstattung, 1.800 € für Internetauftritt (professionelle Webseite)

Datenblatt A3 – Situation 2 › Lek. 3

Sie arbeiten bei einer Bank und entscheiden, ob ein Existenzgründer kreditwürdig ist.

Partner B stellt Ihnen seine Firmenidee vor. Beginnen Sie das Gespräch:
- Erzählen Sie mir von Ihrer Geschäftsidee.

Notieren Sie die Angaben im Formular rechts. Empfehlen Sie Ihrer Bank, einen Kredit zu geben?

Vergleichen Sie dann Ihre Notizen mit den Informationen von Partner B.

Name des Unternehmens: ____________

Team: ____________

Idee: ____________

Zielgruppe / Kunden: ____________

Markt: ____________

Werbung: ____________

Vertrieb: ____________

Rechtsform des Unternehmens: ____________

Eigenkapital: ____________

gewünschter Kredit: ____________

Datenblätter – Partner A

Datenblatt A4 – Situation 1 › Lek. 4

Sie sind Frau La Roche von der Firma Karibi. Sie möchten Ihren Geschäftspartner Herrn Meier vom Vertrieb der Xenos GmbH sprechen. Sie rufen in der Firma an.

Partner B ist am Telefon und will Sie verbinden, aber die Leitung ist besetzt.

Sagen Sie Partner B, dass Sie eine Nachricht hinterlassen möchten: Herr Meier soll Sie bitte zurückrufen, denn Sie müssen Ihre Dienstreise zu Xenos verschieben. Buchstabieren Sie Ihren Namen und geben Sie Partner B Ihre Telefonnummer in Frankreich (0033 1 58975886). Vergessen Sie nicht Dank und Abschied.

Datenblatt A4 – Situation 2 › Lek. 4

Sie sind Monica Diaz, Assistentin der Geschäftsführerin von Berner & Co. Sie bekommen einen Anruf von Partner B. Nennen Sie den Firmennamen und Ihren Namen und fragen Sie höflich nach dem Anliegen.

Partner B möchte die Geschäftsführerin, Frau Büchner, sprechen. Diese ist gerade in einer Besprechung.

Fragen Sie nach dem Anliegen. Sagen Sie, dass Partner B in einer dreiviertel Stunde wieder anrufen kann. Bitten Sie Partner B darum, seinen Namen zu buchstabieren, und füllen Sie die Gesprächsnotiz aus. Fragen Sie bei Verständnisproblemen nach und vergessen Sie nicht Dank und Abschied.

Datum:	Uhrzeit:
Anruf von:	
Firma:	
Anruf für:	
Telefonnummer:	
☐ ruft wieder an ☐ erbittet Rückruf	☐ ruft zurück ☐ bittet um: ______
Betreff: ______	

Datenblatt A5 – Situation 1 › Lek. 5

Sie arbeiten in der Marketingabteilung der Tolz GmbH. Ihr Unternehmen plant einen Messeauftritt. Nach Ihrem Urlaub wollen Sie Ihre Checkliste für den Messeauftritt aktualisieren.

Partner B arbeitet auch im Messeteam. Fragen Sie Partner B nach den fehlenden Informationen:
- Wurde / Wurden … schon …? / Ist / Sind … schon … worden?
- Wann wird / werden …?
- Welches Problem / Welche Probleme gibt es?

Checkliste Messeplanung	Erledigt?	Wann wird erledigt?	Was ist das Problem?
Messestand anmelden			
Einschreibegebühr überweisen			
Messemöbel zur Probe aufbauen			
Prospekte in Druck geben			
Ausstellungsstücke anliefern			
Restaurant reservieren			

Datenblatt A5 – Situation 2 › Lek. 5

Sie arbeiten in der Marketingabteilung der Bobbisch KG. Ihr Unternehmen plant einen Messeauftritt. Ihr Kollege, Partner B, kommt aus dem Urlaub zurück und möchte seine Checkliste für den Messeauftritt aktualisieren.

Partner B fragt Sie, was bisher schon erledigt wurde und was noch nicht erledigt wurde.

Antworten Sie:
- … wurde / wurden bereits … / … ist / sind bereits … worden.
- … wurde / wurden noch nicht …, weil … / … ist / sind noch nicht … worden, weil …
- Das wird nächste Woche / am … gemacht, weil ….

Checkliste Messeplanung	Erledigt?	Wenn nicht erledigt → wann? Was ist das Problem?
Ausstellerausweise bestellen und Parkausweise beantragen	✓	
Werbegeschenke besorgen		welche Werbegeschenke und wie viele?
Kunden zur Messe einladen		nächste Woche → denn: brauchen noch Kundenliste vom Marketingleiter
Hotelzimmer reservieren	✓	
Flüge buchen		am Freitag
Standevent vorbereiten		passendes Standevent wird noch recherchiert

Datenblatt A6 – Situation 1 › Lek. 6

Sie hatten Handwerker zu Hause und wollen die Rechnung bezahlen.

Sie sind im Büro. In der Mittagspause wollen Sie das Überweisungsformular ausfüllen und es schnell zur Bank bringen. Da merken Sie, dass Sie die Rechnung zu Hause vergessen haben.

- genauer Name / Firma des Begünstigten?
- IBAN?
- BIC?
- Rechnungsbetrag?
- Rechnungsnummer?
- Kundennummer?

Sie rufen zu Hause an und bitten jemanden von der Familie, Partner B, Ihnen die Daten zu den Punkten rechts von der Rechnung vorzulesen. Die Rechnung liegt auf Ihrem Schreibtisch.

Füllen Sie die restlichen Felder mit Ihrer eigenen Bankverbindung aus oder erfinden Sie eine Bankverbindung.

€uro-Überweisung (SEPA)

Für Überweisungen in Deutschland, in andere EU-/EWR-Staaten und in die Schweiz in Euro.
Kontoinhaber trägt Entgelte bei seinem Kreditinstitut; Zahlungsempfänger trägt die übrigen Entgelte.

Angaben zum Zahlungsempfänger: Name, Vorname/Firma (max. 27 Stellen, bei maschineller Beschriftung max. 35 Stellen)

IBAN

BIC des Kreditinstituts/Zahlungsdienstleisters (8 oder 11 Stellen)

SEPA-Überweisung €

Betrag: Euro, Cent

Kunden-Referenznummer - Verwendungszweck, ggf. Name und Anschrift des Zahlers - (nur für Zahlungsempfänger)

noch Verwendungszweck (insgesamt max. 2 Zeilen à 27 Stellen, bei maschineller Beschriftung max. 2 Zeilen à 35 Stellen)

Angaben zum Kontoinhaber: Name, Vorname/Firma, Ort (max. 27 Stellen, keine Straßen- oder Postfachangaben)

IBAN
D E

16

Datum

Unterschrift(en)

SEPA-Überweisung €uro

IW2013-325452

Datenblätter – Partner A

Datenblatt A6 – Situation 2 › Lek. 6

Sie sind zu Hause. Partner B, ein Mitglied Ihrer Familie ruft an.

Partner B ist im Büro und möchte ein Überweisungsformular ausfüllen. Partner B hat die Rechnung zu Hause vergessen und bittet Sie, ihm die fehlenden Informationen am Telefon vorzulesen.

Fragen Sie, wo die Rechnung liegt. Holen Sie sie und geben Sie die Daten rechts durch.

- Begünstigter: Hennes Elektro GmbH
- IBAN: DE56 7898 9010 4567 8901 23
- BIC: RMAEDEXX245
- Rechnungsbetrag: 127,77€
- Rechnungsnummer: RN 112 H/9087
- Kundennummer: KN 468/35

Datenblatt A7 – Situation 1 › Lek. 7

Sie arbeiten im Vertrieb. In Ihrem Team dürfen nicht zwei Personen gleichzeitig im Urlaub sein.

Sie haben Ihren Kollegen mitgeteilt, dass Sie vom 12. bis 23. 9. Urlaub nehmen wollen. Alle waren einverstanden. Aber jetzt wurde Ihr Urlaubsantrag nicht genehmigt. Grund: Ein Kollege, Partner B, hat für die Zeit vom 19. bis 23.9. auch Urlaub beantragt.

Diskutieren Sie das Problem mit dem Kollegen, Partner B. Sprechen Sie indirekt:
- Oh je, das ist ...
- Das tut mir sehr leid, denn ich habe auch schon ...
- Nun, ich glaube wirklich, dass ich ...
- Das habe ich leider nicht, denn ...
- Es wäre mir wichtig, dass ...
- Hm, das wäre vielleicht wirklich die beste Lösung.

- unangenehme Überraschung
- schon konkrete Urlaubspläne
- alles richtig gemacht, denn: Urlaub mit Kollegen abgesprochen
- nicht mit Teamleiter gesprochen, denn: mit Kollegen alles klar
- gemeinsam eine Lösung finden

Datenblatt A7 – Situation 2 › Lek. 7

Sie diskutieren mit einem Kollegen, Partner B, wer von Ihnen beiden an den Brückentagen nach Fronleichnam und Christi Himmelfahrt frei nehmen darf.

Sie haben keine Kinder, deshalb müssen Sie während der Schulferien im Sommer immer arbeiten.

Diskutieren Sie das Problem mit dem Kollegen, Partner B. Sprechen Sie direkt:
- Ich habe einen guten Grund, an den Brückentagen frei zu nehmen, denn ...
- Ich sehe das anders, weil ...
- Die Brückentage sind mir sehr wichtig, denn ...
- Ich bin hier nicht Ihrer Meinung, denn ...
- Das ist für mich nicht so toll, aber ich bin einverstanden.

- erst im September zwei Wochen Urlaub
- Kollege (Partner B) – hat im Sommer Urlaub
- keine Erholung im Sommer, deshalb Brückentage wichtig
- Mitarbeiter ohne Familie dürfen keinen Nachteil haben

Datenblatt A8 › Lek. 8

Sie haben in einer Zeitschrift einen Kurzbericht über die Arbeit in Beratungs- bzw. Verkaufsberufen gelesen. Berichten Sie Partner B darüber.

Partner B hat einen anderen Artikel zu diesem Thema gelesen und berichtet Ihnen über seinen Artikel.

Unterhalten Sie sich dann über das Thema. Berichten Sie von Ihren persönlichen Erfahrungen und erzählen Sie, ob Sie sich selbst vorstellen können, in einem Verkaufs- bzw. Beratungsberuf zu arbeiten.

Stellen Sie Partner B Fragen und reagieren Sie auf die Fragen von Partner B.

„Für mich ist ein Job, in dem ich Kunden berate, eine ideale Tätigkeit. Zwar sind die vielen Gespräche mit den Kunden manchmal anstrengend, aber mir macht die Kommunikation einfach Spaß. Im Gespräch höre ich, was die Kunden mögen, und mache Vorschläge. Ich freue mich, wenn ich dann ein gutes Angebot für sie finde."
Jana Karges, 29 Jahre, Angestellte in einem Reisebüro

- In dem Kurzbericht, den ich gelesen habe, erzählt ...
- Sie ist der Meinung, dass ...
- Sie findet außerdem, dass ...
- Ich habe die Erfahrung gemacht, dass ...
- Für mich wäre das auch toll, weil ... / Für mich wäre das nichts, denn ...
- Über den Punkt ... denke ich genauso / denke ich nicht so, weil ...
- Trotzdem muss man auch sehen, dass ...
- Im Berufsleben finde ich es wichtig, ...
- Wie denken Sie / denkst du darüber?
- Bei mir ist das so: ...

Datenblätter – Partner A

Datenblatt A9 – Situation 1 › Lek. 9

Sie haben sich für eine neue Stelle beworben und bereiten sich auf ein Vorstellungsgespräch vor.

Partner B ist Bewerbungsberater und stellt Ihnen Fragen nach Ihrer Ausbildung, Ihren Fach- und sonstigen Kenntnissen.

Antworten Sie mit den Informationen rechts:
- Ich habe … gemacht.
- Nach … habe ich beim … in … eine … Ausbildung zur … gemacht. Diese Ausbildung habe ich im Jahr … abgeschlossen.
- Danach habe ich an der … studiert.
- Im 5. Semester habe ich … an der … gemacht.
- Im Jahr … habe ich mein Studium mit dem … abgeschlossen.
- Zusätzlich habe ich zwei Fortbildungskurse besucht: im Jahr 2002 einen … und im Jahr ….
- Ich spreche … und …
- Während meines Studiums habe ich folgende Praktika gemacht: … habe ich … Wochen im … in … gearbeitet und 2003 war ich … bei … in der …

Ausbildung / Studium:
- Abitur am Herder-Gymnasium, Mainz, 1997
- Ausbildung zur Kauffrau für Tourismus und Freizeit, duale Ausbildung, Reisebüro Jung, Mainz, Abschluss 2000
- Studium „Tourismus und Eventmanagement" an der Fachhochschule Dresden; 5. Semester als Auslandssemester an der Universität Malaga; Abschluss: Bachelor of Arts (B.A.), 2004

Weiter- / Fortbildung:
- Oracle Einführungskurs (2002)
- Marketing für Tourismusfachleute (2003)

Sprachkenntnisse:
- Englisch: sehr gut
- Spanisch: gut

Berufserfahrung:
- Praktika:
  1. 2002: 4 Wochen Reisebüro Weier, Dresden
  2. 2003: 6 Wochen Kundenbetreuung, Messe / Dresden

Datenblatt A9 – Situation 2 › Lek. 9

Sie sind Bewerbungsberater und bereiten Partner B auf ein Bewerbungsgespräch vor.

Stellen Sie Partner B Fragen zu den Bereichen rechts:
- Erzählen Sie bitte etwas über Ihre … / Ihr …
- Haben Sie außerdem noch eine Weiterbildung oder Fortbildung gemacht?
- Wie sind Ihre Sprachkenntnisse?
- Haben Sie …? / Welche … haben Sie?

Partner B antwortet.

Notieren Sie die Antworten von Partner B in Stichworten.

Ausbildung / Studium:

______

______

______

Weiter- / Fortbildung:

______

______

______

Sprachkenntnisse:

______

______

______

Berufserfahrung:

______

______

______

Datenblatt A10 – Situation 1 › Lek. 10

Sie haben die Stellenanzeige rechts gefunden. Sie rufen bei Hamburg-Technik an, weil Sie Fragen zu einigen Punkten haben:

- Einstellungsdatum: Sie können erst zu einem späteren Datum beginnen.
- Berufserfahrung: Sie haben erst ein Jahr Berufserfahrung, aber sehr gute Noten im Ausbildungszeugnis.
- Anzahl Zeichner: Wie viele technische Zeichner in Firma?

Partner B arbeitet in der Personalabteilung und ist für die Bewerbungen verantwortlich.

Fragen Sie Partner B:

- Guten Tag, mein Name ist … Ich möchte gern den Ansprechpartner für … sprechen.
- Ich habe einige Fragen zu …
- Ich möchte gern wissen, … Denn …
- Außerdem habe ich eine Frage zur … Denn …
- Können Sie mir sagen, …
- Haben Sie vielen Dank für die Informationen.
- Auf Wiederhören.

Für unser Planungsbüro aus der Gebäudetechnik suchen wir ab 15.11. in Hamburg

einen Technischen Zeichner / eine Technische Zeichnerin in Vollzeit

Das sind Ihre Aufgaben:

- Erstellung technischer Zeichnungen im Bereich Heizung, Sanitär & Klima
- Projektbesprechungen mit den Projektleitern und Planungsingenieuren
- Erstellung von technischen Dokumentationen

Das bringen Sie mit:

- abgeschlossene Berufsausbildung als Technische/r Zeichner/in und mehrjährige Berufserfahrung
- Kenntnisse von Konstruktionssoftware wie AutoCAD oder Inventor erwünscht
- selbstständige Arbeitsweise und Teamfähigkeit

Das ist Ihre berufliche Zukunft:

- ein interessantes und spannendes Aufgabengebiet und eine abwechslungsreiche Tätigkeit in einem großen Unternehmen
- attraktive, leistungsgerechte Vergütung

Ihre kompletten Bewerbungsunterlagen mit Lebenslauf und Zeugnissen senden Sie bitte per Online-Bewerbung an: www.hamburg-technik.com.

Datenblatt A10 – Situation 2 › Lek. 10

Sie arbeiten in der Personalabteilung von Deichler. Ihre Firma hat die Stellenanzeige rechts geschaltet.

Sie bekommen einen Anruf von Partner B. Partner B hat die Stellenanzeige gelesen, kann sich aber nicht jetzt bewerben.

Geben Sie Partner B folgende Informationen:

- Neue Stellenausschreibungen im neuen Jahr geplant. Sie haben keine genauen Informationen.
- Ansprechpartnerin: Frau Ortner, Durchwahl 591.
- Vorschlag: Frau Ortner kontaktieren, E-Mail: ortner@deichler-de.com.

Antworten Sie auf die Fragen von Partner B:

- Deichler, guten Tag. Mein Name ist … Was kann ich für Sie tun?
- Worum geht es da genau?
- Ich kann Ihnen jetzt schon sagen, dass …
- Für die Bewerbungen ist Frau … zuständig. Sie ist heute nicht im Haus.
- Sie erreichen sie unter der Nummer …
- Ihre E-Mail-Adresse lautet: …
- Auf Wiederhören.

Zur Unterstützung unseres Bereichs Accounting suchen wir

Bilanzbuchhalter (m / w) International (Vollzeit / Teilzeit)

Ihre Aufgaben:

- Regelmäßige Prüfung und Analyse der Bilanzen von internationalen Unternehmen
- Beratung und Unterstützung bei Fragen zum Rechnungswesen

Ihr Profil:

- Abgeschlossene kaufmännische Ausbildung mit Weiterbildung zum Bilanzbuchhalter
- Berufserfahrung in der Finanzbuchhaltung sowie in der Erstellung von Jahresabschlüssen
- Erfahrung mit SAP®-FI ist wünschenswert
- Sehr gute Englischkenntnisse in Wort und Schrift

Unser Angebot:

Interessante und abwechslungsreiche Aufgaben in einem innovativen Unternehmen mit gutem Arbeitsklima.

Bitte senden Sie Ihre Bewerbung an:
Deichler, Personalwesen
Landshuter Str. 284, 84137 Vilsbiburg

Datenblätter – Partner B

Datenblatt B1 – Situation 1 › Lek. 1

Sie arbeiten in einer Bäckerei mit Café.

Ihr Chef, Partner A, war lange krank. Sie haben Ihren Chef in der Zeit vertreten und haben einiges anders gemacht.

Ihr Chef kommt zurück und hat einige Fragen.

Antworten Sie Partner A mit den Informationen rechts:
- Ich habe … bestellt, um … zu … können. Denn …
- Ich habe … geändert, um … zu …, weil …
- Ich habe … eingeplant, damit wir … können. Denn …
- Ich habe … bestellt, um … zu …, weil …

- Bestellung – Zweck:
  mehr Brötchen und Kuchen backen
  Grund: nächste Woche Stadtfest
- Reinigungsplan – Zweck:
  Sauberkeit verbessern
  Grund: viele Kunden unzufrieden
- Servicekraft – Zweck:
  die Kunden am Samstag besser bedienen
  Grund: viele Beschwerden von Kunden
- Wartungsteam für Kaffeeautomat – Zweck:
  Kaffeeautomaten so schnell wie möglich kontrollieren
  Grund: in letzter Zeit öfters Probleme mit Kaffeeautomaten

Datenblatt B1 – Situation 2 › Lek. 1

Sie arbeiten in einer Baufirma und sind für die Material- und Ausstattungsbestellung sowie für die Haustechnik zuständig. Sie waren lange krank.

Ihr Kollege, Partner A, hat Sie in der Zeit vertreten und hat einiges anders gemacht.

Stellen Sie mit den Informationen rechts Fragen nach dem Zweck der Änderungen von Partner A:
- Wozu hast du so viel Druckerpapier bestellt?
- Wozu … gekauft?
- Wozu … vereinbart?
- Wozu … verhandelt?

- Bestellung:
  sehr viel Druckerpapier
- Kauf:
  Kühlschrank
- Hausmeisterservice:
  Vereinbarung von Termin
- Lieferant:
  Verhandlung

Datenblatt B2 – Situation 1 › Lek. 2

Sie sind medizinische Fachkraft in der orthopädischen Gemeinschaftspraxis Dr. Sänger und Dr. Hanke.

Ein Patient, Partner A, ruft an. Er hat im Büro plötzlich starke Rückenschmerzen bekommen und möchte noch heute einen Termin. Die Praxis ist sehr voll.

Stellen Sie Partner A mit den Informationen rechts Fragen und antworten Sie höflich auf die Fragen von Partner A. Vergessen Sie nicht Begrüßung und Abschied.

- Schmerzen – wo genau?
- Schmerzen – seit wann?
- Schmerzen – wie?
- heute kein Termin mehr
- muss vor 12:00 Uhr da sein – Wartezeit mitbringen
- bei welcher Krankenkasse versichert?
- nicht vergessen – Versichertenkarte mitbringen

Datenblatt B7 – Situation 2 › Lek. 7

Sie diskutieren mit einem Kollegen, Partner A, wer von Ihnen beiden an den Brückentagen nach Fronleichnam und Christi Himmelfahrt frei nehmen darf.

Sie haben Kinder und können in den Schulferien ab Mitte Juli Urlaub machen, aber Sie wollen eine alte Tante im Krankenhaus besuchen.

Diskutieren Sie das Problem mit dem Kollegen, Partner A. Sprechen Sie indirekt:
- Ich hoffe, Sie verstehen, dass ..., denn ...
- Wissen Sie, meine Tante ...
- Ich verstehe Sie, aber ...
- Wie fänden Sie denn diesen Vorschlag: ...?

- wollen Tante besuchen – wohnt 500 Kilometer entfernt, daher lange Autofahrt
- Tante – sehr krank, lebt vielleicht nicht mehr lange
- im Sommer nicht viele Aufträge, also kein Stress für Kollegen (Partner A)
- Vorschlag für Lösung: ein Brückentag für jeden

Datenblatt B8 › Lek. 8

Sie haben in einer Zeitschrift einen Kurzbericht über die Arbeit in Verkaufs- bzw. Beratungsberufen gelesen. Berichten Sie Partner A darüber.

Partner A hat einen anderen Artikel zu diesem Thema gelesen und berichtet Ihnen über seinen Artikel.

Unterhalten Sie sich dann über das Thema. Berichten Sie von Ihren persönlichen Erfahrungen und erzählen Sie, ob Sie sich selbst vorstellen können, in einem Verkaufs- bzw. Beratungsberuf zu arbeiten.

Stellen Sie Partner A Fragen und reagieren Sie auf die Fragen von Partner A.

„Ich habe ein Jahr lang in einem Computerladen Kunden beraten. Das mache ich nie wieder. Die vielen Kunden mit ihren Fragen – das war für mich Stress. Und viele Kunden können sich nicht entscheiden! Oder sie verstehen nichts und man muss alles dreimal erklären. Ich arbeite lieber allein oder nur mit meinen Kollegen."
Tim Herzog, 38 Jahre, IT-Techniker

- In meinem Artikel berichtet ...
- ... sieht er sehr kritisch, weil ...
- Er sagt auch, dass ...
- Ich habe schon oft erlebt, dass ...
- Also, ich selbst sehe das ähnlich / nicht so, weil ...
- Ich kann gut verstehen / kann nicht verstehen, dass ...
- Trotzdem muss man auch sehen, dass ...
- Im Beruf möchte ich ...
- Ist das bei Ihnen / bei dir ähnlich?
- Also, ich finde ...

Datenblätter – Partner B

Datenblatt B9 – Situation 1 › Lek. 9

Sie sind Bewerbungsberater und bereiten Partner A auf ein Bewerbungsgespräch vor.

Stellen Sie Partner A Fragen zu den Bereichen rechts:
- Erzählen Sie bitte etwas über Ihre … / Ihr …
- Haben Sie außerdem noch eine Weiterbildung oder Fortbildung gemacht?
- Wie sind Ihre Sprachkenntnisse?
- Haben Sie …? / Welche … haben Sie?

Partner A antwortet.

Notieren Sie die Antworten von Partner A in Stichworten.

Ausbildung / Studium:

Weiter- / Fortbildung:

Sprachkenntnisse:

Berufserfahrung:

Datenblatt B9 – Situation 2 › Lek. 9

Sie haben sich für eine neue Stelle beworben und bereiten sich auf ein Vorstellungsgespräch vor.

Partner A ist Bewerbungsberater und stellt Ihnen Fragen nach Ihrer Ausbildung, Ihren Fach- und sonstigen Kenntnissen.

Antworten Sie mit den Informationen rechts:
- … habe ich … gemacht.
- Nach … habe ich … an der … studiert und das Studium … mit dem … abgeschlossen.
- Zusätzlich habe ich zwei Fortbildungskurse besucht: im Jahr 2009 … und im Jahr …
- Ich spreche … und habe …
- Während meines Studiums habe ich … Praktika gemacht.
- 2010 habe ich … Monate im … in Dresden … geprüft.
- 2011 habe ich … Monate bei … in … gearbeitet und … durchgeführt.
- Vom … bis zum … war ich bei … in … tätig. Ich habe dort einen … vertreten, der … war. Ich habe dort …

Ausbildung / Studium:
- Abitur am Schiller-Gymnasium, Greifswald, 2007
- Studium der Biochemie an der Universität Greifswald, Abschlüsse: Bachelor of Science (B.Sc.) 2010 und Master of Science (M.Sc.) 2013

Weiter- / Fortbildung:
- Statistik mit Excel, 2009
- Projektmanagement, 2012

Sprachkenntnisse:
- Englisch: verhandlungssicher
- Chinesisch: Grundkenntnisse

Berufserfahrung:
- Praktika:
  1. 2010: 2 Monate Lebensmittelprüfungen im Biomarkt „Merker-Natur" in Dresden
  2. 2011: 3 Monate bei „Natursan" Leipzig, Analyse von Bio-Säften
- Berufstätigkeit:
  1.4.2014 – 30.9.2016 bei „Alfi-Milch" Frankfurt / Oder, Vertretung von Mitarbeiter, der bei Partnerfirma im Ausland war, Analysen der Milchprodukte

Datenblatt B10 – Situation 1 › Lek. 10

Sie arbeiten in der Personalabteilung von Hamburg-Technik und sind für die Bewerbungen verantwortlich. Ihre Firma hat die Stellenanzeige rechts geschaltet.

Sie bekommen einen Anruf von Partner A. Partner A hat die Stellenanzeige gelesen und hat Fragen zu verschiedenen Punkten.

Geben Sie Partner A folgende Informationen:
- Arbeitsbeginn: Maximal zwei Wochen später.
- Berufserfahrung: Sie möchten eine Übersicht über die Projekte im ersten Berufsjahr.
- Anzahl Zeichner: Drei technische Zeichner.

Antworten Sie auf die Fragen von Partner A:
- Firma Hamburg-Technik, guten Tag. Sie sprechen mit …
- Der ist am Apparat. Wie kann ich Ihnen helfen?
- Was möchten Sie denn genau wissen?
- Der Arbeitsbeginn ist maximal … möglich.
- Bitte senden Sie uns eine Übersicht über …
- Bei Hamburg-Technik gibt es …
- Haben Sie weitere Fragen?
- Auf Wiederhören.

Für unser Planungsbüro aus der Gebäudetechnik suchen wir ab 15.11. in Hamburg

einen Technischen Zeichner / eine Technische Zeichnerin in Vollzeit

Das sind Ihre Aufgaben:
- Erstellung technischer Zeichnungen im Bereich Heizung, Sanitär & Klima
- Projektbesprechungen mit den Projektleitern und Planungsingenieuren
- Erstellung von technischen Dokumentationen

Das bringen Sie mit:
- abgeschlossene Berufsausbildung als Technische/r Zeichner/in und mehrjährige Berufserfahrung
- Kenntnisse von Konstruktionssoftware wie AutoCAD oder Inventor erwünscht
- selbstständige Arbeitsweise und Teamfähigkeit

Das ist Ihre berufliche Zukunft:
- ein interessantes und spannendes Aufgabengebiet und eine abwechslungsreiche Tätigkeit in einem großen Unternehmen
- attraktive, leistungsgerechte Vergütung

Ihre kompletten Bewerbungsunterlagen mit Lebenslauf und Zeugnissen senden Sie bitte per Online-Bewerbung an: www.hamburg-technik.com.

Datenblatt B10 – Situation 2 › Lek. 10

Sie sind Bilanzbuchhalterin und arbeiten seit fünf Jahren in einem internationalen Unternehmen. Sie suchen nach einer neuen Stelle, um sich beruflich weiterzuentwickeln. Sie haben die Stellenanzeige rechts von Deichler gesehen. Sie können sich aber jetzt nicht bewerben, denn Sie haben noch eine Anstellung bis zum Jahresende.

Sie rufen bei Deichler an und fragen Partner A, ob auch in Zukunft Bilanzbuchhalter gesucht werden und wer der Ansprechpartner für diese Stellen ist:
- Guten Tag, mein Name ist … Ich rufe wegen … an.
- Ich bin an … interessiert, aber im Moment kann ich mich nicht …, weil … Deshalb möchte ich nachfragen, ob …
- Können Sie mir sagen, wer der Ansprechpartner für … ist.
- Können Sie mir bitte die Durchwahl von … geben?
- Könnten Sie mir bitte auch die E-Mail-Adresse von … geben?
- Haben Sie vielen Dank für die Informationen.
- Auf Wiederhören.

Zur Unterstützung unseres Bereichs Accounting suchen wir

Bilanzbuchhalter (m / w) International (Vollzeit / Teilzeit)

Ihre Aufgaben:
- Regelmäßige Prüfung und Analyse der Bilanzen von internationalen Unternehmen
- Beratung und Unterstützung bei Fragen zum Rechnungswesen

Ihr Profil:
- Abgeschlossene kaufmännische Ausbildung mit Weiterbildung zum Bilanzbuchhalter
- Berufserfahrung in der Finanzbuchhaltung sowie in der Erstellung von Jahresabschlüssen
- Erfahrung mit SAP®-FI ist wünschenswert
- Sehr gute Englischkenntnisse in Wort und Schrift

Unser Angebot:
Interessante und abwechslungsreiche Aufgaben in einem innovativen Unternehmen mit gutem Arbeitsklima.

Bitte senden Sie Ihre Bewerbung an:
Deichler, Personalwesen
Landshuter Str. 284, 84137 Vilsbiburg

Inhaltsverzeichnis

1 Das Verb

1.1 Futur

1.1.1 Futur – Verwendung › Lek. 9

- Man verwendet das Futur, um zu sagen, dass etwas in der Zukunft passiert.
  z. B. Ab Herbst wird Emilia im Vertrieb arbeiten.
  Sie wird dort ein höheres Gehalt bekommen.
- Man verwendet das Futur, um über Pläne für die Zukunft und über Prognosen zu sprechen.
  z. B. Emilia wird vielleicht nach Kanada gehen.
  Im Jahr 2030 werden mehr als 8,3 Milliarden Menschen auf der Erde leben.
- Um Zukünftiges auszudrücken, verwendet man auch häufig das Präsens, besonders wenn es im Satz eine Zeitangabe gibt.
  z. B. Ab Herbst arbeitet Emilia im Vertrieb.
  Sie macht im November eine Dienstreise nach Frankreich.

1.1.2 Futur – Bildung › Lek. 9

- Das Futur bildet man mit dem Hilfsverb „werden" im Präsens und dem Infinitiv des Vollverbs.

ich	werde	arbeiten
du	wirst	arbeiten
er / sie / es	wird	arbeiten
wir	werden	arbeiten
ihr	werdet	arbeiten
sie / Sie	werden	arbeiten

- Das Hilfsverb „werden" steht auf Position 2, der Infinitiv des Vollverbs steht am Satzende.

Satzklammer

	„werden"		**Infinitiv**
Ab Herbst	wird	Emilia im Vertrieb	arbeiten.
Wann	wird	Emilia wieder nach Kanada	fahren?

1.2 Plusquamperfekt

1.2.1 Plusquamperfekt – Verwendung › Lek. 6, 9

- Das Plusquamperfekt verwendet man, wenn man über ein Ereignis in der Vergangenheit (= Ereignis 1) berichtet, das **vor** einem anderen Ereignis in der Vergangenheit (= Ereignis 2) stattgefunden hat.
  z. B. Herr Unger hatte Frau Herz einige Alternativen vorgeschlagen (= Ereignis 1), aber sie konnte sich nicht entscheiden (= Ereignis 2).
  Außerdem hatte sie lange im Internet recherchiert (= Ereignis 1). Aber auch danach war sie sich nicht sicher, wie sie ihr Bad einrichten soll (= Ereignis 2).
- Das Plusquamperfekt verwendet man oft in Nebensätzen mit „nachdem".
- Außer „nachdem" + Plusquamperfekt kann man auch „als" + Plusquamperfekt verwenden.
- Im Nebensatz mit „nachdem" / „als" steht das Ereignis, das vor einem anderen Ereignis stattgefunden hat.
- Im Hauptsatz steht das Verb im Präteritum (mehr im formelleren Sprachgebrauch, z. B. in zusammenhängenden schriftlichen Texten wie Geschichten oder Berichten) oder im Perfekt (mehr im mündlichen und im informelleren schriftlichen Sprachgebrauch).
  z. B. Nachdem Herr Unger gegangen war, dachte Frau Herz noch einmal über die Badeinrichtung nach.
  Als sich Frau Herz den Katalog angesehen hatte, hat sie im Internet recherchiert.

1.2.2 Plusquamperfekt – Bildung › Lek. 6

- Das Plusquamperfekt bildet man mit der Präteritumform von „haben" oder „sein" und dem Partizip Perfekt des Vollverbs.

	Verben mit „haben"		Verben mit „sein"	
ich	hatte	angesehen	war	gegangen
du	hattest	angesehen	warst	gegangen
er / sie / es	hatte	angesehen	war	gegangen
wir	hatten	angesehen	waren	gegangen
ihr	hattet	angesehen	wart	gegangen
sie / Sie	hatten	angesehen	waren	gegangen

- In Hauptsätzen steht die Präteritumform von „haben" oder „sein" auf Position 2, das Partizip Perfekt steht am Satzende.

Satzklammer

	Hilfsverb		Partizip Perfekt	
Frau Herz	hatte	sich zuerst den Katalog	angesehen.	
Außerdem	hatte	sie im Internet	recherchiert.	Danach …

1.3 Konjunktiv II

1.3.1 Konjunktiv II – Bildung › Lek. 3, 4, 7

Konjunktiv II von „haben" und „sein" und der Modalverben „können", „müssen", „dürfen", „sollen"

- Den Konjunktiv II dieser Verben bildet man so: Präteritum + oft Vokalwechsel (a, o, u → ä, ö, ü).
- „sein" im Konjunktiv II: Präteritum + Umlaut + „e"

	haben	sein	können	müssen	dürfen	sollen
ich	hätte	wäre	könnte	müsste	dürfte	sollte
du	hättest	wär(e)st	könntest	müsstest	dürftest	solltest
er / sie / es	hätte	wäre	könnte	müsste	dürfte	sollte
wir	hätten	wären	könnten	müssten	dürften	sollten
ihr	hättet	wär(e)t	könntet	müsstet	dürftet	solltet
sie / Sie	hätten	wären	könnten	müssten	dürften	sollten

Konjunktiv II mit „werden"

- Den Konjunktiv II kann man mit dem Hilfsverb „werden" im Konjunktiv II und dem Infinitiv des Vollverbs bilden.

ich	würde	sprechen	wir	würden	sprechen
du	würdest	sprechen	ihr	würdet	sprechen
er / sie / es	würde	sprechen	sie / Sie	würden	sprechen

- Das Hilfsverb „werden" steht auf Position 2 bzw. in Ja- / Nein-Fragen auf Pos. 1, der Infinitiv des Vollverbs steht am Satzende.
  z. B. Ich würde gern mit Herrn Schulze sprechen.
  Würden Sie bitte Herrn Schulze eine Nachricht hinterlassen?

Konjunktiv II von Vollverben

- Bei einigen häufig verwendeten unregelmäßigen Verben verwendet man meist die Konjunktiv-II-Form, z. B. „ginge", „gäbe", „käme", „wüsste".
  z. B. Ich wüsste gerne, wann das Projekt startet.
  Am Nachmittag habe ich keine Zeit. Ginge es auch am Vormittag?

- Den Konjunktiv II bildet man so: Präteritum + oft Vokalwechsel + „e".
  z. B. er / sie / es ging → ginge, gab → gäbe, kam → käme, wusste → wüsste (hier nur Präteritum + Vokalwechsel).

	gehen	geben	kommen	wissen
ich	ginge	gäbe	käme	wüsste
du	gingest	gäb(e)st	käm(e)st	wüsstest
er / sie / es	ginge	gäbe	käme	wüsste
wir	gingen	gäben	kämen	wüssten
ihr	ginget	gäb(e)t	käm(e)t	wüsstet
sie / Sie	gingen	gäben	kämen	wüssten

1.3.2 Konjunktiv II in höflichen Fragen und Bitten › Lek. 4

- Höfliche Fragen und Bitten kann man mit „haben" und „sein" sowie den Modalverben „können", „müssen" und „dürfen" im Konjunktiv II formulieren.
  z. B. Hätten Sie heute Nachmittag Zeit?
  Wäre es möglich, dass wir uns später treffen.
  Könnte ich bitte mit Herrn Schulze sprechen?
  Ich müsste dringend Herrn Mayer sprechen.
  Dürfte ich Frau Marschner sprechen?
- Wenn man besonders höflich sein will, z. B. in sehr formellen Situationen, kann man auch höfliche Fragen und Bitten mit „werden" im Konjunktiv II formulieren.
  z. B. Ich würde gern mit Herrn Schulze sprechen.
  Würden Sie mich bitte mit Frau Haik verbinden?

1.3.3 Konjunktiv II in Empfehlungen, Ratschlägen und Vorschlägen › Lek. 3

- Mit den Modalverben „sollen" oder „können" im Konjunktiv II kann man eine Empfehlung, einen Rat und einen Vorschlag ausdrücken.
  z. B. Ihr solltet euch eine professionelle Beratung suchen.
  Du könntest ein Gründerseminar besuchen.
- Mit folgenden Ausdrücken im Konjunktiv II kann man auch eine Empfehlung, einen Rat ausdrücken.
  z. B. Wenn ich du wäre, würde ich eine GmbH gründen.
  Wenn ich Sie wäre, würde ich ein Gründerseminar besuchen.
  Wenn ich ihr wäre, wäre ich etwas vorsichtiger mit Beratern aus dem Internet.
  An deiner Stelle würde ich eine GmbH gründen.
  Ich würde an Ihrer Stelle ein Gründerseminar besuchen.
  An eurer Stelle wäre ich etwas vorsichtiger mit Beratern aus dem Internet.
- Mit den Modalverben „sollen" oder „können" sowie mit „werden" im Konjunktiv II kann man eine Bitte um eine Empfehlung, einen Rat ausdrücken.
  z. B. An wen sollten wir uns für eine Beratung wenden?
  Welche Gesellschaftsform könnten wir gründen?
  Welche Gesellschaftsform würden Sie empfehlen?

1.3.4 Konjunktiv II in irrealen Konditionalsätzen (irreale Bedingungssätze) › Lek. 7

- Irreale Konditionalsätze (irreale Bedingungssätze) sind Nebensätze. Sie drücken aus, dass eine Bedingung nicht erfüllt ist.
- Die Folge steht im Hauptsatz. Sie wird nicht oder nur vielleicht realisiert.
- Der Konjunktiv II steht im Hauptsatz **und** im Nebensatz.
  z. B. Wenn Kollege Müller nicht krank wäre, hätte Frau Hesse mehr Zeit für Frau Kleinfeld.
  Wenn die Kollegen Frau Kleinfeld mehr erklären würden, ginge es mit der Einarbeitung besser.
  Alexandra könnte schon vieles alleine machen, wenn sie mehr Unterstützung bekäme.

1.4 Das Modalverb „lassen"

1.4.1 Das Modalverb „lassen" – Verwendung › Lek. 4

- „lassen" + Infinitiv bedeutet, dass man etwas nicht selbst tut, sondern andere bittet oder beauftragt, etwas zu tun.
  z. B. Ich lasse die Dokumente kopieren. → Ich mache es nicht selbst. Jemand macht es für mich.
- Mit „lassen" kann man sagen, dass die Person jemanden beauftragt, etwas für sich selbst zu tun.
  z. B. Ich lasse mir die Adresse geben.
  Er lässt sich die Unterlagen schicken.
- Mit „lassen" kann man sagen, dass die Person jemanden beauftragt, etwas für eine andere Person zu tun.
  z. B. Ich lasse ihr die Adresse geben.
  Er lässt ihm die Unterlagen schicken.

1.4.2 Das Modalverb „lassen" – Bildung › Lek. 4

ich	du	er / sie / es	wir	ihr	sie / Sie
lasse	lässt	lässt	lassen	lasst	lassen

- Das Modalverb „lassen" steht auf Position 2, der Infinitiv des Vollverbs steht am Satzende.

Satzklammer

	„lassen"		Infinitiv
Ich	lasse	mir die Nummer von Herrn Mayer	sagen.
Wir	lassen	uns mit der Buchhaltung	verbinden.

1.5 Passiv

1.5.1 Passiv – Verwendung › Lek. 5

- In einem Aktivsatz steht die Person / Sache, die etwas tut, im Vordergrund (Subjekt).
- In einem Passivsatz steht die Handlung oder der Prozess im Vordergrund.
- Im Passiv fällt die handelnde Person / Sache (= das Agens) oft weg, da die Handlung im Vordergrund steht.
- Wenn man das Agens im Passivsatz nennen möchte, steht es mit der Präposition „von" im Dativ.
  z. B. **Aktiv:** Die Mitarbeiter richten heute den Messestand ein.

  Passiv: Der Messestand wird heute (von den Mitarbeitern) eingerichtet.

1.5.2 Passiv Präsens › Lek. 5

- Das Passiv Präsens bildet man mit dem Hilfsverb „werden" im Präsens und dem Partizip Perfekt des Vollverbs.

ich	werde benachrichtigt	wir	werden benachrichtigt
du	wirst benachrichtigt	ihr	werdet benachrichtigt
er / sie / es	wird benachrichtigt	sie / Sie	werden benachrichtigt

- Das Hilfsverb „werden" steht auf Position 2, das Partizip Perfekt des Vollverbs steht am Satzende.

Satzklammer

	„werden"		Partizip Perfekt
Die Notizen	werden	in einen digitalen Text	umgewandelt.
Zur Übertragung	wird	der „Digital Pen" mit einem USB-Kabel	angeschlossen.

1.5.3 Passiv Präteritum › Lek. 5

- Das Passiv Präteritum bildet man mit dem Hilfsverb „werden" im Präteritum und dem Partizip Perfekt des Vollverbs.

ich	du	er / sie / es	wir	ihr	sie / Sie
wurde beauftragt	wurdest beauftragt	wurde beauftragt	wurden beauftragt	wurdet beauftragt	wurden beauftragt

- Das Hilfsverb „werden“ steht auf Position 2, das Partizip Perfekt des Vollverbs steht am Satzende.

Satzklammer

	„werden“		Partizip Perfekt
Die Einschreibegebühr	wurde	noch nicht	überwiesen.
Die Transportfirma	wurde	mit der Verpackung der Laptops	beauftragt.

1.5.4 Passiv Perfekt › Lek. 5

- Das Passiv Perfekt bildet man mit der Präsensform von „sein“, mit dem Partizip Perfekt des Vollverbs und mit dem Hilfsverb „werden“ im Perfekt (hier „worden“ und nicht „geworden“!).

ich	bin beauftragt worden	wir	sind beauftragt worden
du	bist beauftragt worden	ihr	seid beauftragt worden
er / sie / es	ist beauftragt worden	sie / Sie	sind beauftragt worden

- Beim Passiv Perfekt steht das Hilfsverb „sein“ auf Position 2, am Satzende steht das Partizip Perfekt des Vollverbs und „worden“.

Satzklammer

	„sein“		Partizip Perfekt + „worden“
Die Messebaufirma	ist	noch nicht	beauftragt worden.
Die Einladungen	sind	zu spät	verschickt worden.

1.5.5 Passiv Präsens und Präteritum mit Modalverben › Lek. 5

- Das Passiv mit Modalverben bildet man mit einem Modalverb und dem „Infinitiv Passiv“ (= Partizip Perfekt des Vollverbs + Infinitiv von „werden“).

Passiv Präsens mit Modalverb			Passiv Präteritum mit Modalverb		
ich	muss	informiert werden	ich	musste	informiert werden
du	kannst	informiert werden	du	konntest	informiert werden
er / sie / es	soll	informiert werden	er / sie / es	sollte	informiert werden
wir	dürfen	informiert werden	wir	durften	informiert werden
ihr	wollt	informiert werden	ihr	wolltet	informiert werden
sie / Sie	müssen	informiert werden	sie / Sie	mussten	informiert werden

- Beim Passiv Präsens bzw. Präteritum mit Modalverben steht das Modalverb auf Position 2, am Satzende steht das Partizip Perfekt des Vollverbs und der Infinitiv von „werden“.

Satzklammer

	Modalverb (Präsens / Päteritum)		Partizip Perfekt + „werden“
Die Einschreibegebühr	muss	noch	bezahlt werden.
Die Einladungen	können	morgen	verschickt werden.
Letzte Woche	sollten	10.000 Flyer	gedruckt werden.
Die Zimmer	konnten	noch nicht	umgebucht werden.

1.5.6 Passiv in Nebensätzen › Lek. 5

- Wenn der Passivsatz ein Nebensatz ist, stehen alle Verben am Satzende. Das konjugierte Verb ist das letzte Wort.

Hauptsatz	Nebensatz		
Wir haben heute Morgen telefoniert,	weil	die Messeflyer noch nicht	gedruckt worden sind.
Unser Lieferant hatte viele Probleme,	die	erst gestern Abend	gelöst wurden.
Es tut uns leid,	dass	Ihre Flyer gestern nicht	verschickt werden konnten.
Wir hoffen,	dass	die Flyer noch heute	gedruckt werden können.
Wir geben Ihnen Bescheid,	wenn	die Flyer	geliefert werden.

2 Nomen

2.1 Genitiv

2.1.1 Nomen im Genitiv › Lek. 1

Genitiv mit possessiver Bedeutung

- Der Genitiv steht in der Regel nicht alleine, sondern als Erklärung oder Attribut bei einem Nomen.
- Die Frage nach dem Genitiv lautet: Wessen Maschine / Besitz / … ?

z. B. Wessen Maschine ist das? – Das ist die Maschine der Firma Gera.
Wessen Auto nehmen wir? – Wir nehmen das Auto meines Bruders.
In wessen Besitz ist die Lagerhalle? – Die Halle ist im Besitz eines Transportunternehmens.

	Maskulinum (M)	Neutrum (N)	Femininum (F)	Plural (M, N, F)
bestimmter Artikel	des Betrieb**s** des Kunde**n**	des Gut**(e)s**	der Anlage	der Betriebe / Güter / Anlagen
unbestimmter Artikel	eines Betrieb**s** eines Kunde**n**	eines Gut**(e)s**	einer Anlage	Ø Betriebe / Güter / Anlagen
Negativ-artikel	keines Betrieb**s** keines Kunde**n**	keines Gut**(e)s**	keiner Anlage	keiner Betriebe / Güter / Anlagen
Possessiv-artikel	unseres Betrieb**s** unseres Kunde**n**	unseres Gut**(e)s**	unserer Anlage	unserer Betriebe / Güter / Anlagen

- Im Maskulinum und Neutrum Singular erhalten die Nomen die Signalendung „-(e)s".
  z. B. des Betriebs, des Gut(e)s
- Nomen im Maskulinum und Neutrum Singular auf „-s", „-ß", „-x", „-z" erhalten immer die Endung „-es".
  z. B. der Bu**s** → des Busses, der Gru**ß** → des Grußes, das Fa**x** → des Faxes, der Besit**z** → des Besitzes
- Einsilbige Nomen im Maskulinum und Neutrum Singular erhalten öfters die Endung „-es", besonders wenn man das Wort dann besser aussprechen kann.
  z. B. das Gut → des Gut(e)s; **aber:** das Konsumgut → des Konsumguts
- Maskuline Nomen der n-Deklination haben im Genitiv Singular in der Regel nicht die Signalendung, sondern die Endung „(-e)n".
  z. B. der Herr → des Herrn, der Kunde → des Kunden, der Lieferant → des Lieferanten
  Ausnahmen: z. B. der Name → des Namen**s**, der Gedanke → des Gedanken**s**
- Im Femininum Singular und im Plural haben die Nomen keine Genitivendung.
  z. B. die Anlage → der Anlage, die Reise → der Reise
  die Betriebe → der Betriebe, die Güter → der Güter

- Den Genitiv Plural ohne Artikel umschreibt man oft mit „von" + Dativ, besonders wenn es kein Adjektiv gibt.
  z. B. Herstellung guter Waren → Herstellung von Waren
  Produktion teurer Konsumgüter → Produktion von Konsumgütern

- Wenn man Sätze verkürzen will (z. B. bei Nominalstil in Listen), verwendet man oft den Genitiv bzw. „von" + Dativ.
  z. B. Man wählt ein Passwort. → Wahl eines Passwortes
  Man legt eine Ordnerstruktur an. → Anlage einer Ordnerstruktur
  Man ordnet die Dateien logisch an. → Logische Anordnung der Dateien
  Man legt Dateien ab. → Ablage von Dateien

- Genitiv bei Eigennamen: Bei vorangestellten Namen steht „-s" am Namen.
  z. B. Wessen Terminkalender ist das? – Das ist Sandras Terminkalender.
- Namen mit „-s", „-x" oder „-z" am Ende erhalten ein Apostroph.
  z. B. Wessen Freunde treffen wir heute? – Wir treffen Thomas' Freunde.
  Wessen Notebook ist das? – Das ist Max' Notebook.
  Wessen Autor nehmen wir? – Wie nehmen Franz' Auto.

3 Pronomen und Präpositionaladverbien

3.1 Demonstrativartikel und -pronomen „dies-" und „der"/„das"/„die"

3.1.1 Demonstrativartikel und -pronomen „dies-" und „der"/„das"/„die" – Verwendung › Lek. 8

- Demonstrativartikel und Demonstrativpronomen weisen auf eine Person oder Sache hin.
- „dies-" kann man als Demonstrativartikel (mit Nomen) oder als Demonstrativpronomen (für das Nomen) verwenden.
- Den bestimmten Artikel „der"/„das"/„die" kann man auch als Demonstrativartikel oder als Demonstrativpronomen verwenden.

  z. B. Welcher Kunde ist an der Reihe? – Dieser / Der Kunde dort. (Demonstrativartikel)
  – Dieser / Der dort. (Demonstrativpronomen)

  Welche Reise finden Sie besser? – Diese / Die Reise hier. (Demonstrativartikel)
  – Diese / Die hier. (Demonstrativpronomen)

3.1.2 Demonstrativartikel und -pronomen „dies-" und „der"/„das"/„die" – Deklination › Lek. 8

Demonstrativartikel

- Die Endungen vom Demonstrativartikel „dies-" und vom Demonstrativartikel „der"/„das"/„die" sind identisch mit den Endungen vom bestimmten Artikel (der / das / die).

	Maskulinum (M)	Neutrum (N)	Femininum (F)	Plural (M, N, F)
Nom.	Welcher Mitarbeiter? → dieser / der Mitarbeiter	Welches Angebot? → dieses / das Angebot	Welche Kundin? → diese / die Kundin	Welche Mitarbeiter? → diese / die Mitarbeiter
Akk.	Welchen Mitarbeiter? → diesen / den Mitarbeiter	Welches Angebot? → dieses / das Angebot	Welche Kundin? → diese / die Kundin	Welche Mitarbeiter? → diese / die Mitarbeiter
Dat.	Bei welchem Mitarbeiter? → bei diesem / dem Mitarbeiter	Zu welchem Angebot? → zu diesem / dem Angebot	Mit welcher Kundin? → mit dieser / der Kundin	Mit welchen Mitarbeitern? → mit diesen / den Mitarbeitern
Gen.	Wessen? → dieses / des Mitarbeiters	Wessen? → dieses / des Angebots	Wessen? → dieser / der Kundin	Wessen? → dieser / der Mitarbeiter

Demonstrativpronomen

- Die Endungen vom Demonstrativpronomen „dies-" sind identisch mit den Endungen vom bestimmten Artikel (der / das / die).
- Die Demonstrativpronomen „der"/„das"/„die" sind im Nominativ, Akkusativ und Dativ Singular und im Nominativ und Akkusativ Plural identisch mit dem bestimmten Artikel.
- Die Demonstrativpronomen „der"/„das"/„die" sind im Dativ Plural und im Genitiv anders als der bestimmte Artikel: Dativ Plural = „denen", Genitiv = „dessen" (M, N) und „deren" (F, Pl).
  Sie sind identisch mit den Relativpronomen im Dativ Plural und im Genitiv.

	Maskulinum (M)	Neutrum (N)	Femininum (F)	Plural (M, N, F)
Nom.	Welcher Mitarbeiter? → dieser / der	Welches Angebot? → dieses / das	Welche Kundin? → diese / die	Welche Mitarbeiter? → diese / die
Akk.	Welchen Mitarbeiter? → diesen / den	Welches Angebot? → dieses / das	Welche Kundin? → diese / die	Welche Mitarbeiter? → diese / die
Dat.	Bei welchem Mitarbeiter? → mit diesem / dem	Zu welchem Angebot? → zu diesem / dem	Mit welcher Kundin? → mit dieser / der	Mit welchen Mitarbeitern? → mit diesen / denen
Gen.	Wessen? → dieses / dessen	Wessen? → dieses / dessen	Wessen? → dieser / deren	Wessen? → dieser / deren

Demonstrativpronomen im Genitiv

- Die Demonstrativpronomen werden nur selten im Genitiv verwendet.
- Das Demonstrativpronomen „dies-“ wird im Genitiv fast nur in Kombination mit Präpositionen mit Genitiv verwendet.
  z. B. Leider hatten wir ein großes Problem. Wegen dieses können wir den Flyer erst heute versenden. („dieses“ weist zurück auf „ein großes Problem“)
  Das Internet ist eine harte Konkurrenz. Aber der Umsatz der Reisebüros steigt trotz dieser wieder. („dieser“ weist zurück auf „eine harte Konkurrenz“)
- Die Demonstrativpronomen „der“ / „das“ / „die“ im Genitiv werden etwas häufiger verwendet.
- Das Nomen, das auf das Demonstrativpronomen im Genitiv („dessen“ / „deren“) folgt, hat keinen Artikel.
  z. B. Ich gehe gern ins Reisebüro Marina. Denn dessen Inhaberin berät einen immer sehr gut. („dessen“ weist zurück auf „Reisebüro Marina“)
  Wir machen viel Werbung. Deren Erfolg sehen wir täglich. („deren“ weist zurück auf „viel Werbung“)
  Die Kunden und deren Wünsche können manchmal sehr anstrengend sein. („deren“ weist zurück auf „Die Kunden“)

3.2 Demonstrativartikel und -pronomen „der- / das- / dieselbe“

3.2.1 Demonstrativartikel und -pronomen „der- / das- / dieselbe“ – Verwendung › Lek. 7

- Der Demonstrativartikel bzw. das Demonstrativpronomen „der- / das- / dieselbe“ bedeutet, dass etwas mit etwas anderem identisch ist bzw. eine einzige Sache oder Person meint.
  z. B. Wir arbeiten in demselben Büro.
  Viele Mitarbeiter wollen in derselben Zeit Urlaub machen.
  Das ist doch derselbe Mann, den wir gestern hier getroffen haben!
  Er erzählt immer dasselbe.
  Die externen Mitarbeiter dieses Projekts sind dieselben wie beim letzten Mal.
  Unser Büro hat jetzt die neue AVA-Software „achitex“. Habt ihr dieselbe?

„der- / das- / dieselbe“ und „der gleiche“ / „das gleiche“ / „die gleiche“

- Der Demonstrativartikel bzw. das Demonstrativpronomen „der- / das- / dieselbe“ und „der gleiche“ / „das gleiche“ / „die gleiche“ drücken beide aus, dass etwas identisch ist.
- Bei „der- / das- / dieselbe“ handelt es sich um die identische Person, das identische Ding = eine einzige Person, ein einziges Ding.
- Bei „der gleiche“ / „das gleiche“ / „die gleiche“ handelt es sich um die identische Art, aber verschiedene Dinge bzw. Personen.
  z. B. Sie lesen dasselbe Buch. (= Sie lesen beide ein einziges Buch.)
  Sie lesen das gleiche Buch. (= Sie lesen beide den gleichen Titel vom gleichen Autor, aber es sind zwei Bücher.)

3.2.2 Demonstrativartikel und -pronomen „der- / das- / dieselbe“ – Deklination › Lek. 7

- Der Demonstrativartikel bzw. das Demonstrativpronomen besteht aus dem bestimmten Artikel „der“ / „das“ / „die“ und der Ergänzung „-selb-“.
- Der Teil „der“ / „das“ / „die“ wird wie der bestimmte Artikel dekliniert.
- Die Ergänzung „-selb-“ wird wie ein Adjektiv nach dem bestimmten Artikel dekliniert.

	Maskulinum (M)	Neutrum (N)	Femininum (F)	Plural (M, N, F)
Nom.	derselbe	dasselbe	dieselbe	dieselben
Akk.	denselben	dasselbe	dieselbe	dieselben
Dat.	demselben	demselben	derselben	denselben

In der Umgangssprache heißt es oft:

- an + demselben = am selben
- bei + demselben = beim selben
- in + demselben = im selben
- von + demselben = vom selben
- zu + demselben = zum selben
- zu + derselben = zur selben

Zur Betonung sagt man auch: „ein und derselbe“, „ein und dasselbe“, „ein und dieselbe“.

3.3 Indefinitartikel und -pronomen „manch-“, „einig-“

3.3.1 Indefinitartikel und -pronomen „manch-“, „einig-“ – Verwendung › Lek. 7

„manch-“ – Verwendung

- Der Indefinitartikel bzw. das Indefinitpronomen „manch-“ bezeichnet eine Anzahl vereinzelter Personen oder Sachen – als Teile eines Ganzen.
- Der Indefinitartikel bzw. das Indefinitpronomen „manch-“ im Singular:
  z. B. Auf Reisen ist mancher Besucher und manche Besucherin über die vielen kulturellen Unterschiede überrascht.
  Manches Erlebnis vergisst man nie mehr.
  Auf Reisen kann man manche interessante Erfahrung machen.
  Frau Kleinfeld fällt noch immer manches schwer.
  Sie hat mit manchem noch große Probleme.
  Mancher mag es nicht, wenn er sich um neue Kollegen kümmern soll.
- Der Indefinitartikel bzw. das Indefinitpronomen „manch-“ im Plural:
  z. B. Manche Kollegen haben sich wegen der vielen Arbeit beschwert.
  An manchen Tagen ist Frau Kleinfeld sehr unzufrieden mit der Arbeit.
  Herr Stoll konnte manche Probleme direkt in einer Teamsitzung lösen.
  Manche stört es, dass die Deutschen in Besprechungen so wenig Small Talk machen.
  Das Team wollte viele Punkte besprechen, aber am Ende konnte es manche nicht klären.
  Nicht immer helfen Diskussionen, denn bei manchen hören sich die Teilnehmer nicht zu.

„einig-“ – Verwendung

- Der Indefinitartikel bzw. das Indefinitpronomen „einig-“ bezeichnet im Singular eine unbestimmte Menge.
- Der Indefinitartikel „einig-“ wird im Singular meist mit abstrakten Nomen verwendet.
  z. B. Die Einarbeitung von Kleinfeld war nicht einfach, daher hat es einige Zeit gedauert.
  Ihre Einarbeitung hat einige Mühe gemacht.
  Nach einigem Nachdenken fand Herr Stoll eine Lösung.
- Das Indefinitpronomen „einig-“ wird im Singular häufig im Neutrum verwendet.
  z. B. Frau Kleinfeld kritisiert einiges.
  Sie hat mit einigem große Probleme.
  Herr Stoll findet, dass einiges geändert werden muss.
- Der Indefinitartikel bzw. das Indefinitpronomen „einig-“ bezeichnet im Plural eine unbestimmte Anzahl von Personen oder Sachen.
  z. B. Einige Kollegen haben kein Interesse, Frau Kleinfeld bei der Einarbeitung zu helfen.
  In der Teamsitzung wurde über einige Schwierigkeiten diskutiert.
  Nach einigen Wochen konnte Frau Keinfeld das Team perfekt unterstützen.
  Einige kritisieren, dass das Architekturbüro so viele Aufträge annimmt.
  Frau Kleinfeld mag einige ihrer neuen Kollegen nicht.
  Frau Kleinfeld hat noch Kontakt zu ihren alten Kollegen. Mit einigen trifft sie sich regelmäßig.

„einig-“ und „manch-“ – Unterschied in der Verwendung

- z. B. Frau Kleinfeld geht mit einigen Kollegen in die Kantine. → mit einer unbestimmten Zahl
  Frau Kleinfeld geht mit manchen Kollegen in die Kantine. → aber mit manchen nicht

3.3.2 Indefinitartikel und -pronomen „manch-“, „einig-“ – Deklination › Lek. 7

- Die Endungen der Indefinitartikel bzw. Indefinitpronomen „manch-“ und „einig-“ sind im Nominativ, Akkusativ und Dativ wie beim bestimmten Artikel.

	Maskulinum (M)	Neutrum (N)	Femininum (F)	Plural (M, N, F)
Nom.	mancher / einiger	manches / einiges	manche / einige	manche / einige
Akk.	manchen / einigen	manches / einiges	manche / einige	manche / einige
Dat.	manchem / einigem	manchem / einigem	mancher / einiger	manchen / einigen

3.4 Präpositionaladverbien

3.4.1 Das Präpositionaladverb „da(r)-" › Lek. 1

- Das Präpositionaladverb „da(r)-" kann man zusammen mit Verben und Ausdrücken verwenden, die eine präpositionale Ergänzung brauchen, z. B. sprechen über, sich entscheiden für etc.
- Man bildet ein Präpositionaladverb aus der Präposition des jeweiligen Verbs bzw. Ausdrucks und der Vorsilbe „da-". Wenn die Präposition mit einem Vokal beginnt, steht zwischen „da-" und der Präposition ein „r", z. B. darauf, darin, darüber.

  z. B. berichten von → davon berichten
  beraten über → darüber beraten
  einen Vorteil sehen in → darin einen Vorteil sehen

- Das Präpositionaladverb „da(r)-" kann sich auf einen Satz beziehen, der vor dem Satz mit dem Präpositionaladverb steht.

  z. B. Sanofi will zwei neue Gebäude bauen. Darüber hat man lange beraten.

  Die Unternehmen planen einen strategischen Tausch. Davon wurde in der Presse berichtet.
- Das Präpositionaladverb „da(r)-" kann sich aber auch auf einen Satz beziehen, der nach dem Satz mit dem Präpositionaladverb steht.

  z. B. Die Geschäftsführung informiert die Mitarbeiter darüber, dass der Bau bald beginnt.

  Beide Unternehmen sehen einen Vorteil darin, dass sie die Bereiche tauschen.

3.4.2 Das Fragewort „wo(r)-" › Lek. 1

- Wenn man nach Sachen bzw. Situationen oder Handlungen fragt, verwendet man bei Verben und Ausdrücken, die eine präpositionale Ergänzung brauchen, das Fragewort „wo(r)-".

  z. B. Wofür hat sich die Personalabteilung entschieden? (= sich entscheiden für)
  → Die Personalabteilung hat sich für die Einstellung von Herrn Jürgens entschieden.
  Worüber hat man in der Firma viel gesprochen? (= sprechen über)
  → In der Firma hat man viel über den Tausch der Geschäftsbereiche gesprochen.
  Worum geht es in dem Gespräch? (= es geht um)
  → In dem Gespräch geht es um die Erhöhung des Umsatzes.
  Wonach erkundigen sich die Mitarbeiter? (= sich erkundigen nach)
  → Die Mitarbeiter erkundigen sich nach dem Stand der Verhandlungen.

- Wenn man nach Personen fragt, verwendet man bei Verben und Ausdrücken, die eine präpositionale Ergänzung brauchen, das Fragewort „wen" bzw. „wem" + Präposition.

  z. B. Für wen hat sich die Personalabteilung entschieden? (= sich entscheiden für)
  → Die Personalabteilung hat sich für Herrn Jürgens entschieden.
  Über wen haben die Kollegen gesprochen? (= sprechen über)
  → Die Kollegen haben über den neuen Projektleiter gesprochen.
  Um wen geht es in dem Gespräch? (= es geht um)
  → In dem Gespräch geht es um die Mitarbeiter in Deutschland.
  Nach wem erkundigen sich die Mitarbeiter? (= sich erkundigen nach)
  → Die Mitarbeiter erkundigen sich nach dem neuen Abteilungsleiter.

4 Satzkombinationen und Angaben im Satz

4.1 Hauptsatz – Hauptsatz

4.1.1 Hauptsatz – Hauptsatz mit „aduso"-Konjunktionen

- Die „aduso"-Konjunktionen verbinden zwei gleichwertige Sätze bzw. Satzteile und stehen auf Position 0.
  - „aber" drückt einen Gegensatz aus.
  - „denn" gibt einen Grund an.
  - „und" verbindet zwei Sätze oder Satzteile.
  - „sondern" gibt eine Alternative zu einem negierten Satzteil aus Satz 1 an.
  - „oder" gibt eine Alternative an.
- So können Sie die Konjunktionen auf Position 0 gut lernen: **a**ber, **d**enn, **u**nd, **s**ondern, **o**der → „aduso"-Konjunktionen.

1. Hauptsatz / Satzteil	Position 0	2. Hauptsatz / Satzteil
Vera kann um 12:00 zum Arzt kommen,	aber	(sie) muss Wartezeit mitbringen.
Vera bekommt eine Krankschreibung,	denn	sie hat eine Bronchitis.
Veras Kollege muss sich um den Katalog kümmern	und	(er muss) die Anfragen beantworten.
Die Vertretung von Vera macht nicht Marga,	sondern	Anton (macht sie).
Bei Fragen kann Anton Vera anrufen	oder	(er kann) eine SMS schicken.

- Vor „aber", „denn" und „sondern" steht immer ein Komma.
- Subjekt oder Ergänzung (und Verb) im ersten Hauptsatz = gleich Subjekt oder Ergänzung (und Verb) im zweiten Hauptsatz → Subjekt / Ergänzung (und Verb) im zweiten Hauptsatz kann wegfallen. (**Ausnahme**: Sätze mit „denn")

4.1.2 Hauptsatz – Hauptsatz mit Verbindungsadverbien (= Hauptsatzkonnektor) › Lek. 2, 7, 8

- Verbindungsadverbien verbinden zwei gleichwertige Sätze.
- Sie beziehen sich immer auf einen Satz davor.
- Sie können auf Position 1 des 2. Satzes stehen.

1. Hauptsatz	2. Hauptsatz	
Veras Hausarzt war nicht da,	deshalb	war sie in der HNO-Praxis.
Veras Hausarzt war nicht da.	Deshalb	war sie in der HNO-Praxis.
Die Handwerker haben wenig Zeit,	also	dauert der Bauprozess länger als geplant.
Die Handwerker haben wenig Zeit.	Also	dauert der Bauprozess länger als geplant.
Das Internet ist eine harte Konkurrenz,	trotzdem	steigt der Umsatz der Reisebüros wieder.
Das Internet ist eine harte Konkurrenz.	Trotzdem	steigt der Umsatz der Reisebüros wieder.

- Verbindungsadverbien können aber auch im 2. Satz in der Satzmitte nach dem Verb stehen.

1. Hauptsatz	2. Hauptsatz		
Veras Hausarzt war nicht da.	Sie war	deshalb	in der HNO-Praxis.
Die Handwerker haben wenig Zeit,	der Bauprozess dauert	also	länger als geplant.
Das Internet ist eine harte Konkurrenz,	der Umsatz der Reisebüros steigt	trotzdem	wieder.

- Wenn im 2. Hauptsatz eine Akkusativ- oder Dativergänzung ein Pronomen ist, steht das Verbindungsadverb hinter dem Pronomen.

1. Hauptsatz	2. Hauptsatz		
Anton ist ein Kollege von Vera,	sie gibt ihn	deshalb	als Vertretung an.
Alexandra braucht mehr Unterstützung.	Das Team soll ihr	also	mehr helfen.
Der Aktionstag macht viel Arbeit.	Das Reisebüro will ihn	trotzdem	veranstalten.

4.2 Hauptsatz – Nebensatz

4.2.1 Verbindung von Haupt- und Nebensatz › Lek. 1, 2, 4, 6, 7, 8, 9, 10

- Der Nebensatz beginnt mit einem Nebensatzkonnektor. Das Verb steht am Satzende.
- Zwischen Haupt- und Nebensatz steht ein Komma.
- Der Nebensatz kann in der Regel vor oder nach dem Hauptsatz stehen. **Ausnahme:** „sodass" → nur nach dem Hauptsatz.

Hauptsatz	Nebensatz		
Sanofi hat die Investitionssumme erhöht,	damit	es zwei neue Gebäude	finanzieren kann.
Es ist dringend,	weil	die Chefin den Katalog	braucht.
Frau Herz hat im Internet recherchiert,	nachdem	sie sich den Katalog	angesehen hatte.
Manchmal hat Alexandra wenig zu tun,	sodass	sie abends sehr unzufrieden	ist.
Alexandras Einarbeitung geht schneller,	wenn	die Kollegen sie mehr	unterstützen.
Die Anzahl der Reisebüros wächst wieder,	obwohl	das Reiseangebot im Internet	gestiegen ist.

- Wenn der Nebensatz vor dem Hauptsatz steht, steht das Verb im Hauptsatz auf Position 1.

Nebensatz			Hauptsatz	
Damit	Sanofi zwei neue Gebäude	finanzieren kann,	hat	es die Investitionssumme erhöht.
Weil	die Chefin den Katalog	braucht,	ist	seine Fertigstellung dringend.
Nachdem	Frau Herz sich den Katalog	angesehen hatte,	hat	sie im Internet recherchiert.
Wenn	die Kollegen Alexandra mehr	unterstützen,	geht	ihre Einarbeitung schneller.
Obwohl	das Reiseangebot im Internet	gestiegen ist,	wächst	die Anzahl der Reisebüros.

4.3 Angaben im Satz

4.3.1 Angaben im Satz mit Präpositionen › Lek. 2, 8, 9, 10

- Mit Präpositionen kann man z. B. Zeitangaben machen, Gründe nennen oder äußern, dass die Erwartung anders ist als die Folge.
- Präpositionale Angaben stehen in der Regel am Satzanfang oder in der Satzmitte.

Nach seiner dualen Ausbildung	hat sich Herr Sommer noch weitergebildet.
Wegen ihrer Bronchitis	schreibt der Arzt Vera krank.
Trotz der hohen Preise	sind die Lokale am Strand sehr beliebt.

Herr Sommer hat sich	nach seiner dualen Ausbildung	noch weitergebildet.
Der Arzt schreibt Vera	wegen ihrer Bronchitis	krank.
Die Lokale am Strand sind	trotz der hohen Preise	sehr beliebt.

4.4 Satzkombinationen

4.4.1 Kausalsätze › Lek. 2

Kausale Nebensätze mit „weil" / „da"

- Kausale Nebensätze mit „weil" drücken einen Grund aus. Sie antworten auf die Frage „Warum …?".
  z. B. Der Arzt schreibt Vera krank, weil sie eine schwere Bronchitis hat.
  Weil die Chefin den Katalog für ihre Dienstreise braucht, ist seine Fertigstellung sehr dringend.
- Kausale Nebensätze kann man auch mit „da" bilden. Das tut man oft dann, wenn der Grund schon bekannt ist.
  z. B. Der Arzt schreibt Vera krank, da sie eine schwere Bronchitis hat.
  Da die Chefin den Katalog für ihre Dienstreise braucht, ist seine Fertigstellung sehr dringend.

- Auf die Frage „Warum ...?" kann man in einem Gespräch auch direkt mit einem „weil"-Satz antworten.
  z. B. Warum hat der Arzt Vera krankgeschrieben? - Weil sie krank ist.
- In der mündlichen Umgangssprache verbindet man manchmal auch zwei Hauptsätze mit „weil".
  z. B. Ich muss zum Arzt, weil ... (Pause) ich habe eine starke Erkältung.

Kausale Hauptsätze mit „deshalb"/„daher"/„darum"/„deswegen"
- Die Verbindungsadverbien „deshalb"/„daher"/„darum"/„deswegen" bedeuten dasselbe wie „aus diesem Grund".
- Sätze mit „deshalb"/„daher"/„darum"/„deswegen" sind Hauptsätze. Sie beziehen sich auf einen Grund, der bekannt ist. Dieser Grund steht im Satz direkt vor dem Satz mit „deshalb"/„daher"/„darum"/„deswegen".
  z. B. Vera hat eine starke Bronchitis. Deshalb schreibt der Arzt sie krank.
  Die Chefin braucht den Katalog für ihre Dienstreise, daher ist es sehr dringend.

Kausale Angaben mit „wegen", „aus" und „vor"
Mit den Präpositionen „wegen" + Genitiv bzw. Dativ (umgangssprachlich), „aus" + Dativ und „vor" + Dativ kann man Gründe ausdrücken.
- „wegen" kann man mit allen Nomen verwenden.
  z. B. Der Arzt hat Vera wegen ihrer Bronchitis krankgeschrieben.
  Wegen der Kälte sind viel Menschen krank.
  Wegen ihrer Angst vor Problemen gehen viele krank zur Arbeit.
- „aus" verwendet man häufig mit abstrakten Nomen, z. B. „aus Zeitmangel", „aus Langeweile", bzw. bei Gefühlen, z. B. „aus Angst", „aus Freude", oder im Ausdruck „aus diesem Grund".
  z. B. Vera schaut aus Langeweile viel Fernsehen.
  Aus Angst macht Anton viele Fehler.
- „vor" verwendet man oft bei Gefühlen, auf die eine körperliche Reaktion folgt.
  z. B. Vera fühlt sich sehr schlecht, sie zittert vor Kälte.
  Vor Schreck hat Vera beim Arzt mehr gehustet als sonst.
  Die Kollegen haben Vera einen großen Blumenstrauß geschickt. Da hat sie vor Freude geweint.

4.4.2 Konditionalsätze: Bedingungen › Lek. 7

Konditionalsätze mit „wenn" – Bedingungen ausdrücken
- Konditionalsätze (Bedingungssätze) mit „wenn" sind Nebensätze. Sie drücken eine Bedingung aus.
- Wenn eine Bedingung erfüllt wird, passiert etwas anderes: wenn → dann.
  z. B. Wenn Herr Stoll zur Besprechung geht, (dann) kann Frau Martínez Alexandra die Abrechnungen erklären.
  Alexandras Einarbeitung geht schneller, wenn die Kollegen sie mehr unterstützen.

Irreale Konditionalsätze mit „wenn" und Konjunktiv II – irreale Bedingungen ausdrücken
- Irreale Konditionalsätze (irreale Bedingungssätze) sind Nebensätze. Sie drücken aus, dass eine Bedingung nicht erfüllt ist.
- Die Folge steht im Hauptsatz. Sie wird nicht oder nur vielleicht realisiert.
- Im Hauptsatz **und** im Nebensatz steht der Konjunktiv II.
  z. B. Wenn Kollege Müller nicht krank wäre, hätte Frau Hesse mehr Zeit für Frau Kleinfeld.
  → Kollege Müller ist krank, also hat Frau Hesse zu wenig Zeit für Frau Kleinfeld.
  Wenn die Kollegen Frau Kleinfeld mehr erklären würden, ginge es mit der Einarbeitung besser.
  → Die Kollegen erklären Frau Kleinfeld zu wenig, also geht es mit der Einarbeitung nicht so gut.
  Alexandra könnte schon vieles alleine machen, wenn sie mehr Unterstützung bekäme.
  → Alexandra bekommt zu wenig Unterstützung, also kann sie vieles noch nicht alleine machen.

- Wenn der irreale Bedingungssatz vor dem Hauptsatz steht, kann man „wenn" weglassen.
- In dem Fall steht die Verbform im Konjunktiv II am Anfang des Nebensatzes.
  z. B. Wäre Kollege Müller nicht krank, ginge es mit der Einarbeitung besser.
  Würden die Kollegen Frau Kleinfeld mehr erklären, ginge es mit der Einarbeitung besser.
  Bekäme Alexandra mehr Unterstützung, könnte sie schon vieles alleine machen.

4.4.3 Temporalsätze: Gleichzeitigkeit, Vorzeitigkeit, Nachzeitigkeit › Lek. 6, 9

Temporale Nebensätze mit „nachdem" – vorzeitig

- Nebensätze mit „nachdem" drücken aus, dass die Handlung oder das Geschehen im Nebensatz **vor** einer anderen Handlung bzw. einem anderen Geschehen in der Vergangenheit stattfinden. Das Verb steht im Plusquamperfekt.
- Die Handlung im Hauptsatz findet nach der Handlung im Nebensatz statt. Das Verb steht im Präteritum (mehr im formelleren Sprachgebrauch, z. B. in zusammenhängenden schriftlichen Texten wie Geschichten oder Berichten) oder im Perfekt (mehr im mündlichen und informelleren schriftlichen Sprachgebrauch).
- Nebensätze mit „nachdem" können vor oder nach dem Hauptsatz stehen. Wenn man etwas chronologisch beschreiben will, stehen sie oft vor dem Hauptsatz, um zu betonen dass das Geschehen hier begonnen hat.

  z. B. Nachdem Phong sein Abitur gemacht hatte, begann er eine Ausbildung zum Außenhandelsassistenten.
  Phong hat sich noch weitergebildet, nachdem er seine Ausbildung abgeschlossen hatte.

- Außer „nachdem" + Plusquamperfekt kann man auch „als" + Plusquamperfekt verwenden.
- Das Verb steht dann, wie in Sätzen mit „nachdem", im Plusquamperfekt.
- In dem Fall steht der Nebensatz mit „als" meist vorne.

  z. B. Als Phong sein Abitur gemacht hatte, begann er eine Ausbildung zum Außenhandelsassistenten.
  Als Phong seine Ausbildung abgeschlossen hatte, hat er sich noch weitergebildet.

- Man kann Nebensätze mit „nachdem" auch verwenden, wenn etwas vor etwas anderem in der Gegenwart bzw. Zukunft stattfindet.
- Dann steht das Verb im Nebensatz mit „nachdem" im Perfekt und das Verb im Hauptsatz im Präsens oder Futur.

  z. B. Nachdem man eine Stellenausschreibung gelesen hat, bewirbt man sich.
  Nachdem Emilia eine Stelle in Kanada gefunden hat, wird sie Deutschland verlassen.

- Statt „nachdem" + Perfekt kann man auch „wenn" + Perfekt verwenden.

  z. B. Wenn man eine Stellenausschreibung gelesen hat, bewirbt man sich.
  Wenn Emilia eine Stelle in Kanada gefunden hat, wird sie Deutschland verlassen.

Temporale Nebensätze mit „während" – gleichzeitig

- Nebensätze mit „während" drücken aus, dass die Handlungen oder das Geschehen im Nebensatz und im Hauptsatz **gleichzeitig** stattfinden.
- Die Handlungen im Nebensatz und Hauptsatz können gleichzeitig in der Gegenwart, in der Vergangenheit oder in der Zukunft stattfinden.

  z. B. Phong hat die Weiterbildung gemacht, während er schon voll gearbeitet hat.
  Während Phong bei der ABS GmbH war, lernte er viel über Kunststoffe.
  Phongs Frau macht sich Notizen, während Phong seine Selbstpräsentation vorträgt.
  Während Phong in Vietnam ist, wird er seine Großeltern besuchen.

Temporale Nebensätze mit „bevor" – nachzeitig

- Nebensätze mit „bevor" drücken aus, dass die Handlung oder das Geschehen im Nebensatz **nach** einer anderen Handlung bzw. einem anderen Geschehen stattfinden.
- Die Handlung im Hauptsatz findet vor der Handlung im Nebensatz statt.
- Im Nebensatz mit „bevor" und im Hauptsatz steht dieselbe Zeit.

  z. B. Phong hatte eine Teambesprechung, bevor die Messe öffnete.
  Bevor er seine Präsentation gehalten hat, hat er mit einer Studienkollegin gesprochen.
  Bevor er nach China fährt, lernt er ein bisschen Chinesisch.

Temporale Angaben mit „nach", „während" und „vor"

Mit den Präpositionen „nach" und „vor" + Dativ sowie „während" + Genitiv bzw. Dativ (umgangssprachlich) kann man Zeitangaben machen.

- Angaben mit „nach" drücken aus, dass das mit „nach" beschriebene Geschehen vor der Handlung im Satz stattfindet bzw. stattgefunden hat.

  z. B. Phong hat nach seinem Abitur eine Ausbildung zum Außenhandelsassistenten begonnen.
  Nach seiner Selbstpräsentation bespricht Phong diese mit seiner Frau.

- Angaben mit „während" drücken aus, dass das mit „während" beschriebene Geschehen gleichzeitig mit der Handlung im Satz stattfindet.

  z. B. Während seiner Tätigkeit bei der ABS GmbH hat Phong zwei Fortbildungen gemacht.
  Phongs Frau macht während seines Vortrags Notizen.

- Angaben mit „vor" drücken aus, dass das mit „vor" beschriebene Geschehen nach der Handlung im Satz stattfindet.
  z. B. Phong hat sich vor seiner Bewerbung bei Feddersen gut über die Firma informiert.
  Vor seiner ersten Dienstreise nach China lernt Phong ein bisschen Chinesisch.

4.4.4 Temporalsätze: Zeitspanne › Lek. 10

Temporale Nebensätze mit „seitdem"/„seit"

- Nebensätze mit „seitdem" drücken eine Zeitspanne von einem Zeitpunkt in der Vergangenheit bis jetzt aus: • → jetzt
- Das Verb im Nebensatz mit „seitdem" kann im Präteritum bzw. Perfekt oder im Präsens stehen.
- „seitdem" wird oft zu „seit" verkürzt.
  z. B. Seitdem / Seit die Absage kam, habe ich keine Motivation mehr.
  Seitdem / Seit ich die Absage bekommen habe, habe ich keine Motivation mehr.
  Seitdem / Seit ich die Absage habe, habe ich keine Motivation mehr.
- Das Verb im Hauptsatz steht meistens im Präsens; es kann aber auch im Perfekt stehen, wenn die Vergangenheit in die Gegenwart reicht.
  z. B. Seitdem / Seit Clara die Absage bekommen hat, will sie sich nicht mehr bewerben.
  Marike hat schon mehrere Stellenangebote bekommen, seitdem / seit sie ihr Profil ins Netz gestellt hat.

Temporale Nebensätze mit „bis"

- Nebensätze mit „bis" drücken eine Zeitspanne von einem Zeitpunkt bis zu einem späteren Zeitpunkt aus: • → •
- Wenn dieser Zeitpunkt in der Zukunft liegt, stehen die Verben im Nebensatz mit „bis" und im Hauptsatz im Präsens oder Futur.
  z. B. Bis du eine Stelle findest, dauert es sicher nicht lange.
  Clara wird wieder in der Apotheke arbeiten, bis sie eine Stelle im Kundenservice findet.
- Wenn dieser Zeitpunkt in der Vergangenheit liegt, stehen die Verben im Nebensatz mit „bis" und im Hauptsatz im Perfekt oder Präteritum.
  z. B. Bis Marike ihr Profil ins Netz gestellt hat, hat sie noch nie Jobanfragen bekommen.
  Clara arbeitete sehr gern in der Krankenhausapotheke, bis ein neuer Chef kam.

Temporale Angaben mit „seit" und „bis"/„bis zum"

Mit den Präpositionen „seit" + Dativ und „bis" + Akkusativ bzw. „bis zum" + Dativ drückt man eine Zeitspanne aus.

- Angaben mit „seit" drücken aus, dass eine Zeitspanne von einem Zeitpunkt in der Vergangenheit bis jetzt andauert: • → jetzt
  z. B. Seit dem letzten Stellenangebot gab es keine neuen Angebote.
  Seit ihrem Umzug nach Deutschland arbeitet Clara wieder in der Apotheke.
- Angaben mit „bis" bzw. „bis zum" drücken aus, dass eine Zeitspanne von einem Zeitpunkt bis zu einem späteren Zeitpunkt andauert: • → •
- Der Zeitpunkt kann in der Vergangenheit, Gegenwart oder Zukunft liegen.
  z. B. Der Personalchef wollte sich bis Mittwoch bei Clara melden.
  Leider hat sich der Personalchef bis heute nicht gemeldet.
  Bis zum nächsten Vorstellungsgespräch bleibt Clara eine Woche.

4.4.5 Finalsätze: Ziel und Zweck › Lek. 1

Finale Nebensätze mit „damit"

- Nebensätze mit „damit" benennen ein Ziel oder einen Zweck.
- In Nebensätzen mit „damit" verwendet man oft das Modalverb „können".
  z. B. Damit Sanofi zwei neue Gebäude finanzieren kann, hat es die Investitionssumme erhöht.
  Boehringer Ingelheim plant den Tausch, damit es den Bereich Tiermedizin ausbauen kann.

Finale Nebensätze mit „um ... zu"

- In Nebensätzen mit „um ... zu" steht kein Subjekt. Hier zeigt der Hauptsatz, wer das Ziel hat.
- „zu" + Infinitiv vom Verb steht am Satzende. Bei trennbaren Verben steht „zu" zwischen Vorsilbe und Verbstamm.
- Das Modalverb „können" kann man auch in Nebensätzen mit „um ... zu" verwenden.
  z. B. Die Geschäftsführer treffen sich, um über die Unternehmensziele zu diskutieren.
  Man plant den Tausch, um den Bereich Tiermedizin auszubauen.
  Um weiter zu wachsen, plant das Unternehmen weitere Markteinführungen.
  Sanofi hat die Investitionssumme erhöht, um zwei neue Gebäude finanzieren zu können.

Wann Nebensatz mit „damit", wann Nebensatz mit „um ... zu"?

- Wenn das Subjekt von Haupt- und Nebensatz gleich ist, kann man „um ... zu" oder „damit" verwenden.
- Man verwendet in dem Fall meistens „um ... zu", weil es den Satz kürzer macht.
  z. B. Sanofi hat die Investitionssumme erhöht, damit es zwei neue Gebäude finanzieren kann.
  Sanofi hat die Investitionssumme erhöht, um zwei neue Gebäude finanzieren zu können.
- Wenn das Subjekt von Haupt- und Nebensatz verschieden ist, muss man „damit" verwenden.
  z. B. Sanofi will zwei neue Gebäude bauen, damit die Medizintechnik mehr Platz hat.
- In Sätzen mit „damit" oder „um ... zu" sind die Modalverben „wollen"/„möchte-" oder „sollen" nicht möglich, weil das Ziel schon durch „damit" oder „um ... zu" ausgedrückt wird.

4.4.6 Konsekutivsätze: Folgen › Lek. 7

Konsekutive Nebensätze mit „sodass"

- Nebensätze mit „sodass" drücken eine Folge aus. Sie stehen immer hinter dem Hauptsatz.
  z. B. An manchen Tagen hat Alexandra sehr wenig zu tun, sodass sie abends sehr unzufrieden ist.
  Den Bauherren gefällt der Grundriss nicht, sodass der Architekt ihn ändern muss.
- Den Nebensatzkonnektor „sodass" kann man auch trennen. Dann steht „so" z. B. vor einem Adjektiv oder Adverb im Hauptsatz und „dass" steht am Anfang des Nebensatzes, in dem die Folge steht. Das „so" im Hauptsatz betont in dem Fall die Situation bzw. das Ereignis im Hauptsatz.
  z. B. An manchen Tagen hat Alexandra so wenig zu tun, dass sie abends sehr unzufrieden ist.
  Der Architekt ist mit den Fenstern so unzufrieden, dass es Streit mit der Fensterbaufirma gibt.
  Die Baukosten sind so gestiegen, dass die Bauherren kein Geld mehr übrig haben.

Konsekutive Hauptsätze mit „also"

- Sätze mit dem Verbindungsadverb „also" drücken eine Folge aus. Sie beziehen sich immer auf einen Satz davor.
  z. B. Das Architekturbüro plant schon das nächste Projekt. Also haben alle viel zu tun.
  Den Bauherren gefällt der Grundriss nicht, der Architekt muss ihn also ändern.

4.4.7 Konzessivsätze: unerwartete Folgen › Lek. 8

- Konzessive Satzverbindungen beschreiben eine Ausgangssituation und ihre unerwartete Folge.

Konzessive Nebensätze mit „obwohl"

- Nebensätze mit „obwohl" nennen die Ausgangssituation.
  z. B. Obwohl das Reiseangebot im Internet sehr groß ist, wächst die Anzahl der Reisebüros wieder.
  Obwohl das Internet eine harte Konkurrenz ist, steigt der Umsatz der Reisebüros wieder.
  Viele Kunden gehen lieber ins Reisebüro, obwohl man alle Angebote im Internet findet.

Konzessive Hauptsätze mit „trotzdem"/„dennoch"

- Sätze mit den Verbindungsadverbien „trotzdem" oder „dennoch" nennen die unerwartete Folge.
- Der Satz davor nennt die Ausgangssituation.
  z. B. Das Reiseangebot im Internet ist sehr groß, trotzdem wächst die Anzahl der Reisebüros wieder.
  Das Internet ist eine harte Konkurrenz, der Umsatz der Reisebüros steigt trotzdem wieder.
  Man findet alle Angebote im Internet, dennoch gehen viele Kunden lieber ins Reisebüro.

Konzessive Hauptsätze mit „zwar ..., aber"

- Beim zweiteiligen Konnektor „zwar ..., aber" steht „zwar" im 1. Hauptsatz und nennt die Ausgangssituation, „aber" steht im 2. Hauptsatz und nennt die unerwartete Folge.
- Im Satz mit „aber" kann verstärkend auch noch „trotzdem" oder „dennoch" stehen.
  z. B. Das Reiseangebot im Internet ist zwar sehr groß, aber die Anzahl der Reisebüros wächst wieder.
  Das Internet ist zwar eine harte Konkurrenz, aber der Umsatz der Reisebüros steigt wieder.
  Zwar findet man alle Angebote im Internet, aber trotzdem gehen viele Kunden lieber ins Reisebüro.

Konzessive Angaben mit „trotz"

- Die Präposition „trotz" + Genitiv bzw. Dativ (umgangssprachlich) nennt die Ausgangssituation.
  z. B. Trotz des großen Reiseangebots im Internet wächst die Anzahl der Reisebüros wieder.
  Der Umsatz der Reisebüros steigt trotz der harten Internetkonkurrenz wieder.
  Viele Kunden gehen trotz des guten Angebots im Internet lieber ins Reisebüro.

4.4.8 Indirekte Fragesätze › Lek. 4

Indirekte Fragesätze

- Wenn man höflich sein will, stellt man oft keine direkten Fragen, sondern indirekte. In dem Fall beginnt man die Frage mit Ausdrücken wie „Ich möchte wissen, …“ oder „Könnten Sie mir sagen, …“.
- Indirekte Fragen sind Nebensätze.
- Wenn die direkte Frage eine Ja-/Nein-Frage ist, beginnt die indirekte Frage mit „ob“.

z. B. Ist Frau Abt morgen wieder da? → Wissen Sie schon, ob Frau Abt morgen wieder da ist?
Passt Ihnen der Termin? → Können Sie mir sagen, ob Ihnen der Termin passt?

- Wenn die direkte Frage mit einem Fragewort oder -ausdruck beginnt, beginnt der indirekte Fragesatz mit dem gleichen Fragewort oder -ausdruck.

z. B. Wann hätten Sie Zeit? → Könnten Sie mir sagen, wann Sie Zeit hätten?
An wen kann ich mich wenden? → Sagen Sie mir bitte, an wen ich mich wenden kann.
Woran muss ich noch denken? → Ich möchte gern wissen, woran ich noch denken muss.

Indirekte Aussagen

- Wenn man höflich sein will, kann man auch mit indirekten Aussagen antworten.

z. B. Ich kann Ihnen leider nicht sagen, wie lange das Treffen dauert.
Ich weiß leider auch nicht, wann Frau Abt wieder im Haus ist.

4.4.9 Relativsätze › Lek. 8

Relativsätze

- Relativsätze sind Nebensätze. Sie beschreiben ein Nomen im Hauptsatz genauer.
- Das Relativpronomen bezieht sich auf ein Nomen. Das Genus (der, das, die) und der Numerus (Singular, Plural) des Relativpronomens richtet sich nach diesem Nomen.

z. B. Reisebüros, die einen guten Service anbieten, haben es am Markt leichter.
Der Service, den das Reisebüro Marina anbietet, unterscheidet es von anderen.
Die Kunden, denen wir einen Flyer zum Aktionstag geschickt haben, haben positiv reagiert.
Die Kreuzfahrt, für die Sie sich interessieren, ist neu im Programm.
Der Veranstalter, mit dem das Reisebüro Marina zusammenarbeitet, ist die Hanse Cruise Line.

- Der Kasus (Nominativ, Akkusativ, Dativ) richtet sich nach:

dem Verb im Satz:
z. B. „anbieten“ + Akk.: Der Service, den das Reisebüro anbietet, unterscheidet es von anderen.
„schicken“ + Dat.: Die Kunden, denen wir einen Flyer geschickt haben, haben positiv reagiert.

der Präposition beim Verb:
z. B. „sich interessieren für“ + Akk.: Die Kreuzfahrt, für die Sie sich interessieren, ist neu im Programm.
„zusammenarbeiten mit“ + Dat.: Der Veranstalter, mit dem das Reisebüro Marina zusammenarbeitet, ist die Hanse Cruise Line.

- Der Relativsatz steht meist hinter dem Wort bzw. Ausdruck, zu dem er gehört. Dann kann er den Hauptsatz teilen: Haupt-, Relativsatz, -satz.

z. B. Die Kreuzfahrt, für die Sie sich interessieren, ist neu im Programm.

Relativpronomen

- Die Relativpronomen sind im Nominativ, Akkusativ und Dativ Singular und im Nominativ und Akkusativ Plural wie der bestimmte Artikel.
- Die Relativpronomen sind im Dativ Plural und im Genitiv anders als der bestimmte Artikel. Dativ Plural = „denen“, Genitiv = „dessen“ (M, N) und „deren“ (F, Pl.).

	Maskulinum (M)	Neutrum (N)	Femininum (F)	Plural (M, N, F)
Nom.	der	das	die	die
Akk.	den	das	die	die
Dat.	dem	dem	der	denen
Gen.	dessen	dessen	deren	deren

Relativsätze im Genitiv

- Man verwendet das Relativpronomen im Genitiv, wenn jemand etwas „besitzt" (possessive Bedeutung),
  z. B. die Unterlagen des Kunden → Der Kunde, dessen Unterlagen wir suchen, hat sich schon beschwert.
- Im Genitiv sind die Relativpronomen anders als der bestimmte Artikel.
- Das Nomen, das auf das Relativpronomen im Genitiv („dessen"/„deren") folgt, hat keinen Artikel.
  z. B. Frau Laufer berät den Kunden, dessen Kreuzfahrt sie umbuchen soll.
  Frau Schmidt empfiehlt das Hotel, dessen Personal so unfreundlich ist, nicht mehr.
  Das Reisebüro hat die Rundreise, deren Angebot schlecht bewertet wurde, aus dem Programm genommen.
  Frau Kern hatte am Aktionstag mehrere Kunden, deren Wünsche völlig unklar waren.

Relativsätze mit „wo"

- Bei Ortsangaben in Relativsätzen kann man statt der Präposition + Relativpronomen auch „wo" verwenden.
  z. B. Kopenhagen ist eine Stadt, in der es viele Sehenswürdigkeiten gibt.
  → Kopenhagen ist eine Stadt, wo es viele Sehenswürdigkeiten gibt.
  Der Plakatständer, an dem das Poster befestigt werden soll, ist kaputt.
  → Der Plakatständer, wo das Poster befestigt werden soll, ist kaputt.
  Die Druckerei, bei der das Reisebüro die Flyer bestellen will, ist sehr preiswert.
  → Die Druckerei, wo das Reisebüro die Flyer bestellen will, ist sehr preiswert.

Relativsätze mit „woher" und „wohin"

- Bei Richtungsangaben in Relativsätzen kann man statt der Präposition + Relativpronomen auch „woher" bzw. „wohin" verwenden.
  z. B. Die Stadt, aus der Frau Laufer kommt, ist sehr klein.
  → Die Stadt, woher Frau Laufer kommt, ist sehr klein.
  Schweden ist das Land in Skandinavien, in das Frau Kern am häufigsten reist.
  → Schweden ist das Land in Skandinavien, wohin Frau Kern am häufigsten reist.

- Bezieht sich das Relativpronomen auf Städte und Länder, die ohne Artikel gebraucht werden, stehen immer die Relativpronomen „wo", „woher" und „wohin."
  z. B. Ich kenne Kopenhagen, wo ich beruflich oft zu tun habe, sehr gut.
  Tübingen, woher der Azubi kommt, ist eine alte Universitätsstadt.
  Frau Kern mag Schweden, wohin sie oft fährt, sehr gern.

4.4.10 Infinitivsätze › Lek. 3

Infinitivsätze

- Infinitivsätze bildet man mit „zu" + dem Infinitiv des Verbs.
- „zu" + Infinitiv vom Verb steht am Satzende. Bei trennbaren Verben steht „zu" zwischen Vorsilbe und Verbstamm.
- Infinitivsätze verwendet man häufig nach Verben, die Pläne oder Absichten ausdrücken (z. B. planen, vorhaben, beabsichtigen), oder nach Ausdrücken mit „es" (z. B. Es ist schön / wichtig / …; Wir finden es gut / schlecht …).
- In Infinitivsätzen steht kein Subjekt. Hier zeigt der Kontext, wer was plant, beabsichtigt, wie etwas ist bzw. wie man etwas findet.
  z. B. Elizabeth und Thomas planen, eine Brauerei zu gründen.
  Sie haben beschlossen, zusammen ein Geschäft aufzubauen.
  Für Elizabeth und Thomas ist es wichtig, einen Kredit zu bekommen.
  Sie finden es gut, Bier in alter Handwerkstradition zu brauen.

- Nach Präpositionaladverbien stehen oft Infinitivsätze mit „zu".
  z. B. Elizabeth ärgert sich darüber, nicht genug Eigenkapital zu haben.
  Thomas und Elizabeth denken schon lange daran, einen Kredit aufzunehmen.

5 Adjektive

5.1 Adjektivdeklination

5.1.1 Adjektive und ihre Endungen

- Adjektive als Teil des Prädikats bzw. als Adverb haben keine Endungen.
  z. B. Das Waschbecken ist schön.
  Wir sanieren Ihr Bad pünktlich.
- Adjektive als Attribut (d. h. vor einem Nomen) bekommen Endungen.
  z. B. Das ist ein schönes Waschbecken.
  Die große Dusche gefällt mir besser.
  Ich nehme die grauen Fließen.
- Adjektive auf „-a" bekommen keine Endung.
  z. B. eine prima Sache
  ein rosa T-Shirt
- Adjektive auf „-er" und „-el" verlieren das „-e-" vor einer Endung.
  z. B. dunkel → der dunkele Wald
  teuer → das teuere Auto

5.1.2 Adjektive im Genitiv › Lek. 2

Adjektive im Genitiv nach bestimmten und unbestimmten Artikel, Possessiv- und Negativartikel

- Adjektive nach dem bestimmten bzw. unbestimmten Artikel, dem Possessivartikel und dem Negativartikel haben im Genitiv Singular immer die Endung „-en".
- Adjektive haben im Genitiv Plural nach dem bestimmten Artikel, dem Possessivartikel und dem Negativartikel auch die Endung „-en".
- Nur nach dem Nullartikel im Genitiv Plural ist die Endung „-er".

	Maskulinum (M)	Neutrum (N)	Femininum (F)	Plural (M, N, F)
bestimmter Artikel	wegen des starken Schmerzes	wegen des kleinen Problems	wegen der leichten Erkältung	wegen der starken Schmerzen
unbestimmter Artikel	wegen eines starken Schmerzes	wegen eines kleinen Problems	wegen einer leichten Erkältung	wegen starker Schmerzen
Possessiv-artikel	wegen meines starken Schmerzes	wegen meines kleinen Problems	wegen meiner leichten Erkältung	wegen meiner starken Schmerzen
Negativ-artikel	keines guten Arztes	keines neuen Medikaments	keiner schweren Krankheit	keiner bekannten Ärzte

Adjektive im Genitiv vor Nomen ohne Artikel

- Adjektive vor Nomen ohne Artikel haben im Genitiv Maskulinum und Neutrum Singular die Endung „-en".
- Adjektive vor Nomen ohne Artikel haben im Genitiv Femininum Singular und im Genitiv Plural die Endung „-er".

	Maskulinum (M)	Neutrum (N)	Femininum (F)	Plural (M, N, F)
vor Nomen ohne Artikel	wegen dauernden Hustens	wegen falschen Sitzens	wegen starker Übelkeit	wegen schrecklicher Schmerzen

5.2 Vergleiche

5.2.1 Vergleiche: Komparation – prädikativ › Lek. 6

- Man verwendet den Komparativ bzw. den Superlativ, um etwas zu vergleichen.
- Den Komparativ bildet man mit Adjektiv + Endung „-er".
- Den Superlativ bildet man mit „am" und Adjektiv + Endung „-(e)sten".

  z. B. Die gelben Fliesen sind schön.
  Die weißen Fliesen sind schöner.
  Die grauen Fliesen sind am schönsten.

Grundform	Komparativ: -er	Superlativ: am ... -(e)st	Besonderheit
klein	kleiner	am kleinsten	regelmäßig
lang	länger	am längsten	regelmäßig mit Umlaut
toll	toller	am tollsten	regelmäßig ohne Umlaut
teuer dunkel	teurer dunkler	am teuersten am dunkelsten	Adjektive auf „-er" und „-el": im Komparativ fällt „e" in „-er" / „-el" weg
weit heiß hübsch kurz groß praktisch	weiter heißer hübscher kürzer größer praktischer	am weitesten am heißesten am hübschesten am kürzesten am größten am praktischsten	Adjektive auf „-d", „-t", „-s", „-ß", „-sch", „-z": Superlativ auf „-est" (Ausnahme: groß, Adjektive auf „-isch")
nah hoch gut gern viel	näher höher besser lieber mehr	am nächsten am höchsten am besten am liebsten am meisten	Sonderformen

5.2.2 Vergleiche: Komparation – attributiv › Lek. 6

- Man verwendet den Komparativ bzw. den Superlativ, um etwas zu vergleichen.

  z. B. Ich möchte ein kleineres Waschbecken.
  Die Unger GmbH hat das preiswerteste Angebot gemacht.
- Wenn die Adjektive im Komparativ bzw. Superlativ vor einem Nomen stehen, erhalten sie die gleichen Endungen wie in der Grundform.

  z. B. ein hoher Spiegel → ein höherer Spiegel
  ein teures Waschbecken → ein teureres Waschbecken
  mit der großen Badewanne → mit der größeren Badewanne
  kleine Fliesen → kleinere Fliesen
- Den Superlativ vor Nomen verwendet man nicht mit dem unbestimmten Artikel.

  z. B. der hohe Spiegel → der höchste Spiegel
  ihr wichtiges Anliegen → ihr wichtigstes Anliegen
  in kurzer Zeit → in kürzester Zeit

5.2.3 Vergleichssätze › Lek. 6

- etwas / jemand ist gleich: „so" / „genauso" + Adjektiv in Grundform + „wie"

  z. B. Das breite Waschbecken ist so / genauso unpraktisch wie das schmale.
  Das breitere Waschbecken ist so / genauso unpraktisch wie das schmalere.
- etwas / jemand ist nicht gleich: „nicht so" + Adjektiv in Grundform + „wie"

  z. B. Das kleine Waschbecken ist nicht so teuer wie das große.
  Das kleinere Waschbecken ist nicht so teuer wie das größere.
- etwas / jemand ist mehr: Komparativ + „als"

  z. B. Das kleine Waschbecken ist praktischer als das große.
  Das kleinere Waschbecken ist praktischer als das größere.

6 Wortbildung

6.1 Bildung von Nomen

6.1.1 Bildung von Nomen mit „-ung", „-ion" und „-(a)tion" › Lek. 7, 10

- Mit den Endungen „-ung", „-ion" und „-(a)tion" kann man aus Verben Nomen bilden.
- Nomen mit den Endungen „-ung", „-ion" und „-(a)tion" sind immer feminin.

z. B. abrechnen → die Abrechnung
einarbeiten → die Einarbeitung
diskutieren → die Diskussion
explodieren → die Explosion
konstruieren → die Konstruktion
produzieren → die Produktion
dokumentieren → die Dokumentation
organisieren → die Organisation

6.1.2 Bildung von Nomen mit „-heit" und „-keit" › Lek. 7

- Mit den Endungen „-heit" und „-keit" kann man aus Adjektiven Nomen bilden.
- Nomen mit den Endungen „-heit" und „-keit" sind immer feminin.

z. B. neu → die Neuheit
schön → die Schönheit
tätig → die Tätigkeit
zuständig → die Zuständigkeit

6.1.3 Bildung von Nomen aus dem Infinitiv › Lek. 10

- Aus dem Infinitiv von Verben kann man Nomen bilden.
- Nominalisierte Infinitive sind immer neutral.

z. B. buchen → das Buchen
lesen → das Lesen

6.1.4 Nominalisierung in Texten › Lek. 10

Wenn man Nomen um Informationen ergänzen möchte, muss man Folgendes beachten:

- Akkusativergänzungen im Singular und Plural gibt man als Genitiv wieder (**Ausnahme:** Plural mit dem unbestimmten Artikel).

  z. B. Er prüft den Zahlungseingang. → die Prüfung des Zahlungseingangs
  Sie kontrollieren die Rechnungen. → die Kontrolle der Rechnungen
- Akkusativergänzungen im Plural mit dem unbestimmten Artikel fügt man mit der Präposition „von" an.

  z. B. Sie prüft Rechnungen. → die Prüfung von Rechnungen
  Er führt Kundenumfragen durch. → die Durchführung von Kundenumfragen
- Präpositionalergänzungen werden in der Regel mit den gleichen Präpositionen wiedergegeben.

  z. B. Er hilft bei den Hausaufgaben. → die Hilfe bei den Hausaufgaben
  Sie analysiert Texte über Naturheilverfahren. → Analyse von Texten über Naturheilverfahren

6.2 Bildung von Adjektiven

6.2.1 Bildung von Adjektiven mit „-bar" › Lek. 2

- Wenn man die Nachsilbe „-bar" an den Stamm eines Verbs anhängt, bildet man ein Adjektiv.
- Dieses Adjektiv hat die Bedeutung „man kann …".

  z. B. erreich~~en~~ → erreichbar
  behandel~~n~~ → behandelbar
- Sätze formuliert man mit dem Verb „sein".

  z. B. Er ist erreichbar. = Man kann ihn erreichen.
  Die Krankheit ist gut behandelbar. = Man kann die Krankheit gut behandeln.

Lektion 1

1A Branchen und Produkte

1a 2. die Bekleidungsindustrie, -n • 3. die Chemieindustrie, -n • 4. die IT-Industrie, -n • 5. die Getränkeindustrie, -n • 6. die Kosmetikindustrie, -n • 7. die Nahrungsmittelindustrie, -n • 8. die Pharmaindustrie, -n • 9. die Elektroindustrie, -n • 10. die Stahlindustrie, -n

1b 2. SAP gehört zur IT-Industrie und produziert Software. • 3. BASF ist in der Chemieindustrie tätig und stellt z. B. Kunststoffe her. • 4. ThyssenKrupp arbeitet in der Stahlindustrie und produziert z. B. Verpackungsstahl. • 5. Bosch ist in der Elektroindustrie tätig und stellt z. B. Produkte für (den) Haushalt oder (den) Fahrzeugbau her.

1B Wirtschaftsbereiche

1a 2. dienen • 3. erbringen • 4. ausüben • 5. sein

1b 2E • 3A • 4B • 5D

2a *Mögliche Lösung:* 1b. Bäcker (kleiner Betrieb) • 2. **Dienstleistungshandwerk** • 2a. Automechaniker • 2b. Maler

2b *Mögliche Lösung:* 1. **Verbrauchsgüter** • 1a. Getränke • 1b. Kosmetik • 2. **Gebrauchsgüter** • 2a. Haushaltsgeräte • 2b. Mobiltelefon

3a 1. die Beratung der Anwältin, die Tätigkeit des Arztes und des Teams • 2. die Bearbeitung der Aufträge, die Liste der Firmen, die Öffnungszeiten der Geschäfte • 3. die Reparatur eines PKWs, das Streichen einer Wand, der Bau eines Hauses • 4. die Reparatur von PKWs, das Streichen von Wänden, der Bau von Häusern

3b/c a • **Markierungen:** meiner Geschäftsreise • keines Fluges • keiner seiner Vorschläge • unseres Reisebüros

3d **Possessivartikel:** unseres Büros • meiner Reise • seiner Vorschläge • **Negativartikel:** keines Flug(e)s •
Regel: -s, -er • -er

3e A. **Dienstleistung:** 2. von Waren • 3. eines Kunden • 4. von Anwälten, Beratern oder Ärzten • 5. eines Handwerkers • B. **Investitionsgüter:** 1. des Namens • 2. des Gut(e)s • 3. eines Betriebs • 4. der • 5. von Erzeugnissen

1C Wirtschaftsnachrichten

1 2A • 3B • 4F • 5H • 6E • 7D • 8G

2a 2. Die Geschäftsführer treffen sich, um über die Unternehmensziele zu diskutieren. • 3. Sie erhöhen die Investitionssumme, um den Forschungsbereich auszubauen. • 4. Das Unternehmen erwägt einen strategischen Tausch, um den Bereich „Tiermedizin" weiterzuentwickeln. • 5. Sanofi plant eine Konferenz, um die Konditionen des Tauschs zu besprechen.

2b 2. Die Geschäftsführer treffen sich, damit sie über die Unternehmensziele diskutieren können. • 3. Sie erhöhen die Investitionssumme, damit sie den Forschungsbereich ausbauen können. • 4. Das Unternehmen erwägt einen strategischen Tausch, damit es den Bereich „Tiermedizin" weiterentwickeln kann. • 5. Sanofi plant eine Konferenz, damit es die Konditionen des Tauschs besprechen kann.

2c

Nebensatz				Hauptsatz	
2.	Damit	die Medizintechnik mehr Platz	hat,	baut	Sanofi die Gebäude.
3.	Um	den neuen Geschäftspartner	zu treffen,	reist	der Abteilungsleiter ins Ausland.
	Damit	er den neuen Geschäftspartner	treffen kann,	reist	der Abteilungsleiter ins Ausland.
4.	Damit	der Text über die Firmengeschichte	ist,	bearbeitet	man ihn.
		aktuell			

Hauptsatz	Nebensatz		
2. Sanofi baut die Gebäude,	damit	die Medizintechnik mehr Platz	hat.
3. Der Abteilungsleiter reist ins Ausland,	um	den neuen Geschäftspartner	zu treffen.
Der Abteilungsleiter reist ins Ausland,	damit	er den neuen Geschäftspartner	treffen kann.
4. Man bearbeitet den Text über die Firmengeschichte,	damit	er aktuell	ist.

3a 2. Die Geschäftsführung informiert die Mitarbeiter darüber, dass der Bau bald beginnt. • 3. Die Unternehmen planen einen strategischen Tausch. Davon wurde in der Presse berichtet. • 4. Beide Unternehmen sehen einen Vorteil darin, dass sie die Bereiche tauschen.

3b 2. Worüber informiert die Geschäftsführung die Mitarbeiter? – Darüber, dass der Bau bald beginnt. • 3. Wovon wurde in der Presse berichtet? – Davon, dass die Unternehmen einen strategischen Tausch planen. • 4. Worin sehen beide Unternehmen einen Vorteil? – Darin, dass sie die Bereiche tauschen.

4a 3. Über wen haben die Kollegen gesprochen? • 4. Worüber hat man in der Firma sehr viel gesprochen? • 5. Worum geht es? • 6. Um wen geht es in dem Gespräch auch?

4b 2. Sie kümmert sich darum, dass die Mitarbeiter die Informationen bekommen. • 3. Sie beschweren sich darüber, dass sie die Informationen zu spät bekommen. • 5. Er ist damit einverstanden, dass ein Kollege der Assistentin hilft.

1D Eine Firma präsentieren

1 2. vereinbart • 3. Franchisenehmer • 4. Dienstleistungen • 5. betreibt • 6. unterstützt • 7. Schulungen • 8. Franchisegebühren

2a 2D • 3B • 4E • 5I • 6A • 7L • 8G • 9K • 10H • 11J • 12F • 13N • 14M

2b 1. **Begrüßung und Einleitung:** Ich begrüße Sie herzlich zu meiner Präsentation. • Ich freue mich, dass ich Ihnen … vorstellen kann. • 2. **Vorstellung der Punkte der Präsentation:** Zunächst möchte ich Ihnen kurz sagen, was Sie in …

erwartet. • Zuerst erzähle ich kurz etwas zu … • Dann will ich einige Geschäftszahlen vorstellen. • Drittens möchte ich etwas über die Vor- und Nachteile sagen. • Und zum Schluss ziehe ich ein Fazit. • Danach haben wir eine Viertelstunde Zeit für Fragen • 3. **Bei der Präsentation den nächsten Punkt nennen:** Ich beginne also mit … • Damit komme ich zum zweiten Punkt, zu … • Nun komme ich zu … • Mein Fazit ist: … • 4. **Schluss und Dank:** Meine Damen und Herren, ich danke Ihnen für Ihr Interesse.

3a 2E: Banktermin verschoben • 3H: Termin Besichtigung • 4G: Falsche Rechnung

3b 1r • 2f • 3f

Rechtschreibung

1 2. hält • 3. zunächst • 4. Teilnehmer • 5. stellt • 6. Zuerst • 7. erzählt • 8. Geschäfts • 9. Angestellte • 10. selbstständig • 11. Idee • 12. Bäckerei • 13. Verkaufsfläche • 14. beträgt • 15. neben • 16. Getränke • 17. Kaffee • 18. Tee • 19. geht • 20. sehr

Lektion 2

2A Krank zur Arbeit?

1a 2. die Rückenschmerzen • 3. die Erkältung • 4. der Schnupfen • 5. die Magenschmerzen • 6. die Halsschmerzen • 7. die Übelkeit • 8. die Kopfschmerzen • 9. der Husten

1b 2. b • c • 3. a • b • 4. a • c • 5. b • c • 6. a • c

2a 2. unangenehmen Kopfschmerzen • 3. starken Hustens • Schnupfens • 4. komplizierten Rückenproblems • 5. leichten Erkältung

2b 2. … geht er zum Arzt. • 3. … nimmt Vera Hustentropfen. • 4. … hat Marga Rückenbeschwerden.

2c **Maskulinum (M):** dauernden • **Neutrum (N):** falschen • **Plural (M, N, F):** schrecklicher
Regel: -en • -er

3a 2. Wegen einer langweiligen Besprechung. • 3. Wegen dunkler Räume. • 4. Wegen eines langsamen Kollegen. • 5. Wegen alter Computer. • 6. Wegen des schlechten Kantinenessens.

3b 2. Wegen einer interessanten Besprechung. • 3. Wegen heller Räume. • 4. Wegen eines schnellen Kollegen. • 5. Wegen neuer Computer. • 6. Wegen des guten Kantinenessens.

4a 2. Hustens • 3. Behandlung • 4. Medikaments

4b **Markierungen:** 2. trockenen • 3. guten • 4. guten • **Regel:** -en

2B Zum Arzt und danach?

1a 2. Orthopäde • 3. Zahnarzt • 4. Hals-Nasen-Ohren-Arzt / Facharzt für Allgemeinmedizin • 5. Facharzt für Allgemeinmedizin / Internist • 6. Facharzt für Allgemeinmedizin

1b 2b • 3a • 4a

2a 2M: unverzüglich • 3L: übernimmt • 4I: krankgeschrieben • 5H: innerhalb • 6A: Arbeitsvertrag • 7B: Attest • 8E: Diagnose • 9O: Zeitraum • 10J: Kündigung

2b 2a • 3b

3 2. (+) Wenn der Arzt mit einem Flug einverstanden ist, darf man fliegen. • (-) Man sollte nicht fliegen, wenn der Arzt es nicht erlaubt hat. • 3. (+) Man darf Lebensmittel holen, wenn man nur noch etwas krank ist. • (-) Wenn man hohes Fieber hat, sollte man keine Lebensmittel holen. / Mit hohem Fieber sollte man keine Lebensmittel holen. • 4. (+) Man darf vor dem Ende der Krankschreibung wieder arbeiten gehen, wenn man selbst weiß, dass man wieder gesund ist. • (-) Man sollte vor dem Ende der Krankschreibung nicht arbeiten gehen, wenn man noch nicht ganz gesund ist. • 5. (+) Man darf Sport machen, wenn es nur eine leichte körperliche Aktivität ist. • (-) Man sollte keinen Sport machen, wenn es zu anstrengend ist.

2C Krankgeschrieben – und nun?

1a/b 3. Info, wann wieder im Büro: Ich bin voraussichtlich ab … wieder erreichbar. • 4. Name der Vertretung: Bitte wenden Sie sich in dringenden Fällen an meine Vertretung, Frau / Herrn … • 5. Telefonnummer / E-Mail der Vertretung: … • 6. Gruß: Mit freundlichen Grüßen • 7. eigene Kontaktdaten: …
Zuordnung: 2D • 3A • 4B

1c 2. Die Dauer der Krankheit ist nicht vorhersehbar. • 3. Die Krankheit ist gut behandelbar. • 4. Der Arzt ist immer ansprechbar.

2a *Mögliche Lösungen:*

1. Hauptsatz	2. Hauptsatz
3. In der HNO-Praxis gibt es kein Röntgengerät.	Deshalb musste Vera zum Internisten gehen.
4. Vera hat „nur" eine schwere Bronchitis.	Sie ist daher sehr froh.
5. Die Chefin braucht die Flyer.	Darum soll Anton beim Marketing anrufen.

2b 2. deshalb / daher / darum / deswegen • 3. Weil / Da • 4. Deshalb / Daher / Darum / Deswegen • 5. deshalb / daher / darum / deswegen

3 2. Aus • 3. Vor • 4. Aus • 5. Vor • 6. Aus

2D Job und Gesundheit

1 2b • 3a • 4d • 5c • 6a

2 2c • 3b • 4a

3 *Mögliche Lösung:* 1. **Krankheit:** die Bronchitis • das Fieber • die Grippe • der Husten • die Kopfschmerzen • die Rückenchmerzen • der Schnupfen • 2. **Termin beim Arzt:** Könnte ich kurz vorbeikommen? • Kann ich nicht schon heute kommen? • 3. **Ärzte:** Hals-Nasen-Ohrenarzt, ⸚e • der Internist, -en • der Orthopäde, -n • 4. **Behandlung:** ein Medikament nehmen • eine Spritze geben • Tropfen nehmen • 5. **Krankschreibung:** die Arbeitsunfähigkeit • die Bescheinigung ausfüllen • im Zeitraum von … • 6. **Betrieb und Gesundheit:** die Abwesenheitsnotiz, -en • die Vertretung, -en • die Gesundheitsförderung (hier nur Sg.) • das Gesundheitsprojekt, -e • die Mitarbeitergesundheit (hier nur Sg.) • der Krankenstand (hier nur Sg.) • die Gesundheitsberatung, -en • die Gesundheitsschulung, -en

Rechtschreibung

1a 2. Der Arzt hat Marga eine Spritze gegeben. • 1, 7 • 3. Vera macht das Arbeiten Spaß, sie arbeitet sehr viel. • 6, 5 • 4. Das Schöne war: Sie wurde schnell wieder gesund. • 6, 3 • 5. Die Krankschreibung kam zu spät, denn die Adresse war falsch. • 4, 2 • 6. Der Arbeitgeber war nicht zufrieden. Und er beschwerte sich. • 5, 1

Lektion 3

3A Unternehmen stellen sich vor

1a 1B • 2C • 3A

1b **Industrie:** Autos (Automobilindustrie) • Brot (Nahrungsmittelindustrie) • Computerdisplays • Kleidung • Medikamente (Pharmaindustrie) • Lampen • Mobiltelefone • Möbel • Telefonanlagen • Torten (Nahrungsmittelindustrie) • **Produzierendes Handwerk:** Brot (Bäckerei) • Kleidung (Schneiderei) • Möbel (Tischlerei) • Torten (Konditorei) • **Dienstleistungshandwerk:** Autos (KFZ-Werkstatt) • Brot (Verkauf in der Bäckerei) • Reinigung • **Dienstleistungen:** Hochzeitsbuffet (Catering-Service) • Mobiltelefone (Telefonladen) • Partyservice • Physiotherapie • Telefonanlagen (Installation) • Unternehmensberatung • Umzugsservice

2 2. ...branche • 3a. vertreibt • 3b. über • 4. Produkte • 5. Produktpalette • 6. Dienstleistung • 7. Kunden • 8. Markt

3B Die Geschäftsidee

1a 2. die Marktgröße • 3. der Auslandsmarkt • 4. die Marktlücke • 5. der Biermarkt • 6. der Marktanteil • 7. die Marktanalyse • 8. die Markteinführung

1b B: 7 • C: 4 • D: 6 • E: 2 • F: 8 • G: 5 • H: 3

2a 2. lokale Kunden • 3. Direktverkauf • 4. Mund-zu-Mund-Propaganda • 5. Werbung • 6. annoncieren

2b 2A • 3B • 4F • 5D • 6E

3a 2. Wir beabsichtigen, alkoholfreies und kalorienarmes Bier zu brauen und in eine Marktlücke zu stoßen. • 3. Unsere Idee ist, ein Ladenlokal zu eröffnen und unser Bier lokalen Kunden anzubieten. • 4. Wir sind sicher, bald neue Kunden zu gewinnen und unseren Anteil am Biermarkt zu vergrößern. • 5. Wir hoffen, von der Bank einen Kredit zu bekommen und viele Kunden zu gewinnen.

3b 2. Thomas und Elizabeth denken schon lange daran, einen Kredit aufzunehmen. • 3. Elizabeth spricht davon, einen Termin mit der Bank zu vereinbaren. • 4. Thomas freut sich darauf, bald mit der Arbeit zu beginnen. • 5. Er kümmert sich darum, alle Unterlagen zusammenzustellen.

3c **Markierungen:** 2a. Sie haben sich überlegt, dass sie zu einer Unternehmensberatung gehen.
Regel: a

3d 3. Thomas möchte den Kontakt zur regionalen Gastronomie pflegen. Er hat das vor. → Thomas hat vor, den Kontakt zur regionalen Gastronomie zu pflegen. • 4. Elizabeth und Thomas haben eine gute Unternehmensberaterin. Es ist wichtig. → Es ist wichtig, dass Elizabeth und Thomas eine gute Unternehmensberaterin haben.

3e 2. zu viel Alkohol zu trinken • 3. die Brauerei weiterzuführen • 4. hier zu rauchen

4 2. **Die Geschäftsidee:** Wir möchten .../Wir planen .../ Wir beabsichtigen, ... • 3. **Name des Unternehmens:** Unser Unternehmen heißt ... • 4. **Produkt oder Dienstleistung:** Wir produzieren .../Wir bieten ... an. • 5. **Team:** Ich möchte Ihnen unser Team vorstellen: Wir sind ... • 6. **Marketing:** Wir haben den Markt für unser Produkt/unsere Dienstleistung analysiert: ... • Der Markt für unser Produkt/unsere Dienstleistung ist ... • 7. **Vertrieb:** Wir wollen unser Produkt über ... verkaufen./Wir bieten unsere Dienstleistung über ... an. • 8. **Finanzplan:** Als Startkapital bringen wir ... Euro Eigenkapital und ... in Sachwerten mit. • 9. **Bitte um Kredit:** Uns fehlen ... Euro./Wir brauchen einen Kredit in Höhe von ... Euro.

3C Welche Rechtsform passt?

1a **Tabelle:** solltest • sollte • sollten • solltet • sollten • sollten
Regel: a

1b 2. sollten • 3. sollte • 4. wäre • 5. würde • 6. würde • 7. sollte/könnte • 8. sollten/könnten • 9. würde • 10. wäre • 11. könnten/sollten

2a 2. Erbe • 3. Sachwerten • 4. Verlust • 5. Firmenkapital • 6. Gewinn

2b 2D • 3E • 4B • 5F • 6A

3 2b • 3b • 4a • 5c

3D Wo finden Sie Beratung?

1a *Mögliche Lösung:* 1. **Kredit:** das Kreditgespräch • der Kredit • 2. **Unternehmen/Geschäft:** die Geschäftsidee • die Selbstständigkeit • das Unternehmenskonzept • die Gewerbeanmeldung • ein Geschäft anmelden • 3. **Unterlagen:** die Firmenpräsentation • der Finanzplan • das Formular • die Lohnbuchhaltung • die Steuer • der Jahresabschluss • 4. **Geld:** das Startkapital • das Kreditgespräch • die Bank • die Zinsen • die Laufzeit • 5. **Werbung:** die Marketingstrategie • der Markt • die Werbung • die PR-Strategie • die Medien • das Event • die Aktion • 6. **Beratung:** das Beratungsangebot • das Public Relations-Consulting • der Steuerberater • der Schulungsservice

1b 2b • 3b • 4a

Rechtschreibung

1a/b 2. allgemein • Ärztin für allgemeine Medizin • Allgemeinärztin • 3. einzeln • einzeln unternehmen • Einzelunternehmer

Lektion 4

4A Eine neue Nachricht

1a 2r • 3f • 4f • 5r

1b **Markierungen: Das österreichische Telefonalphabet:** **Ö** Österreich • **ß** scharfes S • **Ü** Übel • **X** Xaver • **Z** Zürich •

entspannt. • 6. Wenn Sie stehen: Stehen Sie gerade, die Arme locker an der Seite. • 7. Halten Sie die Hände relativ ruhig. Gestikulieren Sie also nicht zu viel. • 8. Sehr wichtig ist auch die Blickrichtung: Schauen Sie nicht nur Ihren Gesprächspartner an, • 9. sondern sehen Sie auch immer wieder die anderen Personen in der Runde an. • 10. Haben Sie keine Angst, über sich selbst zu sprechen!

3 **Regel:** b

4 1. **Begrüßung / Name:** Mein Name ist ... • Guten Morgen, meine Damen und Herren! • 2. **Einleitung / Überleitung:** In meiner kurzen Präsentation möchte ich auf folgende Punkte eingehen: ... • Meine kurze Präsentation besteht aus ... Teilen. • Nun komme ich zu Teil ... meines kleinen Vortrags. • 3. **Werdegang:** Ich komme aus ... und wollte schon immer ... • Wer bin ich? Was kann ich? • Zu meiner Ausbildung möchte ich nur ganz kurz etwas sagen: ... • Ich war für ... verantwortlich. • Berufserfahrung habe ich während ... gesammelt. • Meine Tätigkeit umfasste ... • 4. **Kenntnisse / Erfolge:** Ein Beispiel für mein erfolgreiches Arbeiten ist das folgende: ... • Mich fortzubilden, war mir immer wichtig, deshalb habe ich ... • Besonders gut kann ich ... • 5. **Grund für Bewerbung:** Ich habe mich auf die Stelle beworben, weil ich ... • Ich glaube, dass ich fachlich und persönlich genau zu der Stelle passe, weil ... • Ich bin überzeugt, dass ich für die Stelle geeignet bin, denn ... • Ich kann mir sehr gut vorstellen, ... zu ... • In Ihrer Ausschreibung fordern Sie, dass ... • Besonders freue ich mich auf ... • 6. **Schluss:** Wenn Sie Fragen haben, beantworte ich sie gern. • Ich danke Ihnen für Ihre Aufmerksamkeit.

9D Berufliche Pläne

1a ich werde • du wirst • er / sie / es wird

1b

	Position 2		Satzende
2. Sie	wird	dort ein höheres Gehalt	bekommen.
3. Insa	wird	bald bei einem großen Unternehmen in Düsseldorf	anfangen.
4. Dort	wird	sie für die Markt- und Wettbewerbsanalyse zuständig	sein.

1c 2. Sie bekommt dort ein höheres Gehalt. • 3. Insa fängt bald bei einem großen Unternehmen in Düsseldorf an. • 4. Sie ist dort für die Markt- und Wettbewerbsanalyse zuständig.

1d **Markierungen:** Auch die deutsche Großstadt Hamburg wird wachsen, da viele Menschen aus dem Ausland nach Hamburg – einem Zentrum des deutschen Außenhandels – kommen werden. • Bis zum Jahr 2020 wird das Angebot an offenen Stellen auf dem Hamburger Arbeitsmarkt zunehmen und der Anteil der Frauen und von Personen aus verschiedenen Ländern am Arbeitsmarkt wird steigen. • Diese Entwicklung wird Hamburgs Wirtschaft positiv verändern.

2 2. der • 3. auf • 4. mit • 5. der

Rechtschreibung

1a 2. Arbeitsstil • 3. Flexibilität • 4. Dienstleister • 5. Finanzen • 6. Stiftung • 7. Notiz • 8. Abitur • 9. Zertifikat • 10. Einstieg • 11. Niederlassung • 12. Ziel • 13. expandieren • 14. Qualifikation • 15. Vertrieb

1b 2. erschlossen • 3. Interesse • 4. Zeugnis • 5. Zeugnisse • 6. Kenntnis • 7. abschließen • 8. Abschluss • 9. zuverlässig • 10. fleißig

1c 2. Lieferant • 3. Hobby • 4. Flipchart • 5. Gruppe • 6. Analyse • 7. interkulturell • 8. Wettbewerb • 9. Erstellung • 10. komplett

Lektion 10

10A Beruflicher Neuanfang

1a 1. **formale Qualifikationen:** Englisch: sehr gut in Wort und Schrift • Kenntnisse in ... • Studium im Fach ... • verhandlungssicheres Spanisch • 2. **persönliche Kompetenzen:** Flexibilität • kommunikationsstark • Teamfähigkeit • 3. **Arbeitszeitmodell:** Teilzeit (50%) • Vollzeit • 4. **Leistungen des Unternehmens:** Bezahlung nach Tarif • 13. Monatsgehalt • Urlaubsgeld

1b **von oben nach unten (links):** 5 • 2 • 3 • 7 • 10 • 4 • **von oben nach unten (rechts):** 8 • 6 • 9 • 11 • 12

1c 1. **Das muss man haben:** ... ist für Sie selbstverständlich. • Sie verfügen über ... • ... setzen wir voraus. • ... wird / werden vorausgesetzt. • Wir erwarten ... • 2. **Das wäre gut zu haben:** ... ist / sind erwünscht. • idealerweise • ... sind von Vorteil. • Wünschenswert ist ...

2 2. Ich möchte gern wissen, ab wann Sie die Stelle spätestens besetzen wollen. • 3. Ich wollte außerdem nachfragen, welche Kenntnisse in SAP® unbedingt notwendig sind. • 4. Könnten Sie mir bitte sagen, ob die Tätigkeit mit Reisen verbunden ist? • 5. Zum Schluss würde ich gern noch wissen, ob die Bewerbung auch per E-Mail möglich ist.

10B Der Lebenslauf

1 2. Ausbildung & Schule • 3. Fort- / Weiterbildungen • 4. Sprachkenntnisse • 5. Interessen • 6. Ort, Datum, Unterschrift • 7. EDV-Kenntnisse • 8. Berufserfahrung

2a 2. Sie hat Kunden beraten. • 3. Sie hat das Lager organisiert und verwaltet. • 4. Sie hat eine Kundenumfrage durchgeführt. • 5. Sie hat Arzneimittel hergestellt. • 6. Sie hat Fachliteratur über Naturheilverfahren gelesen.
Regeln: Durchführung, Organisation • Kundenberatung • Lesen von Fachliteratur • Bearbeitung von Bestelllungen • Herstellung der Arzneimittel

2b 2. Dann habe ich von September 2009 bis Juni 2012 an der Universität Complutense Madrid Wirtschaft mit dem Schwerpunkt Rechnungswesen studiert. • 3. Ich habe das Studium mit dem Bachelor mit der Note „sehr gut" abgeschlossen. • 4. Nach dem Studium war ich fast zwei Jahre lang (Oktober 2012 – September 2014) als Mitarbeiter im Rechnungswesen des Unternehmens „Día" in Madrid tätig. • 5. Ich habe dort die Rechnungen dokumentiert, geprüft und gebucht. • 6. Außerdem war ich auch in der Lohnbuchhaltung tätig, ich habe die Lohnzahlungen vorbereitet. • 7. Seit Oktober 2014 arbeite ich als Teamleiter in der Buchhaltung des Unternehmens „Telefónica". • 8. Ich bearbeite Rechnungen und Lohnzahlungen und organisiere Fortbildungen für neue Mitarbeiter/innen.

2c 2. September 2009 – Juni 2012: Wirtschaftsstudium an der Universität Complutense Madrid mit dem Schwerpunkt Rechnungswesen • 3. Bachelorabschluss mit der Note „sehr gut" • 4. Oktober 2012 – September 2014: Mitarbeiter im Rechnungswesen des Unternehmens „Día" in Madrid • 5. Dokumentation, Prüfung und Buchung von Rechnungen • 6. Tätigkeit in der Lohnbuchhaltung: Vorbereitung von Lohnzahlungen • 7. Seit Oktober 2014: Teamleiter in der Buchhaltung des Unternehmens „Telefónica" • 8. Bearbeiten von Rechnungen und Lohnzahlungen und Organisation von Fortbildungen für neue Mitarbeiter/innen

2d **Berufserfahrung**: seit 10/2014: Teamleiter in der Buchhaltung des Unternehmens „Telefónica" • **Ausbildung & Schule:** 2009-2012: Wirtschaftsstudium an der Universität Complutense Madrid mit dem Schwerpunkt Rechnungswesen • Abschlussnote: sehr gut • 2003-2009 Bachillerato (= Abitur) Colegio Madrid Secundaria y Bachillerato, Abschluss: Hochschulreife

2e 2A • 3E • 4B • 5C

2f Interessen: Wandern, Lateinamerikanische Geschichte und Kultur

10C Das Anschreiben

1 **von oben nach unten:** 3 • 8 • 4 • 7 • 1 • 6 • 5

2 2. Bewerbung als Mitarbeiterin am Empfang • Ihre Anzeige auf jobpilot.de, ID 2017-901 • 3. Bewerbung als Abteilungsleiter/in im Rechnungswesen • Ihre Anzeige in der „ZEIT" vom 23.02.2017

3 3 • 5

4a **Zuordnung:** 2E • 3B • 4C • 5A

4b 2. Ich verfüge über umfangreiche Kenntnisse in SAP® und eine langjährige Berufserfahrung als Projektmitarbeiter in der Beratung von Energieunternehmen. • 3. Ich habe als Angestellte in einer Apotheke viele Erfahrungen im Bereich der Homöopathie und in der Kundenberatung gesammelt. • 4. Schwerpunkte meiner Tätigkeit als Mitarbeiterin in der Buchhaltung waren die Erstellung, Prüfung und Bearbeitung von Rechnungen, sowie das Erstellen der Monats- und Jahresabschlüsse. • 5. Zu meinen Eigenschaften gehören Flexibilität, ein freundlicher Umgang mit den Kunden und Teamfähigkeit. • 6. Für alle weiteren Auskünfte stehe ich in einem persönlichen Gespräch gerne zur Verfügung.

10D Moderne Stellensuche

1 2. Soziale Netzwerke • 3. Zeitarbeit • 4. Printmedien • 5. Staatliche Vermittlungsagenturen

2a 2. bis • 3. Bis • 4. Seitdem / Seit • 5. seitdem / seit

2b 2. Bis ich im April kündige, habe ich noch genug zu tun. • 3. Bis meine Bewerbungsmappe fertig ist, brauche ich noch etwas Zeit. • 4. Seitdem ich eine neue Stelle suche, habe ich in vielen Online-Börsen recherchiert. • 5. Bis ich eine gute Stelle finde, muss ich sicher viele Firmen kontaktieren. • 6. Seitdem ich mit der Stellensuche begonnen habe, habe ich viele Bewerbungsratgeber gelesen.

3 2. letzte • 3. zum • 4. meiner • 5. nächsten

Rechtschreibung

1 2. 3 • 3. 4 • 4. 6 • 5. 7 • 6. 1 • 7. 2 • 8. 5

Im Folgenden finden Sie die Transkriptionen der Hörtexte im Übungsbuch, die weder dort noch in den Lösungen abgedruckt sind.

Lektion 1

2|36 *Moderator:* Guten Tag, meine Damen und Herren. Willkommen zur Sendung „Besser selbstständig als angestellt". Wir haben eine Umfrage zum Thema gemacht. Hören Sie nun, was unsere Interviewpartner gesagt haben.
Sprecherin: Isa Holm-Witt, Besitzerin eines Cafés
Isa Hom-Witt: Früher war ich in einer Konditorei angestellt. Da habe ich an der Theke im Verkauf und im Café gearbeitet. Das war oft sehr anstrengend und ich habe nicht viel verdient. Außerdem hat mir die Atmosphäre dort nicht gut gefallen. Ich war nicht glücklich! Und lange wusste ich keine Lösung. Aber dann hatte ich eine Idee: Ich konnte schon immer sehr gut backen und da dachte ich mir, warum machst du nicht ein Geschäft aus deinem Talent. Ich habe Fotos von vier Kuchen gemacht und Zettel in die Briefkästen in meiner Straße gesteckt. Na ja, am Anfang haben sich nur sehr wenige Leute gemeldet und Kuchen bestellt. Aber mit der Zeit kamen dann immer mehr Bestellungen. Ja, so hat es angefangen – heute habe ich mein eigenes kleines Café – es heißt „Isas Kaffee & Kuchen" und ist immer voll, aber bis dahin war es ein sehr langer Weg. Kommen Sie doch mal rein!

2|37 *Sprecherin:* Horst Lebach, Franchisenehmer
Horst Lebach: Ich bin Informatiker und Techniker und habe viele Jahre in einer kleinen Firma Computer repariert und Software installiert. Das wurde mir mit der Zeit sehr langweilig – immer vor dem Bildschirm! Ja, und mit dem Geld war es auch nicht so toll. Durch meine Arbeit habe ich aber viele Leute kennengelernt. Ein Kunde hat bei BackWerk gearbeitet. Er war immer sehr lustig und hat viel erzählt. Zuerst dachte ich, dass er dort angestellt ist. Aber dann hat er gesagt, dass er der Chef dort ist und hat mir das Franchise-System erklärt. Ich habe mir das bei ihm angesehen und fand das sehr interessant. Dann habe ich mit den Leuten von BackWerk gesprochen, die zuständig für neue Partner sind. Ich hab' mich um einen Kredit gekümmert und so weiter und bin Partner geworden. Und nun bin ich selbstständig. Aber ich weiß nicht, ob ich es schaffe. Es ist nicht einfach! Vielleicht arbeite ich besser wieder als Informatiker.

2|38 *Sprecherin:* Lara Bäcker, Texterin
Lara Bäcker: Ich habe Germanistik studiert – das hat mir immer Spaß gemacht – und ich habe einen sehr guten Abschluss. Aber ich habe keine Arbeit gefunden, die mir gefallen hat. Da kam mir die Idee mit der Selbstständigkeit: Im Studium habe ich gemerkt, dass viele Leute Probleme haben, wenn sie Texte schreiben. Ich fand das gar nicht schwer und konnte schon immer gut und schnell schreiben. Deshalb dachte ich, warum machst du das nicht zum Beruf? Jetzt schreibe ich Texte im Auftrag von privaten Kunden, aber auch von Firmenkunden. Ich arbeite sogar regelmäßig für einige große Firmen. Für die korrigiere ich die Geschäftsberichte. Das mache ich am liebsten, aber leider bekomme ich von den Firmen nicht genug Aufträge und so muss ich manchmal schon auch Aufgaben übernehmen, die ich nicht so gerne mache, z. B. Reden schreiben, für Familienfeiern. Denn ohne so etwas, verdiene ich leider nicht genug.

Lektion 3

2|40 *Sprecherin:* Gespräch 1
Leiter eines Gründerseminars: Und warum besuchen Sie das Gründerseminar, Herr Solms?
Herr Solms: Ich habe eine sehr gute Geschäftsidee und brauche Beratung.
Leiter eines Gründerseminars: Und in welchem Bereich brauchen Sie Beratung?
Herr Solms: Naja, eine Idee ist nicht alles. Es gibt auch noch den Finanzplan, da brauche ich Hilfe: Reichen meine 12.000 Euro? Die Ladenmiete kostet schon 882 Euro jeden Monat. Und: Ist meine Marketingstrategie richtig? Stimmt meine Vertriebsstrategie? – Das sind Fragen, die mir wichtig sind.

2|41 *Sprecherin:* Gespräch 2
Seminarteilnehmer: Sagen Sie, Frau Markel, warum haben Sie sich eigentlich selbstständig gemacht und eine eigene Firma gegründet? Waren Sie unglücklich in Ihrem Job?
Frau Markel: Nein, nein, das war nicht das Problem, sondern ich hatte gar keine Arbeit. Das war der Grund. Und außerdem hatte ich eine super Geschäftsidee und hatte etwas Geld geerbt. Eine eigene Firma war schon immer mein Traum.
Seminarteilnehmer: Und, sind Sie mit Ihrer Entscheidung zufrieden?
Frau Markel: Ja, absolut, als Chefin bin ich mit mir nicht immer zufrieden, aber meine Firma läuft gut.

2|42 *Sprecherin:* Gespräch 3
Dozent: Liebe Gründerinnen und Gründer, ich freue mich, dass Sie gekommen sind. In den nächsten zwei Stunden sprechen wir über Marketing, Werbung und Vertrieb. Nach der Pause beschäftigen wir uns mit den Themen Finanzierung, Startkapital, Kredit und so weiter. Zu diesem Themenkomplex „Geld" gehört natürlich auch das Thema „Steuern", aber Steuern behandeln wir nicht heute Nachmittag, sondern morgen Vormittag. Und morgen Nachmittag sehe ich mir Ihre individuellen Geschäftsideen an.

2|43 *Sprecherin:* Gespräch 4
Interviewer: Es gibt spezielle Existenzgründerseminare nur für Frauen, Frau Dr. Dreyer, warum ist das so? Gibt es da wirklich Bedarf?
Frau Dr. Dreyer: Ja, absolut. Gründerinnen haben andere Probleme als Gründer. Sie brauchen eine spezielle Beratung.
Interviewer: Können Sie uns ein Beispiel sagen?
Frau Dr. Dreyer: Frauen sind oft sehr vorsichtig und unsicher. Sie brauchen daher mehr Unterstützung. Außerdem müssen viele Gründerinnen lernen, sich zu vernetzen. Deshalb ist der Kontakt zu anderen Unternehmerinnen sehr wichtig. Das Wissen über finanzielle Fördermöglichkeiten ist auch immer ein ganz großes Thema.

2|44 *Sprecher:* 1. ökologisch – ökologisch produzieren – Ökoprodukte sind beliebt.
Sprecherin: 2. allgemein – Ärztin für allgemeine Medizin – Sie ist Allgemeinärztin mit eigener Praxis.
Sprecher: 3. einzeln – einzeln unternehmen – Ein Einzelunternehmer ist oft Freiberufler.

Lektion 6

▶ 2|48 *Sprecher:* 1. offen
Sprecherin: 2. hoffen
Sprecher: 3. halt
Sprecherin: 4. alt
Sprecher: 5. Ecke
Sprecherin: 6. Hecke
Sprecher: 7. alle
Sprecherin: 8. als
Sprecher: 9. Halle
Sprecherin: 10. Hals
Sprecher: 11. Hier her!
Sprecherin: 12. Eis
Sprecher: 13. heiß
Sprecherin: 14. hören
Sprecher: 15. Ohren
Sprecherin: 16. Hört er?

▶ 2|49 *Sprecher:* 1. Hannah Herz zahlt die Hälfte der Auftragssumme.
Sprecherin: 2. Herr Unger bedankt sich herzlich für die Anfrage.
Sprecher: 3. Die Handwerker haben heute die Rohmontage beendet.
Sprecherin: 4. Der Händler muss 24 Monate Gewährleistung auf neue Waren geben.
Sprecher: 5. Er haftet für Mängel, die die Ware schon beim Kauf hatte.
Sprecherin: 6. Hersteller bieten häufig eine Garantieverlängerung an.

Bildquellen

Cover: © Cadalpe/ImageSource/Corbis; **8.1** © Robert Bosch GmbH (www.bosch.de), Stuttgart; **8.2** © Volkswagen Aktiengesellschaft (www.volkswagen.de), Wolfsburg; **8.3** © backWERK (www.back-werk.de), Monheim am Rhein; **8.4** © Louis Widmer SA (www.louis-widmer.com), Rheinfelden/Baden; **8.5** © RAUCH (www.rauch.cc), Rankweil; **8.6** © Software AG (www.software.com), Darmstadt; **8.7** © Boehringer Ingelheim GmbH (www.boehringer-ingelheim.de), Ingelheim am Rhein; **8.8** © thyssenkrupp AG (www.thyssenkrupp.com), Essen; **8.9** © Mammut (www.mammut.ch), Seon; **8.10** © BASF (www.basf.com), Ludwigshafen am Rhein; **8.11** © EMCO (www.emco-world.com), Hallein; **8.12** © RWE (www.rwe.com), Essen; **8.13** Thinkstock (prospective56), München; **10.1** © thyssenkrupp AG (www.thyssenkrupp.com), Essen; **10.2** Shutterstock (Dmitry Kalinovsky), New York; **10.3** Shutterstock (Hellen Sergeyeva), New York; **10.4** Thinkstock (Ingram Publishing), München; **10.5** Shutterstock (wavebreakmedia), New York; **10.6** © Volkswagen Aktiengesellschaft (www.volkswagen.de), Wolfsburg; **10.7** Thinkstock (Jay_Zynism), München; **10.8** Thinkstock (Ikonoklast_Fotografie), München; **12.1** © Boehringer Ingelheim GmbH (www.boehringer-ingelheim.de), Ingelheim am Rhein; **12.2** © SANOFI (www.sanofi.de), Frankfurt am Main; **14** © backWERK (www.back-werk.de), Monheim am Rhein; **16.1 – 16.2** © SANOFI (www.sanofi.de), Frankfurt am Main; **18.1** Thinkstock (AndreyPopov), München; **18.2** Thinkstock (Hin255), München; **18.3** Thinkstock (Piotr Marcinski), München; **18.4** Thinkstock (ceazars), München; **18.5** Thinkstock (KatarzynaBialasiewicz), München; **18.6** Thinkstock (Wavebreakmedia Ltd), München; **18.7** Shutterstock (Karramba Production), New York; **18.8** Shutterstock (Asier Romero), New York; **18.9** Shutterstock (Alexander Raths), New York; **19.1** Thinkstock (Wavebreakmedia Ltd), München; **19.2** Shutterstock (cloki), New York; **19.3** Thinkstock (maxsattana), München; **19.4** Thinkstock (Africa Studio), München; **24** © DAK-Gesundheit 2015; **25** © AU-Daten der DAK-Gesundheit 2015; **28.1** Shutterstock (Tortuga), New York; **28.2** © A&O Lieferservice e.K.; **28.3** © PLAYMOBIL/geobra Brandstätter Stiftung & Co. KG; **28.4** © SuperBioMarkt AG; **28.5** Thinkstock (pixelliebe), München; **29.1** © PLAYMOBIL/geobra Brandstätter Stiftung & Co. KG; **29.2** © A&O Lieferservice e.K.; **29.3** © SuperBioMarkt AG; **30.1** Shutterstock (Tortuga), New York; **30.2** Shutterstock (wavebreakmedia), New York; **32.1** Thinkstock (Annykos), München; **32.3** Thinkstock (ajuga), München; **32.4** Thinkstock (Annykos), München; **32.5** Thinkstock (pking4th), München; **32.6** Thinkstock (jack191), München; **32.7** Thinkstock (Annykos), München; **34.1** Shutterstock (Alexander Ryabintsev), New York; **34.2** Thinkstock (LueratSatichob), München; **34.3** Thinkstock (majivecka), München; **38.1 – 38.12** © Daimler AG (www.daimler.com), Stuttgart; **39.1 – 39.7** © Daimler AG (www.daimler.com), Stuttgart; **40.1** Shutterstock (binik), New York; **40.2** Thinkstock (vtls), München; **40.3** Shutterstock (binik), New York; **42.1** Thinkstock (David De Lossy), München; **42.2** Thinkstock (Monkey Business Images), München; **42.3** Thinkstock (kieferpix), München; **42.4** Thinkstock (jean-marie guyon), München; **42.5** Thinkstock (Berndhard Lang), München; **44** Thinkstock (michaeljung), München; **46** Thinkstock (vtls), München; **47** Shutterstock (Henk Bentlage), New York; **50.1** © VKF Renzel GmbH, Isselburg; **50.2** © www.Messe-Shop24.de; **50.3** © www.messefrankfurt.com; **50.4** © www.Messe-Shop24.de; **50.5** Fotolia.com (euthymia), New York; **50.6** © SEVEN mediaprint Gmb, Köln; **50.7** © VKF Renzel GmbH, Isselburg; **51.1** Thinkstock (Givaga), München; **51.2** Thinkstock (adekvat), München; **51.3** Thinkstock (cretolamna), München; **54.1** © www.tatwort.de; **54.2** © Alexander Simon / www.pantomimekuenstler.de; **55.1** © Christoph Rummel, Köln (© Jean-Ferry / eventjonglage.com); **55.2** © SolarWorld AG; **56.1** © Messe Berlin GmbH (www.ifa-berlin.de), Berlin; **56.2** © Deutsche Messe AG, Hannover; **56.3** © IAA (www.iaa.de), Berlin; **56.4** © Deutsche Messe AG, Hannover; **56.5** © Frankfurter Buchmesse (www.buchmesse.de), Frankfurt am Main; **56.6** © MESSE MÜNCHEN GMBH; **57** © AUMA_Ausstellungs- und Messe-Ausschuss der Deutschen Wirtschaft e.V. (www.auma.de), Berlin; **60.1** Thinkstock (green_casius), München; **60.2** Shutterstock (Dmitry Kalinovsky), New York; **60.3** Thinkstock (alessandroguerriero), München; **60.4** Fotolia.com (auremar), New York; **60.5** Thinkstock (AndreyPopov), München; **60.6** Thinkstock (Pawel_Kisiolek), München; **62.1** Thinkstock (tiler84), München; **62.2** Thinkstock (tiler84), München; **62.3 – 62.6** © DURAVIT; **62.7 – 62.8** Shutterstock (photographyfirm), New York; **65.1 – 65.2** © Postbank; **68.1 – 68.2** Dreamstime.com (Alexander Kharchenko), Brentwood, TN; **68.5 – 68.6** © DURAVIT; **68.7** Thinkstock (jansucko), München; **68.8** Thinkstock (Torsakarin), München; **70** © OLYMP Bezner KG, 74321 Bietigheim-Bissingen, www.olymp.com; **71.1 – 71.10** © OLYMP Bezner KG, 74321 Bietigheim-Bissingen, www.olymp.com; **72.1** Thinkstock (SolisImages), München; **72.2** Shutterstock (goodluz), New York; **79** Thinkstock (IvonneW), München; **82.1** Thinkstock (Manuel Faba Ortega), München; **82.2** Shutterstock (Yuriy Rudyy), New York; **82.3** Shutterstock (Rawpixel.com), New York; **82.4** Thinkstock (m-imagephotography), München; **84.1** Thinkstock (Rawpixel Ltd), München; **84.2** Thinkstock (Steve Mason), München; **84.3** Thinkstock (Delpixart), München; **84.4** Thinkstock (bonezboyz), München; **84.5** Shutterstock (Pack), New York; **84.6** Thinkstock (bonezboyz), München; **84.7** Thinkstock (Rawpixel Ltd), München; **84.8** Shutterstock (Pamela D. Maxwell), New York; **84.9** Thinkstock (Rawpixel Ltd), München; **84.10** Thinkstock (bonezboyz), München; **84.11** Shutterstock (Vector3D), New York; **84.12** Thinkstock (bonezboyz), München; **84.13** Shutterstock (djdarkflower), New York; **84.14** Thinkstock (Rawpixel Ltd), München; **84.15** Thinkstock (Steve Mason), München; **87.1 – 87.4** Thinkstock (MonikaBeitlova), München; **88.1 – 88.2** © City Reisebüro (www.sonne-satt.de), Tübingen; **89.1** © Statista / Quelle: UNWTO; UN; **89.2 – 89.11** Thinkstock (Vitalii Tkachuk), München; **89.12** © www.stiftungfuerzukunftsfragen.de; **92** © K.D. Feddersen Ueberseegesellschaft; **93.1** Thinkstock (gzorgz), München; **93.2** Thinkstock (XiXinXing), München; **96** Shutterstock (Photographee.eu), New York; **97** Thinkstock (Olivier Le Moal), München; **99.1 – 99.2** © K.D. Feddersen Ueberseegesellschaft; **102.1 – 102.8** © Implenia AG (www.implenia.com), Dietlikon; **103.1** Thinkstock (stefanschurr), München; **103.2 – 103.3** © Implenia AG (www.implenia.com), Dietlikon; **104.1** Shutterstock (goodluz), New York; **104.2** Thinkstock (Geo-grafika), München; **104.3** Shutterstock (racorn), New York; **104.4** Thinkstock (Hulinska_Yevheniia), München; **105** Thinkstock (Hulinska_Yevheniia), München; **107** Thinkstock (XiXinXing), München; **110.1** Thinkstock (Creatas Images), München; **110.2** © MONSTER; **110.3** Thinkstock (Creatas Images), München; **110.4** © XING AG; **110.5** © Bundesagentur für Arbeit®; **110.6** © ManpowerGroup; **110.7** Thinkstock (LWA/Sharie Kennedy), München; **114** © Robert Bosch GmbH (www.bosch.de), Stuttgart; **116.1** © Boehringer Ingelheim GmbH (www.boehringer-ingelheim.de), Ingelheim am Rhein; **116.2** © SANOFI (www.sanofi.de), Frankfurt am Main; **119** © backWERK (www.back-werk.de), Monheim am Rhein; **122.1** Thinkstock (AndreyPopov), München; **122.2** Shutterstock (Karramba Production), New York; **122.3** Thinkstock (KatarzynaBialasiewicz), München; **122.4** Shutterstock (Alexander Raths), New York; **127** © Hilti Deutschland AG, Kaufering; **130** Thinkstock (pixelliebe), München; **131** Shutterstock (Tortuga), New York; **134** Thinkstock (Stadtratte), München; **143** Shutterstock (wavebreakmedia), New York; **148.1 – 148.2** © LAMY; **151** © Christoph Rummel, Köln (© Jean-Ferry / eventjonglage.com); **154** Shutterstock (Dmitry Kalinovsky), New York; **155** Thinkstock (green_casius), München; **159** Fotolia.com (Petra Nowack - peno), New York; **162.1** Thinkstock (aycatcher), München; **162.2** Fotolia.com (Kzenon), New York; **162.3** Thinkstock (Goodshoot), München; **162.4** Thinkstock (HaraldBiebel), München; **162.5** Thinkstock (Jupiterimages), München; **170** Shutterstock (Rawpixel.com), New York; **172.1** Thinkstock (Rawpixel Ltd), München; **172.2** Thinkstock (bonezboyz), München; **180** Thinkstock (XiXinXing), München; **183** Thinkstock (gzorgz), München; **184.1 – 184.2** © K.D. Feddersen Ueberseegesellschaft; **189** Thinkstock (Siri Stafford), München; **197** Fotolia.com (Stefan Yang), New York; **199.1** Shutterstock (Yuriy Rudyy), New York; **199.2** Shutterstock (Darren Whittingham), New York; **199.3** Thinkstock (dima_sidelnikov), München; **206** Fotolia.com (Stefan Yang), New York; **207.1** Thinkstock (Digital Vision.), München; **207.2** Shutterstock (wavebreakmedia), New York; **207.3** Thinkstock (Wavebreakmedia Ltd), München

Textquellen

S. 12.1: © Boehringer Ingelheim GmbH (www.boehringer-ingelheim.de), Ingelheim am Rhein; **S. 12.2:** © SANOFI (www.sanofi.de), Frankfurt am Main; **S. 14:** © backWERK (www.back-werk.de), Monheim am Rhein; **S. 21:** © Kassenärztliche Bundesvereinigung; **S. 29.1:** © PLAYMOBIL/ geobra Brandstätter Stiftung & Co. KG; **S. 29.2:** © A&O Lieferservice e.K.; **S. 29.3:** © SuperBioMarkt AG; **S. 38/39:** © Daimler AG (www.daimler.com), Stuttgart; **S. 54.1:** © www.tatwort.de; **S. 54.2:** © Alexander Simon / www.pantomimekuenstler.de; **S. 55.1:** © Christoph Rummel, Köln (eventjonglage.com / www.business-jongleur.de); **S. 55.2:** © martin.meyl@moderatoren.events; **S. 56.1:** © AUMA_Ausstellungs- und Messe-Ausschuss der Deutschen Wirtschaft e.V. (www.auma.de), Berlin; **S. 56.2:** © Deutsche Messe AG, Hannover; **S. 56.3:** © Frankfurter Buchmesse (www.buchmesse.de), Frankfurt am Main; **S. 56.4:** © IAA (www.iaa.de), Berlin; **S. 56.5:** © Messe Berlin GmbH (www.ifa-berlin.de), Berlin; **S. 56.6:** © Deutsche Messe AG, Hannover; **S. 56.7:** MESSE MÜNCHEN GMBH; **S. 70/71:** © OLYMP Bezner KG, 74321 Bietigheim-Bissingen, www.olymp.com; **S. 88:** © City Reisebüro (www.sonne-satt.de), Tübingen; **S. 92:** © K.D. Feddersen Ueberseegesellschaft; **S. 99:** © K.D. Feddersen Ueberseegesellschaft; **S. 102/103:** © Implenia AG (www.implenia.com), Dietlikon; **S. 127:** © Hilti Deutschland AG, Kaufering; **S. 184:** © K.D. Feddersen Ueberseegesellschaft

Alle Audios (auf CD) und alle Filme (auf DVD) im Medienpaket
und gratis online auf: www.klett-sprachen.de/daf-im-unternehmen-online

Internetverbindung mit mind. 2 Mbit, Internet Explorer 9 / Firefox 25 / Google Chrome 25 /
Mobile Safari unter IOS6 / Chrome für Android 4.2 oder höher